한비야의 중국견문록

한비야의
중국견문록

9/13/09
그대앞에다. 하드미.

10/4/09
San Antonio 가는 항로에다.
Hyang mi.

푸른숲

⚜

이 책을 묵묵히 자신의 길을 걷고 있는
세상 모든 이들에게 바친다.
지금 길을 잃고 헤매는 친구들에게도.

차 례

봄

여름

봄

자기 전에 내일 수업 준비를 한다.
책가방에 교재, 사전, 공책을 넣고
샤프펜슬이랑 색연필, 지우개도 챙겨 넣었다.
학원증도 챙겼는지 다시 살펴본 후 잠자리에 들었다.
커피도 마시지 않았는데 가슴이 두근거리고 눈이 말똥말똥하다.
기분이 무지무지 좋다.
학원에서나마 본격적으로 중국어 공부를 시작하려니 감개무량하다.
아! 다시 학생이 된 이 기분!
오래 전부터 하고 싶던 일을 드디어 시작하는 이 기분!
확실한 목표를 향해 첫발을 내딛는 이 기분!
기분이 너무 좋으면 이렇게 떨리는가 보다.

이 길 끝에 내 보금자리가 있다.

내가 사는 숙소. 명색이 호텔이라면서 웬 자전거?

붕어빵이 중국에도 있네!

만두 사요, 만두. 한 개에 10원!

"너무 늦게 왔는데요."

'환잉 닌 따오 베이징 라이(베이징에 오신 것을 환영합니다).'

커다란 이민 가방을 끌고 베이징 공항을 나서자마자 대형 간판이 한눈에 들어온다. 이 환영의 말은, 오늘만큼은 오직 나만을 위한 것 같다. 2000년 3월 15일의 일이다.

뜬금없이 웬 중국어? 1년간 중국어 연수를 간다고 할 때 많은 사람들이 보인 반응이다. 7년에 걸친 세계 일주와 국토 종단이 모두 끝났으니 좀 쉬지, 또 어디를 가냐는 뜻일 것이다. 이제 시작해서 어느 세월에 배우겠냐는 뜻도 있을 것이고, 도대체 중국어를 어디에다 쓰겠냐는 뜻도 있을 것이다.

'다시 말할 필요 없이 중국은 떠오르는 태양이다. 21세기는 미국과 중국의 양대 축으로 움직이게 될 거다. 중국이 세계 무대의 주인공으로 화려하게 복귀함에 따라 중국어가 점점 더 중요해지리란 것은 불을 보듯 뻔하다. 게다가 중국어는 UN의 여섯 개 공식 언어 중

하나이자 세계 인구의 4분의 1이 쓰고 있는 언어이다. 일본이나 우리나라 같은 한자 문화권까지 따지면 그 쓰임새는 어마어마하다. 앞으로 전 세계를 무대로 일하려고 하는 내가 중국어를 공부하려는 것은 너무나 마땅하고 옳은 일이 아닌가.' 이렇게 말할 줄 알았지?

천만의 말씀. 물론 '머리'로 생각해보면 그렇지만, 그리고 대외적으로는 그렇게 말하고 있지만 중국행 비행기를 탄 더 큰 이유는 따로 있다. 다름 아니라 중국어가 배우고 싶기 때문이다. 중국어를 배우는 일이 앞으로 내 인생에 어떤 보탬이 되어서가 아니라 오래 전부터 하고 싶었던 일이고, 지금이 그 일을 시작하기에 가장 적당한 때라고 생각하기 때문이다. 어떻게 1년이란 시간과 노력을 투자하면서 거기서 얻을 수 있는 실제적인 이익을 따져보지 않느냐고? 나라고 따져보지 않았겠는가. 하지만 나는 '머릿속 계산'보다 '마음의 소리'를 따르기로 했다.

나는 어릴 때부터 중국어에 관심이 많았다. 중학생 때에는 마흔 살이 되기 전까지 5개 국어를 마스터하리라는 야무진 계획을 세웠는데 중국어도 그 중 하나였다. 그때 중국은 중공으로 불리는 금단의 땅이었으니 갈 수 없는 나라라는 상황이 더욱 호기심을 자극했을 것이다. 그리고 드디어 1998년 중국 땅을 밟았다. 8개월 간 여행을 다니면서 중국어에 더욱 큰 매력을 느꼈다. 하면 될 것 같은 엄두도 났다. 한국으로 돌아오는 배 안에서 나는 결심했다.

"1년 안에 다시 중국에 와야지. 그때는 중국어를 제대로 배우고 가야지."

이런 마음의 소리가 이번 중국에 오기 전 있었던 여러 가지 그럴듯한 제안들을 물리치게 해주었다. 몇 년간 중국 귀신이 붙은 것처럼 안달하던 일이니 일단 저질러보기로 했다. 길지도 않고 딱 1년. 죽이 될지 밥이 될지는 모르는 일이다. 해보지도 않고 어떻게 알 것인가.

세계 일주를 할 때 육로로만 이동하겠다는 원칙에 따라 배로 꼬박 하루를 걸려 오던 길이 비행기를 타니 1시간 20분 거리다. 몸과 마음이 동시에 나니 빠르기도 참 빠르다.

공항에서 택시를 타고 자신 있게 기사에게 말했다.

"칭 취 우다오커우(우다오커우로 가주세요)."

베이징 북서쪽에 있는 유학생 촌이다. 택시 기사가 나를 한번 돌아보더니 한마디한다.

"니 수어 한위 수어더 헌 하오(중국말 잘하네요)."

"날리. 하이 차더 위엔너(뭘요. 아직도 멀었는걸요)."

어울리지도 않게 겸손을 떨었지만 중국에 오자마자 한 첫마디로 칭찬을 들으니 괜히 기분이 좋아진다. 뭔가 잘 될 것 같은 느낌이다.

여기까지는 좋았는데 생각지도 않은 곳에서 차질이 생겼다. 찾아간 하숙방에 이미 다른 사람이 들어 있었던 것이다. 오기 전에 아는 사람을 통해 중국인 하숙집을 찾아두었기 때문에 그것만 굴뚝같이 믿고 있었는데, 이럴 수가 있나. 중국인 주인은 미안한 기색도 없이 "니 라이 타이 완러(네가 너무 늦게 왔어)."만 반복했다. 내가 그저께 전화로 확인했을 때도 내 방은 틀림없이 비어 있다고 해놓고 늦긴 뭐가 늦었다는 말인지. 그러나 말 잘한다는 한비야도 찍소리 못하고 돌아서야 했다. 중국에서 한국말을 잘하면 뭘 하나, 중국말을 잘해야지. 정말 아는 것이 힘이다. 공부 열심히 해야겠다. 첫날은 하는 수 없이 전에 와서 얼굴을 익힌 어언문화대 학생 기숙사 방에서 끼여 잤다.

다음날, 이 학생과 십여 개의 대학교가 모여 있다는 학원로로 묵을 곳을 구하러 다녔다. 여기는 복덕방이 따로 있는 게 아니라 학교나 동네 가게 게시판에 붙은 메모를 보고 일일이 찾아다녀야 한다. 아침부터 오후 늦게까지 다녀보니 학교 기숙사는 이미 만원이고, 중국인 아파트에서 세놓은 방은 실내가 너무 컴컴해서 썩 내키지 않았다. 어쩌나 하고 있는데, 우연히 숲길이 눈에 띄었다. 아파트 단지뒤에 있는 공원 안에 한 줄로 예쁘게 난 길이었다. 알고 보니, 바로앞 북경임업대학에서 심은 실험용 나무들이란다. '집 없는 천사'지만 단박에 기분이 좋아졌다. 그 길을 따라 걸으면서 이 길 끝에 숙소가 있다면 얼마나 좋을까 하고 생각하는 순간, 거짓말같이 유학생용호텔 하나가 눈에 들어왔다.

중국 베이징시 하이단구 칭화둥로 창루안호텔.
말이 호텔이지 유학생을 상대로 하는 5층짜리 허름한 외국인 기숙사다. 방은 7평 정도로 냉장고, 텔레비전, 에어컨을 비롯해서 옷장과책상 등이 갖춰져 있어 학생이 살기에 큰 불편이 없어 보였다. 1층에는 공동 주방과 세탁실이 있어 빨래도 하고 밥도 해 먹을 수 있다. 하루 숙박비는 미화 9달러, 한 달에 35만 원 정도. 여기 물가로는 보통 노동자 두 달치 월급도 넘는 아주 고급 숙소이다. 비싼 값을 하느라 매일 청소도 해주고 일주일에 한 번씩 이부자리도 갈아준단다. 공부하러 와서 이런 호사를 누려도 되는 건가 잠깐 생각했지만, 학교 외국인 기숙사 독방보다 훨씬 싸다는 말에 그냥 살기로 했다.

419호로 방을 정했다. 북향이라 볕이 전혀 들지 않아 몹시 썰렁하다. 남향인 401호와 405호도 비어 있었지만 내가 굳이 이 방을 선택한 이유가 있다.

우선, 내 방에서는 공원이 잘 보인다. 지금은 앙상한 저 나무들이 새 잎을 달게 되면 아침마다 얼마나 상쾌할까. 하루를 건강하게 시작하려고 새벽 운동 나온 사람들도 볼 수 있을 것이다. 둘째는 아주 우스운 이유인데 내 방 번호가 4월 1일 만우절이나 4월 5일 식목일보다는 4·19 혁명일과 연관되는 것이 훨씬 마음에 들기 때문이었다. 혁명 정신을 이어받으면 공부도 더욱 열심히 하겠지. 아무튼 이 호텔(여기서는 삔관이라고 부른다)에서 내가 다닐 학교까지는 걸어서 30분 정도. 하루에 적어도 1시간은 걷게 되었으니 더욱 잘 되었다. 골고루 마음에 든다.

"니 라이 타이 완러. 뿌싱(너무 늦게 왔네요. 안 되겠는데요)."

작달막한 중국인 교무 주임이 고개를 젓는다. 묵을 곳은 잘 해결되었는데 정작 제일 중요한 학교 등록에 문제가 생겼다. 내가 봄 학기 최종 등록 날짜보다 2주일이나 늦게 온 것이다. 등록 시기를 놓칠 수도 있다는 것을 알았으나 한국에서 꼭 마무리할 일이 있어 어쩔 수 없었다. 이 어언문화대학은 외국인들에게 중국어를 전문적으로 가르치는 학교다. 이곳에서 1년간 공부할 계획이었는데, 봄 학기에는 들어갈 수 없게 되었다. 여름 학기도 7월에나 시작된다니 낭패다.

'이그, 묵는 방만 좋으면 뭘 하나. 유학 와서 학교도 못 들어간 주제에.'

애초 계획이 틀어져서 어학 연수를 망치는 건 아닌가 걱정이 되었지만, 다시 생각해보면 꼭 그런 것도 아니다. 학교에 다녀야만 공부인가. 이미 중국에 왔으니 눈뜰 때부터 감을 때까지 보고 듣는 게 다 공부지. 정식 수업은 학교 대신 학원에 다니면서 받으면 되는 거고. 예전에 몇 주일 다닌 적이 있는 학원로의 사설 학원이 생각났다. 지구촌학원이라는 이곳은 유학 온 한국 학생들 사이에는 '베이징의 종로학원'으로 잘 알려져 있다. 강사들 수준이며 가르치는 경험이나 요령이 정규 학교 뺨친다는 소문이다. 시간이 없거나 성격이 급한 사람은 학교보다 이 학원에서 배우는 것이 더 효과적이라고 할 정도다.

이 학원은 원하는 날 언제든지 시작할 수 있고, 실력에 맞게 공부하도록 다양한 수준의 반들이 개설되어 있다. 나는 두 과목을 등록했다. 둘 다 초급반이고 월요일부터 금요일까지, 아침 8시부터 12시까지 수업이다. 학비는 두 과목 한 달에 960위안, 우리 돈으로 15만 원 남짓이다. 이렇게 생각하면 내 방이 얼마나 비싼 건지 짐작이 갈 것이다. 방값이 학비의 두 배가 넘다니 배보다 배꼽이 큰 격이다.

하여간 묵을 곳과 공부할 곳을 정하고 나니 마음이 어느 정도 정리가 된다. 찬찬히 앉아 앞으로 1년간의 공부 계획을 세워본다. 목표는 중급 이상의 회화 실력과 중국 신문 및 방송 60퍼센트 이상 이해하기다. 겨우 1년 배워서 외교나 중요한 사업을 하는 전문적인 수준까지야 못 미치겠지만, 적어도 일상생활에서 불편함을 느끼지 않을 정도는 되어야 할 것 아닌가. 그리고 이 나라를 재미있고 깊게, 그래서 제대로 이해하려면 신문과 방송을 보는 것은 기본이라고 생각한다. 곁들여 중국 고전까지는 어렵더라도 중국 현대소설을 원어로 볼 수 있다면 얼마나 좋을까? 중국 신문은 한자 3,000자 정도의 실력이면 큰 무리 없이 읽을 수 있다니까 한번 도전해볼 만한 일이다. 그나저나 내가 지금 알고 있는 한자는 얼마나 될까. 적어도 1,000자는 되지 않을까? 한 자도 모른다고 쳐도 오늘부터 하루에 10자씩만 공부하면 3,600자다. 정말 해볼 만하다. 하는 김에 공부 계획을 좀더 철저하게 세워보자.

1년을 나누어보면 3월부터 8월까지는 기초 다지기와 초급 과정, 9월부터 내년 2월까지는 중급 과정이 되겠다. 12월에 있다는 한어수평고시(HSK : 중국어 능력 평가 시험)도 꼭 봐야지. 학생은 뭐니뭐니 해도 시험이 있어야 공부를 열심히 하니까. 열심히라면 하루에 몇 시간이나 공부해야 할까. 명색이 유학생이니 적어도 10시간 이상은 해야 되겠지? 아니, 11시간으로 할까?

자기 전에 내일 수업 준비를 한다. 책가방에 교재, 사전, 공책을 넣고, 샤프펜슬이랑 색연필, 지우개도 챙겨 넣었다. 학원증도 챙겼는지 다시 살펴본 후 잠자리에 들었다. 커피도 마시지 않았는데 가슴이 두근거리고 눈이 말똥말똥하다. 기분이 무지무지 좋다. 학원에서나마 본격적으로 중국어 공부를 시작하려니 감개무량하다.

아! 다시 학생이 된 이 기분! 오래 전부터 하고 싶던 일을 드디어 시작하는 이 기분! 확실한 목표를 향해 첫발을 내딛는 이 기분! 기분이 너무 좋으면 이렇게 떨리는가 보다.

바람의 딸, 둥지를 틀다

麻雀雖小, 五臟俱全(참새도 오장육부가 있다).

작아도 있을 것은 다 있다는 중국 속담이다. 혼자 살아도 있을 건 다 있어야 하는 지금의 내 사정에도 딱 맞는 말이다. 호텔에 사는 것도 살림이라고 갖춰야 할 것들이 줄줄이다. 집 근처 수퍼마켓에서 당장 필요한 생활용품을 샀다. 휴지, 비누, 치약은 물론 옷걸이, 주전자, 컵, 메모판 등 사온 것을 풀어보니 한 방 가득이다. 현관 깔판이나 국자처럼 난생 처음 사보는 것도 있다. 참 신기하다. 여행 다닐 때는 배낭 하나에 들어가는 물건만으로도 1년 반씩 잘만 살았는데, 겨우 1년 사는데 무슨 물건이 이렇게 많이 필요한가. 입만 열면 간단하게 살겠다면서.

'간단하게 살기.'

언제부터 이런 생각을 하게 되었는지 모르겠지만, 몇 년에 걸친

배낭 여행을 하면서 될수록 적게 가지고 살자는 생각이 굳어진 것만
은 확실하다. 배낭 덕분이다. 여행 배낭을 쌀 때는 정신을 바짝 차려
야 한다. 조금이라도 방심하면 눈 깜빡할 새에 배낭이 차고도 넘치
는데 그 무거운 것을 등에 지고 다니자면 여행이 아니라 '고행'이기
때문이다.

나는 배낭을 가볍게 싸기로 유명하다. 오랫동안 다니면서 고생할
만큼 하고 나니 나름대로 이치를 터득했다. 언젠가 신문에다 밝힌
적도 있지만 배낭을 쌀 때의 원칙은 이렇다. 제일 먼저, 넣을까 말까
망설이는 물건은 다 빼놓는다. 꼭 필요한 것 중에서도 여러 용도로
쓸 수 있는 물건에 우선권을 준다. 예를 들면 커다란 면 보자기. 샤
워하고 나서 타월로도 쓰고, 께름칙한 잠자리에서는 시트 대용으로,
허리에 둘러 치마로도 입을 수 있다. 기숙사식 숙소 침대 사이에 치
면 간이 커튼이 되고, 머리에 두르면 모자 대용으로 안성맞춤이다.

또한 이미 넣은 물건은 되도록 무게를 줄인다. 비누도 반으로 잘
라 쓰고, 더운 곳으로 이동할 때 긴 팔 티셔츠를 잘라 반팔 티셔츠로
만들어 입는다. 또 있다. 2주일 정도에 한 번씩 가방 속을 점검하면
서 당장 필요 없는 물건을 솎아내는 일도 배낭을 줄이는 데 결정적
인 역할을 한다.

이렇게 최소의 최소를 추려서 다니니 뭐든지 하나씩이고 그 하나
가 얼마나 소중하게 느껴지는지 모른다. 싸구려 볼펜이라도 필기구
라고는 오로지 그것밖에 없기 때문에 늘 잃어버리지 않게 주의하고,
마지막 한 방울의 잉크까지 아껴가며 쓰게 된다.

이렇게 귀하고도 귀한 물건들을 가방째 잃어버린 적이 있었다. 동
아프리카 지역을 여행할 때다. 아직도 신석기 시대처럼 벌거벗고 사

는 사람들의 동네, 에티오피아 남서부 오모강 부근에서다. 달구지를 얻어탔다가 급하게 내리면서 작은 가방을 두고 내렸다. 여행 중에는 옷이나 침낭 등 큰 물건은 큰 배낭에, 카메라나 일기장처럼 당장 써야 하는 작은 물건은 작은 가방에 넣는다. 그 안에는 모자, 화장수, 휴지, 칫솔, 정수용 알약 등도 들어 있었다. 당장 장만해야 하는 것들이지만 내가 도착한 곳은 오지 중의 오지, 도시로 나가는 차가 언제 있을지 기약할 수 없는 곳이었다. 큰일이었다.

그런데 며칠을 이런 물건 없이 지내다 보니 이상한 일이 생겼다. 없으면 도저히 살 수 없을 거라고 여겼던 물건들이 실상은 그렇게까지 필요한 게 아니라는 생각이 들기 시작한 것이다. 모자가 없지만 그 대신 면 보자기를 뒤집어쓰니 햇볕 가리개로 손색이 없었다. 칫솔 대신 현지인처럼 연한 나뭇가지를 비스듬히 깎아 이를 닦으니 개운했다. 화장품도 그곳 사람들이 마시는 술(우리나라의 소주와 비슷한 증류주)에 레몬을 썰어 넣었더니 아주 훌륭한 화장수가 되었다. 휴지는 애시당초 필요 없는 물건이었다. 손과 물이 있으니까.

그러면서 생각했다. 없으면 안 된다고 믿는 것 중에서 정말로 우리에게 필요한 것이 과연 얼마나 될까? 그렇게 꼭 필요하지도 않은 것을 사려고 들이는 돈과 노력은 또 얼마나 아깝고도 허망한 것일까?

아프리카 여행에서 돌아오자마자 나는 배낭을 꾸리는 기분으로 대대적인 집 정리를 했다. 내 딴에는 간단하게 산다고 살았는데도 새로운 눈으로 보니 필요 없는 군더더기가 많고도 많았다. 내가 지녔던 물건의 반 이상을 남에게 주거나 지하실에 가져다 놓으며 집을 선방처럼 단순하게 만들었다. 그 후 필요한 물건을 찾으러 지하실에 내려간 적은 겨우 두세 번 정도였다.

지금도 나는 새로운 살림살이를 마련할 때마다 여행 배낭을 챙기는 기분으로 나 자신에게 묻는다. 이것이 과연 없어서는 안 되는 물건인가?

　특히 중국에서는 더욱더 조심을 해야 한다. 한국보다 물가가 싸기 때문에 자칫하면 쓸데없는 것들을 사서 쟁여놓기 십상이다. 그래서 이런 원칙을 정했다. 치약, 휴지같이 당장 급하지 않은 것은 메모지에 적어놓았다가 사흘을 기다린 후 사기로. 이렇게 하면 충동 구매를 하지 않을 것이고, 사흘을 견디는 동안 그 물건이 꼭 필요한 것인지 아닌지 알 수 있게 된다. 그렇게 걸러낸 물건을 사러 가서는 목록에 있는 것이 아니면 두리번거리지도 않았다. 당장은 마음에 들고 보기 좋지만 집에 갖다놓는 순간부터 애물단지가 된다는 것을 너무나 잘 알기 때문이다. 물건에 둘러싸여 사는 것보다 약간 불편하게 사는 것이 훨씬 좋다. 대충 살림살이가 갖춰졌으니 책상 겸 식탁으로 쓸 접는 탁자만 사면 될 것 같다. 샤워 커튼도 있어야 할 것 같긴 하지만 당분간은 그냥 견뎌보자.

　사온 물건과 한국에서 가져온 책, 옷 등을 정리하고 나니 한결 살림집 같다. 방 안이 약간 어두운 것 같아 오렌지색 종이 스탠드를 샀는데 방과 아주 멋지게 어울린다.

　침대 옆의 작은 테이블에는 수녀 친구 혜경이가 준 묵주를 놓고 창문턱에는 엄마, 아버지가 사십대에 찍은 결혼기념일 사진을 올려놓았다. 메모판에 조카들 사진과 우리 집 강아지 차돌이 사진까지 붙였더니 그제야 정말 내 방같이 푸근하다.

대한민국, 내 영원한 베이스캠프

이 방이 푸근하게 느껴지는 이유가 또 있다. 내가 사는 곳이면 어
김없이 볼 수 있는 것. 한쪽 벽 전면에 붙여놓은 세계 지도 때문이
다. 나는 이것이 있어야 마음이 놓인다. 언제인지 기억할 수조차 없
을 정도로 어릴 때부터 우리 부모님은 집안 어딘가에 늘 세계 지도
를 붙여놓으셨다. 지구본 저금통, 세계 지도 식판은 물론, 티셔츠나
점퍼도 세계 지도가 그려진 것들을 부지런히 사오셨다. 우리 집에서
는 이런 말이 흔하게 오갔다.

"둘째야, 인도에 밥풀 묻었어."

"셋째야, 페루에 난 그 구멍은 뭐니?"

그러면 우리들은 당장 입고 있던 옷이나 식판에서 그 나라를 찾았
다. 그것도 모자라 나는 언니들의 지리부도를 성경책인 양 끼고 살
았는데, 수업 시간에 써야 한다며 달라고 해도 막무가내로 싫다고
해서 많이 얻어맞았다. 아버지가 우리들과 주로 하는 놀이도 지명

찾기였는데, 그 덕에 초등학교도 들어가기 전에 엉성하게나마 손수 그린 세계 지도를 내 방에 붙여놓을 수 있었다.

내가 '걸어서 지구 세 바퀴 반'을 돈 것도 순전히 세계 지도 덕분이다. 어느 날, 대륙이 모두 붙어 있다는 사실을 깨닫고 지구를 한 바퀴 돌 수 있겠구나 생각했다. 그 후에는 세계 지도와 더욱 친해졌다. 언젠가 전 세계를 내 발로 걸어보겠다는 꿈이 있었으니까.

중학생이 되어 본격적으로 세계 지리를 배우면서 나는 우리나라 땅이 얼마나 작은지, 또 얼마나 답답하게 놓여 있는지 알게 되었다. 커다란 바다에 접해 있지만 바로 아래에 일본이 떡 버티고 있고, 넓은 대륙으로 가자니 위로는 북한이 있어 옴짝달싹 못하는 형상이었다. 이런 생각에 부채질을 한 것은 미국인 선교사 집에서 본 세계 지도였다. 그것은 내가 그때까지 수없이 보던 지도와는 전혀 달랐다. 세상에! 지도 중심에는 한반도 대신 미 대륙이 있고, 한국은 오른쪽 맨 끝에 처박혀 있지 않은가. 갑자기 우리가 지구의 후미진 구석에 갇혀 있다는 느낌이었다.

'이 땅에서만 산다는 건 정말 답답해. 바다로 나가든지 대륙으로 뻗지 않으면 살 수가 없겠어. 그래, 나중에 크면 저 넓은 땅과 바다를 몽땅 내 무대로 삼아야겠다.'

지금도 이 생각에는 변함이 없다. 어린이들도 이런 생각을 가지고 살았으면 좋겠다는 바람으로 기회가 있을 때마다 세계 지도를 사주는데, 아이들이 그 안에서 한국을 찾아낸 후의 반응은 늘 이렇다.

"애개개, 우리나라가 이렇게 조그마해요?"

얼마 전의 일이다. 친구의 딸에게 지구본을 선물하면서 우리나라를 찾아보라고 했다. 초등학생인 이 꼬마는 한참을 헤매더니 힌트를 달란다.

"태평양 근처야."

"태평양이요? 아, 찾았다. 그 다음에는요?

"이제 중국을 찾아봐."

"아, 여기 있어요."

바로 그 오른쪽에 있는데……. 어렵사리 아시아 끝에서 우리나라를 찾아낸 순간, 이 아이 역시 놀라면서 같은 반응을 보인다. 내가 바라던 순간이기도 하다.

"우리나라가 참 작지? 그러니까 세계를 무대로 살아야 하는 거야. 우리나라는 너의 주무대가 아니라 베이스캠프일 뿐이야. 마음을 푸근하게 하고 에너지를 재충전하는 곳은 클 필요가 없잖아?"

여러분도 지금 당장 세계 지도를 찾아보라. 옆에 지구본이 있다면 한번 돌려보라. 한 바퀴 돌아가는 데 몇 초도 걸리지 않는다. 이렇게 작고 좁은 지구지만 우리는 단 한 발짝도 우주로 나가 살 수 없다. 겨우 38만 킬로미터 밖에 있는 달조차 마음대로 다닐 수가 없다. 죽으나 사나 지구 안에서 살아야 한다. 그야말로 튀어봐야 지구 안이다. 그러니 그 안에서라도 두 날개를 활짝 펴고 살아야 마땅하지 않은가.

살림살이를 장만한 뒤 며칠에 걸쳐 동네를 여러 바퀴 돌아보았다. 이것 역시 내가 어렸을 때부터 처음 이사오면 만사를 제쳐놓고 하는 일이다. 낯선 동네에서 내 집은 어디 있는가라는 자기 위치 확인이라고나 할까. 그걸 꿰고 있어야 안심이 되니 참 이상한 아이다. 새로 이사간 동네의 버스 정류장은 어디 있고, 파출소는 어디 있고, 만화방은 어디 있고, 구멍가게는 어디에 있는가를 알아내서 약도를 그리는 게 취미이자 특기였다. 우리 부모님은 이사한 지 며칠 만에 내가 그럴듯한 동네 지도를 보여줄 때마다 몹시 놀라셨다. 특히 엄마가 하시던 말씀은 늘 같았다.

"어이구, 여자 김정호. 또 대동여지도를 그려오셨구만."

여기 중국에서도 마찬가지다. 몇 바퀴 돌고 나니 이 동네가 손바닥 들여다보듯 환하다. 우리 호텔에서 나가 왼쪽으로 이어지는 숲길 끝은 둥왕쟝이라는 아파트 단지의 북문이다. 그 문 안으로 들어가면 국숫집이 있고, 그 옆은 수퍼마켓이다. 거기서 쭉 앞으로 가면 과일 가게가 몇 개 붙어 있고, 조금 더 가면 조그만 가게들이 다닥다닥 모여 있는 야채 시장이 나온다. 그곳을 지나면 이제 거의 마무리 공사를 하는 교원 아파트 단지가 있고, 그 단지가 끝나는 곳에 시쟈오삔관이라는 3성급 호텔이 나온다. 그 안에 내가 다니는 학원이 있다.

그 호텔 안에는 한국 가게가 많다. '한국 미용실', '로데오 미용실' 등의 미장원이 있고 '싸울아비'라는 밑반찬 가게와 '피아노'라는 카페도 있고 '소풍가는 날'이라는 김밥 전문점도 있다. 호텔 정문으로 나가면 소위 한국인 거리다. 한국에 있는 것은 없는 것 빼고 다 있다. 한국 식당 곰집, 편의점 푸른 하우스, 부산 갈비집, 커피숍 라이온 킹, 스파 월드 등 사우나부터 PC방까지 없는 게 없다. 암달러상도 있다. 나를 비롯한 한국 사람들은 여기서 돈을 바꾼다. 지금 환율은 100달러당 880위안인데 은행의 공식 환율인 807위안에 비해 무려 70위안이나 많기 때문이다.

하여간 마음만 먹으면 여기 사는 동안 한국 물건만 쓰고, 한국식 서비스만 받고도 살 수 있겠다. 그러나 이런 익숙함과 편리함이 득이 될지 해가 될지는 두고 볼 일이다.

중국에서 맺은 인연 1, 2

"어머, 어머! 바람의 딸 한비야 언니 맞아요?"

웬 아이의 호들갑에 내가 더 깜짝 놀랐다.

중국에 온 지 사흘째 되는 날이다. 이메일을 확인하러 인터넷 카페에 갔는데 옆에 앉은 여자가 나를 보고는 몹시 놀라는 표정이었다. 한국 학생이 나를 알아보나 했는데 옆사람과 얘기하는 것을 들어보니 중국인이다. 중국 사람이 왜 자꾸 쳐다보나 하면서 이메일 ID인 hanbiya를 쳤다. 그 순간 그 아이가 한국말로 소리를 질렀다.

정현월이라는 중국 동포가 나를 알아보는 사연은 이랬다. 이 친구는 한국과 일본 회사에서 프리랜스 통역사로 일하고 있는데, 몇 년 전 한국 분으로부터 《바람의 딸, 걸어서 지구 세 바퀴 반》을 선물로 받아 아주 재미있게 읽었다는 것이다. 그러고는 이어지는 말.

"어제 인터넷 운수를 보니까 이번 주에 내 인생을 바꿔줄 사람과 만날 수 있을 거라고 했어요."

나 역시 순진하고도 다정한 느낌의 그애가 첫눈에 마음에 쏙 들었다. 언제 자기 집에서 저녁을 먹자고 하길래 인사 삼아 내 전화 번호를 주며 한번 놀러오라고 했더니 바로 그날 저녁에 찾아왔다. 어떻게 알고 당장 필요한 컵 두 개랑 밥그릇, 국그릇, 쟁반까지 챙겨서. 이 친구는 내가 묵는 곳에서 10분 거리인 둥왕장 아파트에서 살고 있었다.

차를 마시는 중에도 뭐 필요한 것 없냐고 자꾸 물으며 두리번거린다.

"방석도 있어야 하고, 커피 숟가락도 있어야 하고……. 아니, 달력도 없잖아요?"

"천천히 장만하지 뭐. 달력은 하나 만들면 되고."

"아니에요. 우리 집에 안 쓰는 거 많으니까 갖다줄게요. 한 번에 하나씩만 가져와야지."

"왜?"

"그래야 언니네 집에 여러 번 올 수 있잖아요."

그러면서 활짝 웃는다. 달덩이 같은 얼굴이 더 환해진다. 웃을 때 보니 미국에 사는 우리 작은 언니와 많이 닮았다. 그래서 보자마자 눈에 익었구나. 내 언니를 닮은 이 친구와의 인연이 심상치 않다.

"한페이예, 쓰 니아?(한비야 언니 맞죠?)"

중국에 온 첫 주일, 아주 반가운 또 한 사람을 만났다. 2년 전 한 달 반 동안 내 가정 교사 노릇을 했던 왕샹(王翔)이다. 나는 학원 수업 끝나고 나오는 길이었고 이 친구는 자전거를 타고 어딘가로 가는 중이었다. 이 무뚝뚝한 아이 얼굴에도 반가운 기색이 역력하다. 아직도 예전처럼 어언문화대학에서 커피 자동판매기를 관리하고 있다고 했다. 남자처럼 짧게 깎은 머리와 허름한 옷차림도 여전했다. 그렇지 않아도 회화 연습 푸다오(補導 : 가정 교사)를 찾고 있었는데 잘되었다며 내일부터 같이 공부하자고 했더니 예의 그 멋쩍은 웃음을 지으며 말한다.

"하오더(好的 : 좋아요)."

사실 왕샹은 가정 교사로서는 적합하지 않은 인물일 수도 있다. 우선 산둥성(山東省) 출신이기 때문에 사투리가 심하다. 고등학교도 제대로 졸업하지 못한 학력도 그렇고. 그러나 나는 그 친구가 인간적으로 마음에 든다. 싹싹하거나 살가운 것과는 거리가 멀지만 오히려 그 무뚝뚝함이 듬직하게 느껴진다. 아직도 시골 사람처럼 순박, 소박한 것도 좋다.

왕샹은 땅콩 농사를 짓는 빈농의 여섯째로 태어났다. 열일곱 살이 될 때까지 기차를 타보기는커녕 본 적도 없는 깡촌에서 자랐다. 한 입 줄이자고 딸 아이를 600~700위안(10만 원 남짓)에 파는 일도 허다한 시골이란다. 어느 날, 이런 시골에서는 더 이상 희망이 없다는 생각에 청운의 뜻을 품고 베이징행을 결심했다. 우리말로는 무작정 상경, 여기 말로는 '맹류(盲流)'다. 그때 베이징까지 타고 온 기차가 난생 처음 본 기차였다고 한다. 베이징에 와서 처음 한 일은 식당 설거지. 한 달에 200위안(3만 원)을 받고 하루 종일 손이 부르트도록 일을 하면서도 그게 엄청 큰돈인 줄 알았단다. 시골에서 100위안짜리 지폐를 만져본 적도 손으로 꼽을 정도였다니 말이다. 식당에서 옷 가게로, 옷 가게에서 또 다른 가게로, 그러다가 어찌어찌 한국 사람이 하는 커피 자판기 허드렛일을 하다가 좀더 발전하여 관리인이 되었을 때, 나를 만난 것이다.

이렇듯 풍부한(?) 경험이 있는 왕샹이랑 공부를 하면 시골 이야기, 무작정 상경기, 가게 주인들의 횡포와 외지인으로서 베이징에서 사는 어려움 등 살아 있는 중국 이야기를 들을 수 있어 좋다. 깨끗한 표준말을 쓰지만 온실 속에서 자란 대학생보다 듣고 배우는 게 훨씬 많다. 게다가 왕샹은 학교를 제대로 못 다닌 대신 신문을 열심히 읽어서 시사 문제에 밝을 뿐만 아니라 아주 어려운 한자도 정확하게 썼다. 그래서 예전에 왕샹과 공부할 때는 교재가 따로 없었다. 그저 수다를 떨 뿐. 내가 뭔가를 물으면 왕샹이 대답하곤 했는데, 그 말에 맞장구를 쳐주면 너무너무 신나서 얼굴이 벌개질 때까지 말을 멈추지 않았다. 이 친구는 내가 여행한 중국의 명승고적에 대단한 관심을 보였는데 나 역시 되지도 않는 중국어로 설명해주다 보면 시간이 어떻게 가는지도 몰랐다. 수다가 곧 공부가 되는 것. 얼마나 바람직한 학습법인가. 이 친구와 전처럼 일주일에 세 차례, 한 번에 두 시간씩 공부하기로 했다. 과외비는 어떻게 할까 물어보니까 쑥스러워하면서 대답한다.

"수이비엔(마음대로 하세요)."

그래서 대학생 가정 교사 수준으로 두 시간에 30위안, 한 달에 5만 원을 주기로 했다.

사랑에 빠지다

아, 이런 감정 얼마 만인가. 나는 지금 사랑에 빠졌다.

내 마음은 온통 그이 생각으로 가득 차 있다. 자나 깨나 앉으나 서나 그이 생각뿐이다. 너무나 매력적인 그이. 그러나 무정한 그이. 그래서 더욱 내 마음을 사로잡은 그이. 보면 볼수록 알면 알수록 점점 더 그에게 빠져든다. 그런 그를 매일 만날 수 있다는 사실이 얼마나 기쁜지 모른다. 아침에 눈 뜨면서부터 밤에 자기 직전까지 같이 있지만 그것도 모자라 꿈에서도 만난다. 잠자리에 들 때면 빨리 아침이 되었으면 좋겠다고 생각한다. 그를 다시 만날 수 있으므로. 그래서 아침 잠꾸러기가 6시면 자명종이 울리기도 전에 벌떡 일어난다.

때로는 무심한 것 같아 안타깝게도 하고, 때로는 너무 멀리 있는 것 같아 가슴 아프게도 하지만 그 정도의 괴로움은 그를 알게 되었다는 것만으로도 얼마든지 감수할 수 있다. 그는 지금 내 생활과 생각의 전부를 차지하고 있다. 그가 빠진 나는 이제 상상할 수조차 없다. 그가 없다면 나는 단 1분도 중국에 있을 이유가 없다. 어떻게 하면 그를 영원히 내 것으로 만들 수 있을까?

그의 성은 '中', 이름은 '國語', '中國語'이다.

물론 중국어가 나의 첫사랑은 아니다. 영어, 일어, 스페인어에 이어 나의 네 번째 외국어이다. 이렇게 말하면 내가 언어에 대단한 재능이 있는 것처럼 들릴지 모르겠다. 분명히 말해두건대 나는 지극히 평범한 머리와 재능을 가졌다. 겸손이나 내숭이 아니라 나를 잘 알고 하는 말이다.

외교관 아버지를 두어 어려서부터 여러 나라에서 산 것도 아니고, 한 번 보거나 들은 것은 절대 잊어버리지 않는 사람은 더더구나 아니다. 언어를 하루아침에 익힐 수 있는 기적 같은 비법이 있는 것도 아니다. 그럼 이건 희소식이 아닌가? 보통 수준의 머리와 배경을 가진 사람이, 특별한 공부 비법도 없는 사람이 몇 가지 외국어를 할 수 있다니 말이다. 지금 우리는 영어를 비롯해 한두 가지 외국어를 하지 않고는 살 수 없는 시대를 살고 있다. 외국어의 필요성과 중요성에 대해 누구나 알고 있지만 막상 공부에는 엄두를 내지 못한다. 큰맘 먹고 시작한 사람들도 많은 돈과 시간을 들였으나 소득은 신통치 않아 스트레스를 받고 있다. 이런 사람들을 위해 그동안 내가 어떤 계기와 방법으로 외국어를 공부했는지 살짝 얘기해보겠다.

우선 내가 여러 외국어를 공부하는 외적인 이유는 국제홍보학이라는 전공 때문이다. 이 일을 하는 사람에게 몇 가지 외국어를 하는 것은 필수이지 자랑거리가 아니다. 한국에서는 부러움의 눈빛을 보내는 사람도 있고 나 역시 우쭐해질 때도 있지만 말이다.

또 다른 이유는 외국어를 배우는 그 자체가 아주 즐거워서다. 내게 외국어는 책상 앞에서 해야 하는 지겹고 고통스러운 공부가 아니라 지적인 놀이이고, 재미있는 게임이다. 그래서 학교 다닐 때 정규 과목이었던 영어를 제외한 나머지 외국어는 스스로 간절히 하고 싶어서 시작했다. 물론 하고많은 언어 가운데 바로 그 언어를 선택한 것은 그 문화권에 대한 관심 때문이다. 이런 요인이 공부를 더 즐겁게 만들기도 했다.

나는 외국어 공부는 대단히 실용적이라고 생각한다. 언어 습득처럼 남는 장사가 세상에 또 있을까? 2~3년만 열심히 공부하면 죽을 때까지 쓸 수 있으니 말이다. 중국어만 해도 그렇다. 나이 마흔에 중국어를 배워 어디에 쓰겠냐는 사람도 있지만 올 한 해 열심히 하면 앞으로 40년은 써먹을 수 있다. 게다가 말을 할 때 값비싼 장비나 부대 비용이 드는 것도 아니고, 어차피 달고 다니는 입만 열면 되는 일이니 얼마나 경제적인가.

이런 마음을 가지고 있으면 벌써 반은 이룬 거다. 나머지 반은 자기에게 맞는 방법을 찾는 일이다.

나는 이렇게 공부한다. 본격적으로 언어를 배우기 전에 먼저 공부한 사람에게 많은 것을 알아본다. 특히 좋은 교재를 택하는 것이 관건이다. 그런 후 나름대로 치밀한 계획을 세운다. 공부하는 목표가 무엇인지, 어느 정도의 수준을 원하는지, 그렇게 하려면 어떻게 해야 하는지 아주 구체적인 세부 계획을 세운다. 이렇게 하면 몇 달 혹은 몇 년 후의 내 실력을 머릿속에 그려볼 수 있다. 또 이렇게 하면 거기까지 갈 수 있겠구나 하는 자신감이 생긴다. 계획한 대로 이행하지 않으면 소기의 목적을 달성할 수 없다는 것이 뻔하기 때문에

게을러질 수도 없다.

지금 배우고 있는 중국어를 예로 들어보자. 내가 중국에서 공부할 수 있는 기간은 1년, 목표는 앞서 얘기했듯이 중국인들과 일상생활에서 큰 불편이나 오해 없이 의사 소통이 가능하고 텔레비전과 신문에서 정보를 얻을 수 있는 중급 수준이다.

이렇게 목표가 정해지면 하루에, 또는 일주일이나 한 달에 무엇을 얼마나 해야 하는지 일정표를 짠다. 예를 들어 하루에 몇 단어를, 몇 문장을 외워야 하고, 그를 위해 몇 시간이 필요한지 계산한다. 이렇게 하면 막연해 보이는 목표가 머릿속에 그려지며 손 안에 들어온다. 잊지 말자. 꿈은 어느 날 하늘에서 뚝 떨어질 수 있어도, 목표는 하루에 한 발짝씩 걸어가야만 도달할 수 있다.

지금 내가 중급이라는 목표를 향해 올라가는 한 계단 한 계단은 이렇다. 교재로 회화 기본 학습서인 《301句》,《說漢語》,《初級漢語口語》를 택해 그 본문 내용을 몽땅 외우는 것이다. 이를 통해 단어와 문법과 회화를 한꺼번에 잡을 수 있는데, 여기에 하루 3시간을 할애하기로 했다. 정규 수업 4시간 외에 말하기 공부는 하루에 2시간 가정 교사와 수다 떨면서, 듣기 공부는 텔레비전의 어린이 프로그램을 보면서 연습한다.

내 경험으로는 짧고 좋은 기본 문장을 1,000개 정도 외우는 것이 외국어 습득의 지름길이다. 그리고 외울 때는 반드시 원어민 발음으로 녹음된 카세트 테이프를 들으며 따라해야 한다. 초기 단계일수록 발음에 신경을 써야 한다. 발음이 좋지 않으면 그 언어에 대한 자신감을 절대 가질 수 없다는 게 내 지론이다. 초기에 신경을 쓰지 않아서 굳어진 나쁜 발음을 끝내 고치지 못하는 사람이나 발음을 고치려고 많은 시간과 노력을 들이는 사람을 수없이 보았다. 특히 중국어는 발음과 성조가 틀리면 상대방이 전혀 알아듣지 못한다. 내 경우에도 8개월 동안 여행을 할 때 제법 칭찬까지 들어가며 여기저기서 배운 중국어가 이제 보니 사투리도 많고 성조와 발음이 그렇게 엉터리일 수가 없다. 여행 중 임기응변으로는 문제가 없었지만, 제대로 배우려는 지금은 아주 큰 장애가 되고 있다. 보수 공사를 하려면 시간이 두 배로 들게 생겼다.

그러나 이 모든 방법도 그 말을 쓰는 곳에 대한 애정이 없다면 참으로 괴로운 일이다. 관심도 없는데 그 나라 사람과 무엇을 주제로 수다를 떨겠으며, 어린이 프로그램을 무슨 재미로 보겠는가. 배우려는 언어가 무조건 좋다면야 문제가 없지만, 단지 필요해서 공부하는 경우라도 어떻게든 그 언어와 친해지도록 노력해야 한다. 그 언어와 싸우기보다는, 싸워 이겨서 정복하기보다는 그 언어와 어떻게 하면 정이 들어 사이 좋게 지낼 수 있는가를 생각해야 한다. 내게 외국어 습득에 남 모르는 비법이 있다면 그건 외국어를 배울 때마다 그 언어와 사랑에 빠진다는 것일 거다.

지금도 마찬가지다. 중국어는 정말 매력적이다. 한자나 숙어에 얽힌 깊고 오묘한 뜻도 그렇거니와 올라갔다 내려갔다 하는 성조 역시 더없이 멋있다. 성조에 맞춰 교과서를 읽고 있으면 길을 묻는 내용도 달콤한 말로 가득 찬 연애 편지 같은 느낌이 든다. 어느 때는 빨리 중국어를 잘하게 되었으면 좋겠다는 생각에 외웠던 문장들을 누군가에게 말하듯 혼자 이야기해본다. 그러면 마치 내가 중국어를 정말 유창하게 하고 있는 듯한 착각에 빠지는데, 이렇게 미래의 내 모습을 그려보는 것만으로도 가슴이 두근거린다. 한 계단 한 계단 즐겁게 올라가다 보면 꼭대기까지 가는 것은 시간 문제겠지. 이토록 그리는 그 님을 만날 수 있겠지.

베이징의 봄-복숭아 꽃 그리고 바람

　베이징 봄의 상징은 '잉춘화(迎春花)'이다. 봄을 환영하는 꽃이라는 근사한 이름을 가진 이 꽃은 우리나라 개나리와 색깔과 모양이 아주 비슷하다. 숙소 앞과 학원 가는 길 화단에 이 노란 꽃이 반갑게 피어 있다. 저렇게 조그만 꽃이 황량했던 숲길 전체를 환하게 만들 수 있다는 것이 참 신기하다. 시장에서 버들가지와 개나리를 사다 방 안에 놓았더니 당장 봄 기운이 퍼진다. 한국이나 중국이나 봄의 신호탄은 역시 노란 꽃이다.

　분홍색 복숭아꽃은 또 어찌 그리 많은지. 베이징 전체가 과수원 같다. 중국 옛이야기에 자주 등장하는 복숭아가 중국 문화의 큰 상징이나 되는 줄 알았는데, 이제 보니 흔해서 그랬던 모양이다. 이를 테면 그 유명한 삼국지 첫 장에 나오는 도원결의의 도원(桃園)도 특별한 장소라기보다, 호프집 결의 혹은 빌딩 앞 결의 정도로 아주 평범한 장소에서 맺은 관우, 장비, 유비의 약속이었던 것이다.

어제 수업 시간에 배운 우화도 복숭아에 얽힌 이야기이다. 성질 급한 원숭이는 복숭아가 채 익기도 전에 따 먹고는 복숭아는 떫어서 맛이 없는 과일이라고 하고, 느림보 원숭이는 너무 익어버린 복숭아를 따 먹고는 복숭아는 시큼해서 맛이 없는 과일이라고 하더라나. 뭐든지 때를 맞추어야 한다는 교훈인데, 하여간 복숭아 얘기는 교과서에서도 거의 빠지지 않는다.

그리고 연꽃. 내 평생에 그렇게 많은 연꽃을, 또 그렇게 아름답게 핀 연꽃을 본 것은 처음이다. 북경대학이나 청화대학 연못에는 아직 피지 않은 진분홍색 봉오리, 막 피려는 보라색 꽃, 그리고 활짝 핀 하얀 바탕에 분홍색 꽃들이 커다란 초록색 연잎과 어울려 눈이 부실 지경이다. 5월 중순에 시작해 거의 7월까지 간다는 연꽃 잔치의 전초전이다. 누군가 이른 아침에 연못가에 앉아 있으면 연꽃 봉오리가 '픽' 하고 터지는 소리가 들린다고 했다. 꽃봉오리 터지는 소리라니, 얼마나 낭만적인가. 그 멋진 소리를 들어보려고 어느 날 새벽 자전거를 타고 원명원 공원에 가보았는데 듣지 못했다. 그 소리는 얼굴에 붙은 귀로는 들리지 않나 보다.

그리고 바람, 바람, 바람!

베이징의 봄을 이야기하자면 바람을 빼놓을 수 없다. 매년 우리나라에 찾아오는 황사를 보면서 중국을 거쳐 황해를 건너오는 것이 저 정도면 중국 대륙에서는 어떨까 생각했었다. 예상대로 무지무지 세게 분다. 웬만한 바람도 길가에 세워둔 수십 대의 자전거를 우르르 쓰러뜨리고, 5급이 넘는 날이면 입간판은 물론 건물에 단단히 붙여놓은 간판도 당장 떨어질 듯 덜렁거린다. 어떤 때는 회오리바람이 불어 길바닥의 쓰레기들까지 하늘로 감아올린다. 황사에 쓰레기까지 섞인 바람이 더러운 것은 당연한 일. 바람이 심하게 부는 날은 낮에도 하늘이 밤처럼 시커멓다. 그뿐인가. 7급만 넘으면 제대로 걸을 수도 없고, 자전거를 타고 가면서도 바람에 몸이 흔들려 자전거 타기를 처음 배우는 사람처럼 균형 잡기가 어렵다. 잠깐만 밖에 나갔다 와도 귀와 코에 먼지가 가득하고 입 안까지 모래로 하루 종일 버석거린다.

자전거 타는 여자들은 복면 강도처럼 망사 보자기를 쓰고 다닌다. 모래먼지가 머리나 얼굴에 붙는 것을 막아보자는 것이다. 처음에는 그들을 보며 신장(新疆) 지방의 위구르족 여자들인가 했다. 위구르 여자들이 머리를 가려야 하는 이슬람 율법을 형식적으로나마 지키려고 훤히 비치는 망사로 가리는 시늉만 한 것을 보았기 때문이다. 나도 학원 선생님이 쓰고 다니는 망사 보자기를 써보았는데 생각보다 답답하진 않았지만 꼭 은행 강도복 같아 보기 예쁘지 않았다.

이런 크고 작은 바람이 봄철 내내 부는 베이징에서 바람의 세기가 그날의 일상생활을 좌우하는 것은 당연한 일. 그래서 일기예보에서는 기온과 더불어 바람이 어느 정도의 세기로 부는가를 알려준다. 중국 사람들은 아침 인사를 이렇게 하기도 한다.

"팅수어 진티엔 샤우, 꽈펑 꽈더 헌 따(오늘 오후에는 큰 바람이 분다는군요)."

8시 반 수업 선생님은 아침마다 묻지도 않는데 오늘은 바람의 세기가 몇이라고 말하면서 수업을 시작한다. 그래서인지 한국에서는 '한결같이 꾸준히 한다'는 말을 '비가 오나 눈이 오나'라고 하는데, 중국에서는 '비가 오나 바람이 부나(下雨刮風)'라고 한다. 바람이 심하게 분 다음날은 봄꽃들이 떨어져 나무 밑둥마다 흰색, 분홍색의 꽃방석이 생긴다.

그러나 꽃보다 예쁜 과일 때문에 베이징의 봄은 화려하기만 하다. 과일이 너무나 풍성하고 너무나 다채로워 마음까지 풍요로워진다. 노란색 파인애플, 빨간색 앵두, 초록색 유자, 그리고 달콤한 냄새를 풍기는 주먹만한 딸기.

거기다 싸기는 또 얼마나 싼지. 한국에서 사려면 비싸서 쥐었다 놓았다 망설이는 것도 여기서는 값도 물어보지 않고 양껏 살 수 있어 부자가 된 기분이다. 중국에서 호사를 한다면 바로 이 과일 호사가 아닐까 한다.

'짱게집'의 유래

진 땅에 장화, 마른 땅에 운동화.

어렸을 때 중국말을 한다며 장난으로 해보는 말이다. 이 말을 중국말처럼 하는 요령이 있다. 우선 '진'을 고개로 박자를 맞추면서 '찐' 소리가 나도록 세게 발음하고, '장화'의 '화'는 한껏 올린다. '마른 땅'은 단숨에 빨리 말하고, '운동화'는 한 음 한 음 또박또박 힘을 주어 발음하면 그럴 듯한 중국말 악센트를 낼 수 있다. 우리말에는 없는 성조를 비슷하게 흉내만 내도 이렇게 중국말처럼 된다는 것이 신기하다.

요즘에는 코미디언들이 중국말 흉내를 낼 때 '라이 라이 워 라이'라는 말을 하는데, 이 말은 중국에서도 정말 많이 쓰는 말이다. '라이(來)'의 원뜻인 '오라, 오라'는 의미도 있지만, '자, 해보자, 내가 할게' 하는 의미로 광범위하게 쓰인다.

그런데 우리가 중국 사람이 한국말 하는 흉내를 낼 때 흔히 쓰는

"우리 살람, 그런 거 모른다 해."는 어디서 나온 것인지 모르겠다. 내가 한국어를 배우는 중국 학생들에게 여러 번 "워 뿌즈다오(몰라요)."를 한국말로 해보라고 하면 "난 모릅니다. 난 잘 모르겠습니다."라고 잘만 하던데 말이다.

우리 일상생활에서도 (한자가 아닌) 중국어의 흔적을 쉽게 찾을 수 있다.

"비단 장수 왕서방, 명월이한테 반해서. 띵호아 띵호아."

이 노래 생각나는가. 여기서의 '띵호아'는 물론 아주 좋다는 뜻일 텐데 막상 중국에서는 이런 말을 쓰지 않는다. 여기서는 '팅하오'라고 한다. 그러면 어떻게 팅하오가 띵호아가 되었을까? 중국 사람들이 팅하오라는 말 뒤에 입버릇처럼 어조사 '아'를 붙이는 걸 띵호아라고 들은 건지도 모르겠다. 중국집에서 마시는 '빼갈'은 뭔지 알았다. 그건 '바이갈(白乾兒)'이라는 술을 칭하는 말이다.

우리 속담에 '재주는 곰이 넘고 돈은 되놈이 챙긴다', '되놈처럼 의심도 많다'의 되놈도 그렇다. 김동인의 단편 소설 〈감자〉에는 주인공 복녀가 "이 되놈, 죽어라 이놈, 나 때렸디, 이놈아."라고 하면서 화가 머리끝까지 나서 중국인 왕 서방에게 한바탕 퍼붓는 장면이 나온다. 중국 사람의 총칭인 되놈, 혹은 되국놈은 큰 대자의 大, 혹은 大國이 많이 쓰이면서 된소리화되어 대놈 → 되놈, 그리고 종국에는 '뙤놈'이 된 거란다. 그러니 우리가 중국 사람을 비하하느라 부르는 말이 중국 사람에게는 기분 나쁘기는커녕 듣기 좋은 말이 되는 셈이다. 왜냐하면 중국 사람들이 자기 나라를 절대 무시하지 말라고 할 때마다 늘 인용하는 말이 바로 '띠따 런두어(地大人多)'이기 때문이다.

또 있다. '짱께집'의 짱께는 무슨 말일까? 어느 책에서 보니 짱께는 '장궤(掌櫃)'에서 왔다는 거다. 즉, 카운터의 돈통을 지키는 사람이라는 뜻으로 주인장이라는 의미이다. 역시 그렇게 나쁜 뜻은 아니다. 하지만 '짱꼴라'라는 말은 절대로 삼가야 한다. 그건 '장(葬)+골(骨)+人', 즉 '불결하고 더러운 썩은 뼈다귀' 같은 인간이라는 뜻의 욕 중의 욕이란다. 이런 무시무시한 뜻이 있다니 정말 조심해야겠다.

바쁘고 시끄러운 장소에 가면 '호떡집에 불난 것 같다'라는 말이 있는데 그것이 얼마나 적절한 표현이었는지 중국에 와서 비로소 알았다. 내가 매일 지나다니는 호떡집에서 호떡을 사는 날이면 여러 명의 손님과 주인이 동시에 소리를 지르는 통에 귀가 얼얼하고 정신이 쏙 빠진다. 그러다가 두 번이나 거스름돈 받는 것을 잊어버리기도 했다.

그럼 우리가 중국 사람들의 특성을 말할 때 쓰는 '만만디'라는 말은 뭘까? 아직까지 일상 회화에서 이 말을 들어본 적은 없다. 이 말은 '천천히'라는 '만만(漫漫)'에 부사형 어미 '디(地)'를 붙여 만든 것이라 문법적으로는 하자가 없지만, 중국 사람들은 '천천히 하라'고 할 때 '만이디얼(慢一点兒)' 혹은 '비에 자오지(別着急 : 서둘지 마세요)'라고 하던데. 내 귀에만 아직 안 들리는 건가?

칭송칭송-느긋하게 사세요

"간이 아주 나빠졌는데요."

내 맥을 짚던 의원이 고개를 갸우뚱하며 하는 첫마디다.

주말에 유학생 몇 명과 함께 베이징에서 용하다는 한의원을 찾았다. 5월부터 30도가 넘는 베이징의 무더위 속에서 공부를 하려면 보약을 지어 먹어야 한다며 수소문 끝에 찾은 중의원이었다. 뜨끔했다. 아프리카를 여행할 때 말라리아 예방약을 너무 오랫동안 먹어서 간이 몹시 상했던 적이 있기 때문이다. 내 전력을 듣던 의원은 말을 잇는다.

"이건 긴장하고 살아서 생기는 증상이에요. 긴장을 풀기 전에는 좋아지지 않아요."

내가 좋은 약이 없겠느냐고 물었더니 이렇게 대답한다.

"약으로 고칠 일이 아니에요. 우선 약이라고 생각하시고 생강을 많이 드세요. 그러나 항상 긴장하고 산다면 어떤 약도 소용없어요.

뭐든 빨리빨리 하려 한다거나 너무 잘하려고 하는 생각을 버려서 더 이상 간을 졸이지 않는 것이 최고의 약입니다."

갑자기 얼굴이 확 달아올랐다. 이 의원이 꼭 내 일기장을 본 것처럼 얘기했기 때문이다. 바로 그 전날 일기에 중국어 실력이 시원하게 팍팍 늘지 않는다며 한바탕 투정을 늘어놓았던 터였다. 같이 갔던 다른 학생들은 모두 그럴듯한 약방문을 하나씩 받아 나오면서 이렇게 말한다.

"와, 비야 언니는 좋겠어요. 우리처럼 쓰고도 비싼 한약을 먹지 않아도 되니 말이에요. 그 흔한 생강만 먹으면 평생 무병장수한다잖아요."

"좋기는 뭐가 좋아. 너희들은 지어주는 약만 먹으면 되지만, 나는 마음을 느긋하게 해야 한다잖아. 약으로 해결할 수 있다면 훨씬 간단할걸."

약값 굳었으니 한턱 내라고 어거지를 쓰는 아이들에게 북한 식당 '해당화'에서 냉면을 사고 숙소로 돌아와 거울에 비친 내 얼굴을 가만히 들여다보았다. 평소에는 눈, 코, 입 모양이나 피부 상태만 보였는데 의원의 말 때문인지 얼굴의 전체적인 분위기가 보였다. 내가 봐도 어딘지 모르게 힘이 잔뜩 들어간 얼굴이다.

"간이 다시 좋아지려면 이 얼굴을 풀고 살아야 한다는 말인데……."

정말이지 나도 그러고 싶다. 간도 간이려니와 늘 긴장하고 사는 얼굴이 얼마나 보기 싫은지 잘 알기 때문이다. 떨어져 살면 좀더 객관적으로 볼 수 있는 건가. 외국에 나와서 보면 한국 사람들 얼굴에 나타나는 공통점을 쉽게 발견할 수 있다. 바로 웃음기 없는 얼굴, 잔뜩 긴장한 얼굴이다. 조금이라도 불이익이나 불만스러운 일이 생기면 당장 주먹부터 나갈 것 같은 공격적인 얼굴. 사업이나 공부를 하는 사람들은 물론이고 느긋하게 여행을 하고 있는 사람들의 얼굴에서조차 '어디 한마디만 해봐라, 내가 가만히 있나' 하는 무시무시한 전운이 감돈다. 지금 내 얼굴 역시 그런 얼굴과 크게 다르지 않을 것이다. 나도 모르는 사이에 내 입에서 중국어 한마디가 튀어나왔다.

'칭송칭송(輕松輕松 : 힘을 빼고 느긋하게 하세요).'

중국에 온 후, 매일매일 귀가 아프도록 듣는 말이다. 공부만 하다 보면 체력이 떨어질 것 같아서 며칠 전부터 수영을 하고 있는데, 이참에 개헤엄 수준의 수영 실력을 물개헤엄으로 높이기 위해 코치까지 초빙해서 열심을 부리고 있다. 신기한 것은 중국어와 수영이라는 전혀 연관성 없는 두 과목 강사들이 수업 시간이면 약속이나 한 듯 '칭송칭송'을 연발한다는 것이다.

중국어 수업 시간에 나는 잔뜩 긴장을 한다. 그러지 않으려고 아무리 애를 써도 그렇게 된다. 나보다 훨씬 어린 학생들과 공부하다 보니, 큰언니로서의 체면 때문에 잘해야 한다는 생각이 앞서기 때문일 것이다. 시간이 1년밖에 없다는 조급함도 한몫한다. 그래서 대답을 할 때나 책을 읽을 때 정신을 바짝 차리느라 눈을 부릅뜨고 말하게 되는데, 그럴수록 된소리가 나오고 성조도 틀리기 십상이다. 그러면 선생님은 이렇게 말한다.

"비에쪄양, 칭송칭송(그럴 필요 없어요. 힘을 빼고 느긋하게 하세요)."

그 말을 들으면 생각과는 달리 어깨와 목에 힘이 더 들어가서 더욱 이상한 발음이 된다.

재미있는 것은 그렇게 수업 시간에는 죽어도 안 되던 발음이나 표현이 쉬는 시간에 웃고 떠들 때는 아무 문제 없이 부드럽고 자연스럽게 된다는 사실이다. 복도에서 선생님이 내 목소리를 듣고 고급반 학생으로 착각할 만큼.

수영장에서는 더욱 가관이다. 어쩌된 일이지 첫 수업 때는 마음뿐만이 아니라 몸 전체가 긴장을 해서 여태까지 잘해온 개헤엄도 잘 되지 않았다. 그 후에도 자유형을 할 때는 숨쉬기가 급해서 호흡 후에 입 다물 시간이 없고, 숨을 쉴 때도 입을 지나치게 많이 벌려서 모양새가 좋지 않았다. 또 새로 배운 올바른 자세로 반드시 수영장 끝까지 가야 한다는 일념으로 돌진하다 보니, 힘만 들고 자세도 흐트러져 코치에게 여러 번 같은 말을 들었다.

그러다 실수로(?) 몸에 긴장이 풀어지면 그 순간, 바로 그 순간, 너무나 신기하게 몸이 가볍게 떠오르고 리듬감이 생기면서 비로소 한 마리 물개로 변하는 것이다.

이럴 때마다 수영 코치가 하는 말.

"칭송칭송! 아시겠어요? 수영을 잘하려면 지금처럼 물과 싸우지 말고 물과 놀아야 한다니까요."

잘하려면 싸우지 말고, 놀아야 한다니? 이게 무슨 천지개벽할 말인가. 여태껏 우리는 무엇을 잘하려면 그것과 싸워 이겨야 한다고 배웠다. 항상 긴장의 고삐를 늦추지 말아야 한다고, 그래야 뭔가 이룰 수 있다고 말이다. 나는 여행도 진이 빠질 때까지, 일도 이를 악물고, 공부도 눈에서 피가 날 정도로 했다. 그래야만 성에 차고 내심 뿌듯했다. 뭐든 싸워 이기려 했던 것이다.

곰곰이 생각해보면 내가 잔뜩 긴장한 채 싸웠던 실체는 일 자체가 아니라 '남'이었다. 남보다 늦었다는 생각, 남보다 잘해야 한다는 생각, 그러나 기초 공사가 잘 되지 않았다는 불안감. 긴장된 표정과 태도는 다름 아닌 부실한 자신을 감추기 위한 갑옷이었다.

이제는 알겠다. 왜 세상에는 이를 악물고 사는 사람보다 느긋하게 사는 사람들이 더 많은 것을 이루고 누리면서 사는지를. 이들은 자기들이 하는 일과 무작정 싸우는 대신, 잘 사귀면서 재미있게 놀 줄 알기 때문이다. 나도 그렇게 살고 싶다. 아니 이제부터 그렇게 살아야겠다.

칭송칭송!

얼마나 멋진 말인가. 무엇보다도 이 한마디가 내 간과 중국어 수준과 수영 실력을 한꺼번에 좋게 해준다니 귀가 솔깃해진다.

등굣길의 아침 풍경

한 달 이상 같은 길을 걸어서 학원에 다니다 보니 주위의 풍경들이 슬슬 눈에 들어온다. 내가 묵는 숙소 앞은 놀이터나 벤치는 없지만 나무가 빽빽한 게 그럴 듯한 공원 꼴을 갖추었다. 군데군데 공터에서는 아침마다 각종 운동을 하는 사람들로 붐빈다. 호텔 앞을 나서면 언제나 몇 명의 아저씨, 아줌마들이 타이지취엔(태극권)을 하거나 맨손체조를 하고 있다. 이 사람들의 표정이 어찌나 진지한지 매일 마주치면서도 인사말 한번 변변히 건네지 못하겠다.

나무 밑에서 혼자 칼춤을 추는 사람도 매일 만나고, 목청 높여 영어책을 읽는 임업대학 여학생도 매일 본다. 내가 궁금해서 왜 그렇게 큰 소리로 책을 읽느냐고 물었더니 이렇게 큰 소리 내지 않고 어떻게 공부를 하느냐며 오히려 묻는 나를 이상하게 쳐다본다.

한 손에는 노트북 가방을, 다른 한 손에는 보온병을 들고 황급히 출근하는 30대 초반의 남자도 아침마다 만난다. 매일 스치는데 그냥 맨송맨송 지나가기가 멋쩍어서 어느 날 내가 "니 하오." 하고 인사를 했더니 자기한테 인사하는 줄 모르고 얼른 뒤를 돌아보았다. 하여간 그날 이후 우리는 적어도 "니 하오."라는 인사를 주고받는데, 어쩌다가 아침에 이 남자가 안 보이면 학원 가는 길 내내 궁금하다. 오늘 왜 회사에 안 가지? 늦잠 잤나?

조금 더 가면 나오는 커다란 공터에서는 오십대 정도의 아저씨, 아줌마 20명 정도가 모여 매일 아침 집단무를 춘다. 아저씨들은 북과 꽹과리로 장단을 맞추고, 아줌마들은 울긋불긋한 부채를 가지고 뱅글뱅글 돌거나 스텝을 밟으면서 질서정연하게 군무를 춘다. 처음에는 다가오는 5월 1일 노동절을 맞이하여 동네별로 대회가 있어서 연습하는가 보다 생각했는데 5·1절이 지나도 계속이다. 10월 1일 국경절 행사 준비를 하는 건가?

여기서 숲길이 끝나고 시장이 시작된다. 수퍼마켓은 우유 등 아침 물건을 받느라 분주하고, 야채, 과일 장사들도 좌판을 벌이기 시작한다. 매일 들르는 과일 가게 아줌마는 아침마다 나만 보면 묻는다.

"츠판러마?(밥 먹었어요?)"

내가 "하이메이너(아직 아니오)." 하면, 미간까지 찌푸리며 "뿌싱(그러면 안 돼)."이라고 한다.

몇 군데 야채 가게를 지나면 아침밥 먹는 곳이 나온다. 호떡집과 죽집이다. 호떡집에서는 시골에서 갓 올라온 듯한 어린 총각이 꿀이 든 것과 짜게 반죽해서 아무것도 넣지 않은 빵을 판다. 한 개에 5마오(75원)인데 이걸 한 개 사서 쉬는 시간에 커피랑 같이 먹으면 든든하다. 만두도 파는데, 이름만 같지 우리나라에서 먹는 만두와는 달리 속에 아무것도 들지 않았다. 숙소에서 조금 일찍 나오는 날은 중국식 아침을 먹는다. 기름에 튀긴 꽈배기 같은 전병과 '더우장'이라는 콩국이다. 우리나라의 콩국수 국물 비슷한데 한 그릇만 먹어도 한낮까지 속이 든든하다.

학원이 파하는 12시쯤은 동네가 완전히 달라진다. 우선 학원 앞에 군것질거리가 많아진다. 붕어빵, 전병이라는 중국식 빈대떡, 팝콘 등등. 팝콘 장사는 돈을 제법 잘 버는지 하루 걸러 한 번씩만 나온다. 나한테는 아주 적당한 간격인데, 2위안(300원)짜리 팝콘 한 냄비를 사면 이틀 동안 먹기 때문이다. 나는 왜 공부를 할 때나 일을 할 때 군것질을 해야 하는지 모르겠다. 중국에서도 군것질 값으로 가산을 탕진하고 있다. 참 번거로운 버릇이다. 팝콘 장사 앞에는 다리가 불편한 구두 수리공이 있다. 어느 날, 구두를 고치면서 이런저런 얘기를 나누다가 내가 그저 중국어가 좋아서 공부하러 왔다니까 믿을 수 없다는 듯 입을 딱 벌린다. 두 눈을 몇 분 간 동그랗게 뜨고 있더니 비명처럼 한마디한다.

"쩐더마?(정말이에요?)"

내가 우주인이라고 말하면 저렇게 놀랄까?

이 밖에도 아침에는 열지 않았던 돼지고기집, 쌀 가게, 국수 가게, 꽃집, 반찬 가게, 자전거 수리점을 지나 집으로 돌아오는데, 가끔 책 장사를 만나기도 한다. 비닐 좌판에 50권도 되지 않는 책을 파는데 중국책뿐 아니라 지나간 〈타임〉지나 〈내셔널 지오그래픽〉도 있다. 십중팔구 이사가는 혹은 귀국하는 외국인들에게 공짜로 얻었을 텐데 한 권에 자그마치 냉면 한 그릇 값인 5위안을 받는다. 나도 기웃거리다가 《매디슨 카운티의 다리》 같은 영어 소설책이 나오면 종종 사곤 했다. 헌책이라고는 하지만 중국 학생들이 보던 것인지 앞부분 몇 페이지만 잔뜩 단어를 찾아놓고 그 뒤는 아주 깨끗해 새책이나 다름없다.

　12시 수업이 끝나고 곧바로 집에 돌아올 때는 항상 들뜬 마음이 된다. 우리 집 앞 공원에서 자주 만나는 중국 할머니와 하얀 강아지 때문이다. 코가 납작한 이 차이니즈 퍼그는 처음 나를 보자마자 오래 전부터 알던 사람인 양 쏜살같이 달려오더니 껑충껑충 뛰어오르며 반가워서 어쩔 줄 몰라했다. 보고 있던 할머니가 몹시 놀라며 말했다.

　"타 깐 서머. 쩐 치과이(얘가 왜 이러지. 정말 이상하네)."

　서울에 있는 우리 집 강아지 차돌이가 늘 보고 싶은 나 역시 무턱대고 반가워하는 이 강아지가 얼마나 살갑던지. 이름을 물어보니 '티아오티아오'라고 했다. 제 기분이 좋으면 이렇게 뛰어올라서 붙인 이름이란다. 이 강아지 덕분에 '티아오(跳)'가 뛰어오르다란 뜻인 줄도 알게 되었다. 할머니는 이 강아지가 원래 모르는 사람에게는 아주 쌀쌀맞은데 오늘은 참 이상하다고 하면서 신기한 표정을 짓는다. 한국에서 나도 개를 키운다니까 더욱 반가워한다. 개 키우는 사람들끼리는 남녀노소를 막론하고 이렇게 금방 통하는 법이다.

　예순 전후의 자그마한 키에 동그란 얼굴의 할머니는 12시쯤 티아오티아오를 산책시키는 것이 일과인 모양인지 그 뒤로도 비슷한 시간에 자주 만났다. 그래서 숲길로 들어서면 저절로 두리번거리게 되는데, 번번이 이놈이 먼저 알아보고 어디선가 톡 튀어나와서는 꼬리가 떨어져라, 혀가 빠져라 나를 반긴다. 할머니는 자기 아파트가 바로 공원 앞이니 한번 놀러오라고 한다. 놀러갈 때 우리 차돌이 사진을 가지고 가야지.

누구에게나 냄새는 있다

"중국 사람한테서 이상한 냄새가 나요."

대학에 떨어진 후 고심고심하다가 베이징에 어학 연수를 온 친구 조카의 첫날 소감이다.

"무슨 냄새?"

내가 짐짓 모른 척하고 물었다.

"뭐라고 해야 하나······."

"한여름에 하루 종일 신었던 등산화를 벗을 때 양말에서 나는 그 콤콤한 냄새?"

"맞아요, 맞아. 바로 그거예요."

무릎을 친다. 처음으로 외국 생활을 하는 이 친구로서는 당연한 반응이다.

여러 나라를 경험해본 사람들은 눈에 보이는 이국적인 풍물 못지 않게 코로 느껴지는 낯선 냄새가 다른 나라를 느끼게 한다는 것을 잘 안다. 음식 때문인지 기후나 풍토, 혹은 유전자 때문인지 각 나라 사람에게는 특유의 냄새가 난다. 그 익숙지 않은 냄새를 불쾌해하는 사람들도 많지만 내게는 다행히 이런 냄새들이 괴롭기는커녕 외국 생활을 다채롭고 흥미롭게 하는 데 큰 역할을 한다. 각각의 냄새를 자세히 관찰하고 적당한 표현을 찾아내는 재미도 쏠쏠하다. 대부분 그리 예쁘지 않은 형용사를 쓰지만, 그 나라나 문화권에 대한 악의나 비하하는 의미는 전혀 없다. 그 말 외에는 적절하게 형용할 방법이 없기 때문이다.

북미나 유럽 사람에게서는 고기 내장 삶는 것 같은 냄새가 난다. 일명 노린내. 한평생 양과 더불어 사는 중동의 유목민에게서는 당연히 양 냄새가 난다. 아프리카 원주민에게서는 빙초산처럼 톡 쏘는 냄새가 난다. 일생에 딱 세 번, 태어날 때, 결혼하기 전날, 그리고 죽을 때 목욕한다는 남미 인디오에게서는 덜 말린 우산에서 나는 것 같은 비릿한 냄새가 난다. 인도 사람에게서는 카레와 상한 요쿠르트가 뒤섞인 냄새가 나지만 향기로운 향 냄새와 꽃 냄새도 무시할 수 없다. 티베트에서는 단연 야크 버터 냄새. 우리가 보통 먹는 버터가 약간 맛이 가서 시큼해진 듯한 냄새다. 그러나 전나무 가지를 태우는 좋은 향기 역시 티베트 사람에게 배어 있다. 넓은 초원을 말을 타고 마음껏 달려서일까, 몽골 사람들에게는 싸아한 바람 냄새가 나는 것 같았다.

이렇게 냄새에 과민하기까지 한 내게서는 고상하고 향기로운 냄새만 날까? 한국인에게서도 유쾌하지 못한 냄새가 난다고 한다. 그게 어떤 냄새일까 늘 궁금했었는데 마침내 그 정체를 확실히 알 수 있는 기회가 있었다.

미국에서 대학원에 다닐 때의 일이다. 그때 나는 미국인 양부모님과 같이 살고 있었고, 주변에 한국 유학생도 별로 없어서 한국 사람들과 거의 왕래 없이 지냈다. 그러던 어느 날 한 유학생 부부의 친정어머니가 다니러 오셔서 한국 음식을 만드셨다며 나를 집으로 초대했다. 그 집 현관문을 여는 순간, 확 코에 끼치는 그 냄새. 바로 그것이 외국 사람들이 말하는 한국 냄새의 정체였다. 뭐랄까. 묵고 묵어 허옇게 우거지가 난 김장김치에서 나는 쾨쾨하고도 시큼한 냄새라고 할까? 아무튼 썩 기분 좋은 냄새는 아니었다.

그날 이후 나는 아주 특이한 버릇이 생겼다. 틈만 나면 이를 닦는 것이다. 나 역시 한국인이니 분명 그 냄새가 날 것이므로 조금이라도 냄새를 없애보자는 생각에서였다. 이 습관은 지금까지 갖고 있는데, 식사 후에는 물론 수시로 이를 닦아야 마음이 놓인다. 특히 여름에는 아주 매운 치약으로 하루 열 번 이상 닦아야 시원하고 개운하다.

외국인들과 섞여 살다 보면 이런 냄새 때문에 적지 않은 문화 충돌이 생기기도 한다. 그때 그 유학생 집에서 생긴 에피소드 하나. 하루는 이 어머니가 딸, 사위가 좋아하는 청국장을 끓이고 있는데 교내 경찰이 들이닥쳤더란다. 같은 아파트에 사는 외국 사람이 어디서 동물 썩는 냄새가 나는 것 같다고 신고를 했던 것이다. 사건의 내막을 눈치채신 이 어머니, "먹는 것 가지고 그러는 뱁"이 아니라고 노발대발하시면서 순전히 한국말로 그 경찰과 신고인을 단단히 혼내주었다는 얘기다.

나도 비슷한 경험이 있다. 인턴 사원으로 미국 올림픽 조직위원회에서 일할 때 내 룸메이트는 흑인 미국인 여자였다. 상냥하고 사려 깊은 그녀와 참 친하게 지냈는데, 이 친구가 끝까지 적응하지 못한 것이 김치 냄새였다. 냉장고에 김치만 넣으면 모든 음식에 냄새가 배어 김치 우유, 김치 치즈, 김치 주스가 된다며 농담을 하곤 했다. 보통 때는 별말 안 하더니 한 번 크게 다툴 때, 자기가 여태껏 억지로 참았다며 냄새 나는 김치통을 꺼내라고 하는 거다. 나도 '네가 매일 먹는 퀴퀴한 냄새 나는 블루치즈를 다 갖다버리겠다'고 길길이 뛰었더니 그 아이가 깜짝 놀라며 진심으로 물었다.

"그게 정말 그렇게 고약한 냄새가 나니?"

그 친구는 자기가 좋아하는 음식이 이상한 냄새가 나는 것은 물론, 그것이 내 비위를 거슬릴 것이라고는 꿈에도 생각해보지 않았다며 미안해했다.

김치, 된장, 마늘을 먹지 않고는 살 수 없는 한국 사람이니 그 특유의 냄새가 나는 것은 당연하고도 피할 수 없는 일이다. 아무리 매운 치약으로 열심히 이를 닦고, 아무리 향기로운 비누로 열심히 샤워를 해도 말이다. 내가 앞에서 예를 든 다른 나라 사람들도 다 마찬가지다. 그들 역시 자기에게서 나는 냄새를 어쩔 수 없는 것이다.

내게는 냄새를 자기의 코로 재단하지 않고 그 문화의 재미있는 특징으로, 나아가 향기로까지 받아들인 것이 이문화 적응의 아주 중요한 열쇠가 되었다. 각자에게는 각자의 냄새가 있다는 것을 인정해야 하는 것처럼 세상에는 우리에게 익숙한 것 외에도 많은 낯선 것들이 공존함을 인정해야 한다. 이것이 국제인이 가져야 할 가장 기본적인 마음가짐이자 생활인으로서 가져야 할 작은 지혜이다. 다른 사람의 결점이 눈에 띌 때 나 또한 그와 비슷한 정도의 결점을 가지고 있다는 사실을 늘 염두에 둔다면, 살면서 어쩔 수 없이 생기는 미운 사람도 섭섭한 사람도 반으로 줄어들지 않을까.

튀기고 지지고 볶고…

'밥계 할 사람 찾습니다.'

한국 학생들이 드나들 만한 곳의 게시판에서 심심치 않게 보는 광고다. 어디서 많이 들어본 소리다. 미국 유학 시절, 한국 학생 대여섯 명이 조를 짜서 하루에 한 끼는 한국식으로 먹자고 만든 것도 밥계였다. 이 덕분에 굶어 죽지 않고 무사히 공부를 끝낸 사람이 부지기수다. 동네가 작다 보니 어느 밥계에서는 육개장이 맛있다더라, 어느 밥계에서는 미역국이 끝내준다더라 하는 소문이 30명도 되지 않는 한국 유학생 사회에 파다했다. 그때만 해도 유타주의 솔트레이크시티에는 한국 식당이 없어서, 한국에서 온 화교 식당에서 한국식 자장면과 짬뽕을 먹을 수 있는 것만으로도 감지덕지였다.

'쭝국 음식'을 실컷 먹을 수 있는 중국에서도 밥계의 파워는 여전하다. 다른 점이 있다면 여기서는 학생들이 돌아가면서 직접 해먹는 것이 아니라 중국 동포 아줌마에게 점심이나 저녁밥을 부탁하고 한 달에 얼마씩 돈을 모아 낸다는 거다. 하지만 베이징으로 유학이나 어학 연수를 오려는 사람이라면 먹거리 걱정은 하지 않아도 된다. 먹을 것이 지천이기 때문이다. 어언문화대학 근처의 한국인 거리에는 한국 식당이 많고도 많다. 곰탕, 불고기, 부대찌개는 물론 분식이면 분식, 중국집이면 중국집, 없는 게 없다. 북경대나 청화대 등 각 대학의 학교 식당에서는 우리 돈으로 2,000원 내외면 푸짐하게 먹을 수 있다. 그게 싫다면 골목마다 있는 반찬 가게에서 밥과 반찬을 사다 먹으면 된다. 한국 수퍼마켓에서는 한국에서 먹던 맛 그대로의 반 조리 식품을 얼마든지 구할 수 있다.

하기야 우리가 지금 어디에 있는데 먹을 것 걱정을 하는가. 무엇보다도 먹는 것이 최우선인 사람들의 땅이 아닌가. 내가 세상에 태어나 제일 처음 만난 중국 사람도 그 맛있는 음식을 만들어내던 중국집 주인이었다. 하루에도 몇 번씩 골목 끝 우리 집까지 진동하는 그 고소한 자장 볶는 냄새가 나에게는 중국의 냄새 그 자체였다. 중국집 아들과 내 남동생이 친하게 지낸 덕에 가끔씩 공짜 자장면과 군만두를 맛볼 수 있었는데, 그 이국적인 맛이라니. 또 있다. 껍질이 바삭바삭하고 텅 빈 빵 속에 얇게 설탕물을 바른, 공처럼 생긴 큰 빵, 일명 공갈빵은 그 고소한 냄새만으로도 어린 나를 얼마나 달콤하게 유혹했는지.

실제로 중국인들은 예부터 음식을 매우 중요하게 생각했다. 중국 한서(漢書)에는 '민이식위천(民以食爲天 : 백성들은 먹는 것을 하늘로 생각한다)'이란 말이 있다. 미국 유학 때 보았던 중국 학생들은 초를 다퉈야 하는 시험 때가 되어도 돼지고기 튀기는 냄새를 피웠다. 공부가 바쁘니 식사는 샌드위치 같은 것으로 간단히 때운다는 것은 이 친구들에게 있을 수 없는 일이었다. 중국 영화 〈음식남녀〉에서도 주방장인 주인공이 이웃집 아이의 점심을 싸다주는데, 일개 초등학생 점심 메뉴가 게살볶음, 무석갈비, 청두새우, 여주 갈비탕일 정도다. 그 아저씨가 늘 하는 말, "많지 않으니 뜨거울 때 먹어라."

그렇다면 중국인들은 매일 진수성찬을 차려 먹을까. 나도 이게 참 궁금했었는데 직접 와서 보니 일상적으로 집에서 먹는 '쟈창판(가정식 백반)'은 검소하기 짝이 없다. 만두나 밥 같은 주식에 야채나 고기를 볶은 반찬 한두 가지가 전부였다. 국이 오르는 경우도 아주 가끔이다. 일반 가정에서는 아침은 사 먹는 게 당연하고, 퇴근이 늦어지면 저녁도 가게에서 사다 먹는다. 집에서 해 먹는 경우도 김치 같은 밑반찬이 없기 때문에 매 끼니마다 기름 냄새를 풍기면서 볶아야 한다. 이 기름 냄새가 중국 식탁이 풍요로울 거라는 환상을 불러일으키는지도 모르겠다.

나도 가끔 가정 교사 왕샹네 자취방에서 같이 중국식으로 밥을 해 먹는데 놀랍게도 두세 가지 반찬을 만드는 데 15분도 걸리지 않을 정도로 간단하다. 내가 중국에 와서 처음 배운 요리는 탕수육이나 팔보채가 아니라 아주 간단한 '파이황구어(破黃果)'라는 오이 요리다. 사실은 요리랄 것도 없다. 오이를 칼등으로 내리쳐서 박살낸 후 식초, 마늘, 약간의 식용유(참기름은 향이 너무 진해서 안 좋다), 소금 간을 해서 먹는데 기름기가 많은 중국 음식과 잘 어울리는 아주 개운한 맛이 난다.

자주 해먹는 국은 '삼원색 탕'이다. 이것 역시 아주 간단하다. 우선 프라이팬에 기름을 두르고 뜨겁게 달군 후 어슷어슷 썬 토마토를 살짝 볶는다. 거기에 소금으로 간을 한 다음 물을 적당히 붓고 끓인다. 물이 끓기 시작하면 미리 풀어놓은 계란을 높은 곳에서 천천히 떨어뜨려 물 속에서 고루 퍼지게 하면 끝이다.

물론 왕상에게는 반드시 식용유를 넉넉히 둘러 볶은 반찬이 있어야 한다. 이 친구는 음식할 때 우리나라에서 한 가족이 한 달 먹을 기름을 혼자서 일주일이면 동이 날 만큼 많이 쓴다. 음식 간을 할 때 꼭 필요한 소금은 짜기만 하고 맛이 하나도 없다. 꼭 짠맛만 있는 화학 약품 같다. 알고 보니 대부분의 중국 소금은 호수나 돌에서 채취한 거란다. 3면이 바다인 우리는 소금은 당연히 바다에서 나온다고 생각하는데 신기하다. 아무튼 한국 소금에는 '바다맛'이 들어 있어 뒷맛이 달착지근하다는데, 비교해서 먹어보니 정말 우리 소금이 훨씬 맛있다.

밥 얘기가 나와서 말인데 중국 북방에서는 옛날부터 쌀이 귀해 손님이 오면 그제서야 밥을 해주었다. 그런 연유로 손님들의 숙소를 밥 반(飯)자를 써서 '飯店', 혹은 '飯館'이라고 불렀다고 한다(남쪽에서는 '酒樓'라고 한다). 오늘날 하루 묵는 데만 200달러가 넘는 베이징 최고급 호텔 이름이 '北京飯店'이다. 우리나라에는 동네마다 있는 흔하디 흔한 중국집 이름인데……

왕샹네 가는 길

"참, 노동절엔 뭐 할 거야?"

공부를 하다 말고 왕샹에게 물었다. 여기는 사회주의 국가답게 노
동절을 아주 거하게 지낸다. 5월 1일 당일은 물론 아예 노동절이 낀
그 주를 몽땅 쉰다. 직장이나 학교, 공공 기관들이 모두 논다. 기가
막히지 않은가. 계절의 여왕 5월, 그 놀기 좋은 계절에 일주일 간 휴
가라니. 도저히 그냥 있을 수는 없는 일이다. 어디 놀러 가자는 내
말에 왕샹이 고개를 절레절레 흔든다.

"따오추 런 타이 두어!(到處人太多!)"

어딜 가도 사람이 넘쳐난다는 말이다. 맞는 말이다. 중국에 와서
제일 흔하게 듣는 말이 '런 타이 두어'이다. 특히 주말의 베이징 근
처는 어디를 가도 발 붙일 데가 없다. 베이징만 그런 것이 아니다.
이제 먹고 살 걱정에서 벗어난 중국 사람들이 삶의 질을 높이자는
차원에서 여행을 다니기 시작한 것이다. 그 변화가 근래 2~3년 사

이에 특히 두드러진다.

"그래도 일주일이나 노는데 방 안에만 있을 수는 없잖아."

"그럼 우리 시골집에나 갈까요?"

의기투합은 쉬웠지만 기차표 구하기가 하늘의 별따기였다. 왕샹은 이틀 동안 기차역에 출근해서 기나긴 줄을 선 끝에 드디어 산둥성 고향까지 가는 표를 사와서 득의양양이다. 밤을 달려 10시간도 넘게 간다는데, 자리도 지정되어 있지 않은 입석이다.

기차 안은 난리 법석이었다. 웬 짐은 그리 많은지. 이중으로 판매된 좌석 때문에 자리마다 내 자리네, 네 자리네 싸움이 벌어지고, 이미 앉아 있는 사람들은 포커를 치거나 맥주를 마시면서 시끄럽게 놀고 있었다. 왕샹은 계속 미안한 표정이었지만 내게는 오히려 낯익고도 정겨운 중국 밤기차 삼등칸 풍경이다.

왕샹이 말끝마다 자기 고향을 깡촌이라고 하더니, 막상 와보고 실감했다. 10시간 기차를 타고 와서도 다시 1시간 가량 시외버스를 탔는데, 그것도 모자라 또 시골 버스를 타고 2시간을 가서도 한참을 걸어야 비로소 나오는 동네였다.

전형적인 중국 농촌. 마늘밭과 땅콩밭에 둘러싸인 집들은 모두 흙집이다. 동네에 들어서자마자 한 발짝 떼놓을 때마다 인사를 주고받는다. 집에서는 왕샹 어머니와 올케, 그리고 어린 조카들이 반갑게 맞는다. 침대와 찬장, 흑백 텔레비전, 의자 몇 개 이외에는 이렇다 할 살림도 없다. 왕샹 어머니는 길에서 식사는 어떻게 했냐며 국수물부터 올려놓으신다.

아버지는 왕샹이 세 살 때 지병으로 돌아가시고 어머니 혼자서 여섯 남매를 어렵게 키우셨다. 막내를 낳고 산후 조리를 잘못해서 성치 않은 몸으로 남편 병 구완에 치매 든 시부모 봉양, 그리고 찢어질 듯한 가난을 견디지 못해 죽어버릴 결심까지 했단다. 목을 매려는 순간 갓난아기였던 왕샹이 엄마를 똑바로 쳐다보며 방실 웃더라고. 그 순간 내가 저 아이를 놔두고 죽을 수는 없다고 생각을 고쳐먹었다고 한다. 어릴 때 왕샹은 발육이 몹시 더뎠다는데, 지금도 어머니는 갓 낳았을 때 젖을 충분히 먹이지 못해 그렇다고 미안해하신다.

어머니가 아기 때문에 목숨을 건졌다면, 5개월 태아였던 왕샹을 살린 건 전적으로 어머니다. 왕샹이 태어날 무렵은 '한 가구 한 자녀'라는 인구 정책이 강력히 실시되던 때인데, 어머니는 또 임신을 했다. 집에 그냥 있다가는 강제 유산을 당할 형편이라 친정집으로 도망가서 몰래 낳아온 아이가 바로 왕샹이다. 그래서 이 친구의 별명은 도망가서 낳은 아이라는 뜻인 '두오(躲)'란다.

왕샹의 말대로 이곳은 시골 냄새가 풀풀 난다. 채소밭에 물을 주는 사람들, 막대 지게에 배추를 넘치도록 담아가는 사람들, 보리밭 사이로 뛰어다니는 강아지, 자전거 뒤에 닭을 싣고 가는 사람들, 땅콩밭에 거름을 주는 사람, 경운기 뒤에 타고 읍내로 나가는 사람들. 일일이 아는 체하며 지나가려니 1분당 1미터의 속도도 나지 않는다. 내가 외국에서 왔다고 하니 더욱 그렇다. 사람들은 낯선 내가 누구인가 몹시 궁금하다.

"타스 쉐이야?(이 사람은 누구니?)"

"총 한궈 라이더 펑요우(한국에서 온 친구예요)."

왕샹이 말할 때마다 사람들은 십중팔구 되묻는다.

"써머 디팡 라이더?(어느 동네라고?)"

"난챠오시엔 라이더(남조선이라구요)."라고 해야, "아, 쯔다올러

(아, 그렇군요)." 하는데 정말 알아듣고 하는 대답 같지는 않다.

여기 사람들은 중국이 한국전쟁 때 북한을 도왔던 것을 잘 알고 있기 때문에 한국이라는 말보다 조선이라는 말에 더 친숙하다. 연전에 어떤 국회의원이 명함에 남조선이라고 썼다가 경을 쳤다는 얘기를 들었는데, 여기에 와보니 왜 그렇게 써야 했는지 이해가 간다. 이렇게 우리가 중국을 아는 정도와 중국 사람들이 우리를 아는 정도는 완전히 다르다. 물론 도시에서 공부한 사람들이야 한국을 모를 리 없지만 예전에 중국 오지 여행을 할 때도 한국이라고 하면 단번에 아는 사람이 아주 드물었다.

이곳의 주식은 만두나 국수라는데, 손님이 왔다고 매끼 밥과 반찬을 내놓는다. 반찬은 몇 가지의 야채와 돼지고기를 볶은 것으로, 땅콩기름을 써서 아주 고소하고 맛있다. 저녁 먹고 이야기를 나눌 때도 해바라기씨 대신 땅콩을 먹는다. 땅콩이 이곳 특산물이기는 한가 보다. 왕샹은 어릴 때 식량이 없어 땅콩으로 끼니를 때운 일이 많아서 지금은 쳐다보지도 않는다. 나는 갓 볶은 땅콩이 맛있긴 한데 너무 많이 먹었는지 설사 기운이 있어서 화장실을 왔다갔다하느라 밤잠을 설쳤다.

다음날 아침 왕샹의 집으로 동네 사람들 대여섯 명이 몰려왔다. '남조선'에서 온 나를 구경하러 온 거다. 마당에 빙 둘러서서 '파워 인터뷰'가 시작되었다. '한국 사람의 주식은 무엇이냐?', '한국 시골 사람들은 여기와 비교해서 살기가 어떠냐?' 여기까지는 잘 나가다가 〈꽃파는 처녀〉라는 영화 재미있게 보았다', '굶어죽는 사람이 많다는데 지금은 괜찮으냐?', '너희 나라 지도자가 죽어서 얼마나 슬프냐?'는 질문을 한다. 남한과 북한을 구별하지 못하는 게 분명하다.

하기야 이런 시골 사람들한테 남한과 북한이 어떻게 다른지가 뭐 그리 중요할까.

나는 여기 와서 농민들이 도회지 사람들보다 세금을 많이 낸다는 걸 처음 알았다. 얘기인즉, 토지는 기본적으로 국가 소유이고 농민은 가족 수에 따라 그 땅을 평생 임대하는 형식이었다. 1년 세금이 농민 한 사람당 평균 102위안과 땅콩 20킬로그램인데, 도시 사람들의 임금으로 따지면 그리 많지 않은 돈이지만 이들에게는 1년 내내 걱정을 해야 할 만큼 아주 큰 부담이다. 세금을 제때에 내지 못하면 친척집의 가재 도구까지 차압당하기도 한단다. 농사는 잘 되냐고 물어보니, 요 몇 년 사이에는 도대체 비가 오질 않아서 보리며 땅콩 수확이 형편없단다.

"커이 츠 바오러마?(배부르게는 먹고 살 수 있어요?)"

"커이 츠 바오러. 단쓰 지우쓰 츠 바오러(먹고는 살지만 단지 그것뿐이죠)."

먹는 문제는 해결되었지만, 다른 곳에 쓸 돈은 거의 없다고 한다. 100위안짜리 돈을 1년이 가도 만져보지 못하는 해가 많다고. 그래도 도시로는 무서워서 가기 싫고, 시골에서 농사 짓는 게 마음 편하다고 하는 걸 보니 천생 시골 사람들이다.

그 다음날은 하루 종일 왕상네 밭에서 놀았다. 저수지에서 물을 퍼와서 채소밭에 주고, 잡초도 뽑고 물 지게로 깨끗한 물도 나르고 보리밭을 배경으로 사진도 많이 찍었다. 돌아오는 길에는 왕상네 친척집 밭에서 마늘쫑과 배추를 뽑아다가 저녁 반찬을 만들었다. 모자도 쓰지 않고 밭일을 했더니 저녁에 팔뚝이며 목 뒤, 얼굴이 화끈거린다. 왕상은 아무렇지도 않아 보이는데.

다음날 아침이 되자 바깥에 걸려 있는 커다란 가마솥에서 고소한 냄새가 난다. 왕샹 어머니가 길 떠나는 우리들에게 땅콩을 볶아주려는 거다. 오자마자 간다고 툴툴거리시면서도 계란을 10개나 삶아놓았다.

어제 얘기 끝에 왕샹이 태어나서 지금까지 바다를 한 번도 본 적 없다고 해서 베이징 가는 길에 칭다오(靑島)에 들러 바다 구경을 하기로 했다. 옛날 고등학교 때 친하게 지내던 선교사가 생각났다. 70년대에 한국에 왔을 때 고아원을 방문했는데, 열 살도 넘은 아이들이 바다 구경을 한 번도 못했다는 말을 듣고 슬퍼서 잠을 자지 못했다고. 그래서 버스를 전세 내어 아이들에게 동해를 구경시켜주었노라고. 그 아이들이 바다를 바라보며 좋아하던 모습을 자기는 평생 잊을 수 없다고. 나도 이 친구에게 그런 즐거움을 안겨주고 싶었다.

칭다오 해변가에서 왕샹이 말한다.

"쫘이 쫘이더 월(이상한 냄새가 나네요)."

"쩌 지우스 하이 더 월(이게 바로 바다 냄새야)."

우리는 해변 모래사장을 맨발로 걸었다.

"화 화더(바닷물이 미끈미끈하네요)."

"한번 바다 맛 좀 볼래?"

왕샹이 바닷물에 손을 담갔다가 혀끝으로 맛을 본다.

"헌 시엔. 쩐더(정말 짜네요. 정말로)."

어린아이처럼 좋아하는 왕샹이 사랑스럽다. 이 친구한테 바다 보여주느라 학원 수업을 이틀이나 빼먹은 것이 하나도 아깝지 않다.

통즈(同志)는 없다

"통즈, 워 야오 빠오밍(동지, 저 등록하려고 하는데요)."

"통즈 썬머야?(동지가 뭐예요?)"

사무실에 있던 다른 선생들도 한꺼번에 웃음을 터뜨린다. 학원 재등록을 하러 사무실에 갔다가 여직원에게 '동지'라고 불렀더니 이렇게들 재미있어한다. 내가 배우는 회화책에는 나이가 비슷한 사람끼리 동지라고 부르던데……. 수업 시간에 선생님한테 물어보니 더 이상 동지라는 호칭을 쓰는 사람은 없다고 한다. 그러면 어떤 호칭을 쓰는 것이 좋겠냐고 물어보니 잠시 망설이다가 이렇게 말한다.

"뿌 지엔단(간단하지 않지요)."

살아보니 정말 그랬다. 학원이나 학교에서는 오히려 간단했다. 선생이 학생을 부를 때에는 나이에 상관 없이 이름과 성을 함께 부른다. 초급 회화반 선생인 찐캉은 스물한 살 새파란 강사인데 나를 부를 때 그냥 '한페이예(韓飛野)'라고 한다. 예순 살이 넘은 일본 할아버지를 부를 때도 마찬가지다. 학생들은 선생을 아무개 라오스(老師)라고 하면 된다.

한번은 우리 반에 한국의 대기업 직원이 들어온 적이 있었다. 나를 알아본 그 사람은 강사에게 말했다.

"韓先生是有名的旅行作家(한 선생님은 유명한 여행 작가입니다)."

그러자 장난기 많은 찐 라오스 하는 말.

"타 지우스 난더(한비야는 알고 보니 남자였군요)."

중국에서는 선생이라는 호칭은 남자에게만 붙인단다. 그럼 선생에 해당하는 여자 호칭은 무엇일까? 바로 '女士'이다(책에는 그렇게 나오는데 실제로 나를 여사라고 부르는 사람은 중국 사람이 아닌 북한 유학생이었다).

성을 알면 아주 편리하다. 자기보다 어린 사람에게는 샤오(小)를 붙여 샤오 왕, 샤오 찐이라고 부르고 나이가 많으면 라오(老)를 붙여 라오 리, 라오 찐이라고 하면 무난하다.

한국 학생들은 물론 중국인들도 나를 '따제(大姐 : 큰언니, 큰누나)'라고 하는데, 이 호칭은 큰언니보다는 아줌마라는 뉘앙스가 강하다. 그래서 시장에 갔을 때 물건 파는 사람들이 '따제'라고 하지 않고 아가씨라는 뜻의 '샤오지에(小姐)'로 불러주면 기분이 좋다.

그런데 이 샤오지에가 요즘에는 좀 이상한 뜻으로 전의되어가고 있다. 자본주의 경제 체제를 표방하는 과정에서 발생한 '아가씨 문화' 때문이다. 소위 신싼페이(新三陪) 샤오지에. 노래방에서 같이 노래 불러주는 아가씨, 술 마실 때 같이 놀아주는 아가씨, 그리고 잠자리에서 놀아주는 아가씨를 포함해 향락업계에 종사하는 젊은 여자들의 총칭으로 변한 것이다.

또 하나 한국 사람들이 조심해야 할 호칭이 있다. 바로 '아이런(愛人)'이다. 우리말로는 연인을 칭하는 말이지만 중국에서는 이것이 남편이나 아내를 가리킨다. 아무나 보고 애인이라고 하는 우리나라 남자들은 말조심해야 한다. 참고로 애인을 일컫는 중국말은 '칭런(情人)'이다.

가게에서 물건을 살 때 주인이 아줌마이면 '아이(엄마 또래의 아줌마)', 아저씨면 '수수(작은 아버지)'로 부르면 무난하고, 나이가 좀 들었으면 '따예(할아버지)', '따마(할머니)'라고 한다. 택시 기사 등은 '스부(師父)'라고 한다. 홍콩 영화에서 일반적으로 타인을 부르는 호칭으로 많이 나오는 '따거(大哥)'는 좀처럼 들을 수 없다.

몇 년 전까지만 해도 남녀노소를 막론하고 통즈(同志)라고 불렀다는데, 그때가 좋았을 것 같다. 한국 학생들끼리 장난 삼아 서로 한 동지, 김 동지라고 부르곤 했다는데 그 중 진짜 '공산당'처럼 생긴 선교사 한 분은 그때 붙은 '백 동지'라는 별명을 아직도 자랑스럽게 쓰고 있다.

별명 하면 나도 할 말이 많은 사람이다. 나는 유난히 별명이 많다. 갓 낳았을 때는 순둥이였다. 꼬집어도 벙글벙글 웃었다니까. 어렸을 때는 장돌뱅이였다. 매일 어디를 싸다녀서이다. 고등학교 때는 인간 확성기. 응원부원이었는데 농구 경기를 응원하러 갔던 장충체육관에서 다른 부원들이 확성기를 사용해서 내는 소리보다 내 목소리가 훨씬 커서다. 목소리만 들어도 톡 쏘는 것이 정신이 번쩍 난다고 해서 붙여진 별명이 코카콜라, 어디로 튈지 모른다고 해서 붙여진 것은 탱탱볼이다. 내 조카들이 부르는 꼬마 이모야, 고모야의 준말인 꼬미야, 그리고 나의 대명사가 된 바람의 딸까지, 나를 내 이름으로 기억하는 사람보다 별명으로 기억하는 사람이 더 많을지도 모르겠다.

중국 사람들도 이름 이외에 별명이나 아명으로 불리는 경우가 흔하다. 보통은 이름 두 자 중에서 한 자를 두 번 부른다. 예를 들어, 쟝즈밍(張知明)이면 '밍밍(明明)'으로, 리원찡(李文靜)은 '찡찡(靜靜)' 하는 식으로 붙인다. 위화(余華)의 소설 《인생》을 영화로 만든 동명 영화에서도 궁리가 아들을 낳고 부두(不賭 : 남편이 도박으로 패가망신했기 때문에)나 만두(사람인 줄 모르고 옥황상제가 부르지 않아 명이 길다는 의미)라고 이름지으려 한 것처럼 사연을 가진 이름도 많다. 태어난 해의 동물 이름을 따서 '샤오롱(小龍)', '샤오후(小虎)'라고 부르기도 하고, 시골에서는 집에서 키우는 동물인 양, 개, 말 등을 아이 이름으로 부르기도 한다. 아무리 애칭이지만 돼지도 아니고 개는 좀 너무한 거 아닌가.

하여간 중국 사람들 이름 짓는 걸 보면 불가사의하다. 13억 인구의 이름을 두 자나 석 자로 일일이 다르게 지어야 하니 말이다. 한자가 수만 자 된다지만 성으로 쓰는 것은 1천여 개, 이름으로 사용할 수 있는 한자는 3,000~5,000자 정도라니 얼마나 같은 이름이 많을까 상상이 간다. 가장 흔한 성씨인 왕(王), 리(李)씨가 각각 1억 명이라니 말 다 했다. 그래서 어디를 가나 왕위란(王玉蘭), 리젠궈(李建國), 장잉(張英)이라는 사람을 볼 수 있다.

내 이름을 소개할 때마다 중국 사람들은 의아한 표정을 짓는다. 좀더 순진한 사람들은 솔직히 말한다.

"쩐 치과이(정말 이상하네요)."

내 이름은 날 비(飛), 들 야(野)로 쓰는데 이 두 자 모두 중국에서는 여자 이름에는 거의 쓰지 않는 한자라고 한다. 그러나 이들이 아무리 이상하다고 해도 나는 좋기만 하다. '광활한 들판을 날다', 정말 바람의 딸다운 이름이 아닌가.

"파인애플을 먹으면 성병에 걸려요?"

갑 : 아이구, 오랜만이네.

을 : 응, 한국에 잠깐 갔다왔어.

병 : 아직도 초급 들어요?

정 : 글쎄 말이에요. 생각보다 빨리 안 느네요.

분명 몸은 중국에 있는데 사방에서 들리는 것은 한국말뿐이다. 예상대로 학원에는 한국 사람들 천지다. 많을 때는 수백 명까지도 등록을 한다는데 90퍼센트 이상이 한국 사람이라고 해도 과언이 아니다. 여기서는 각양각색의 한국 사람들이 중국어를 배우고 있다. 대다수는 대학생들이고 유학생이나 주재원의 부인들, 장사나 사업을 하는 분들, 스님이나 선교사들, 그리고 나처럼 취미(?)로 중국어를 배우는 사람, 심지어 한국에서 빈둥거리기가 멋쩍어 뭐라도 하는 것처럼 보이려고 온 이들도 있다. 나이도 중학생부터 60세가 넘은 노인까지 다양하다.

성업 중인 곳은 다 이유가 있는 법. 이 학원에서는 마음대로 반을 옮길 수가 있어서 강사들이 조금만 재미없거나 성의 없게 가르치면 학생들이 다 떠나버린다. 이러니 좋은 선생님 반에 학생들이 몰리는 것은 당연하다. 사실 좋은 선생, 나쁜 선생이 따로 있다기보다 자기와 궁합이 맞는 선생을 만나는 것이겠지만.

나 역시 여러 번 반을 옮긴 끝에 아주 마음에 드는 선생을 둘 만났다. 앞 시간의 쩐 선생은 이십대 중반의 법대 출신인데 중국어 회화의 기초 중의 기초인 《301句》를 가르쳤고, 뒷 시간의 왕 선생은 청화대 출신으로 똑똑하고 유머가 넘치며 초급 중국어 회화를 가르쳤다. 쩐 선생은 전통적인 중국식 수업을 한다. 설명은 별로 없이 교재를 통째로 외우게 한다는 말이다. 왕 선생의 수업은 훨씬 느슨하다. 발음이나 성조가 틀려도 알아듣기만 하면 그냥 넘어간다. 왕 선생한테 중요한 건 학생들이 틀려도 말을 많이 하게끔 하는 거다. 수업 시간에 학생들이 부끄러움을 느끼지 않고 얘기하게 하는 분위기 조성이 이분의 뛰어난 능력이다.

그나저나 중국어 공부는 예상보다 시간이 많이 들 것 같다. 지금은 쩐 선생이 내주는 숙제를 하는 것만도 무한정 시간이 든다. 나는 초급 때는 아주 미련한 방법을 쓰기 때문이다. 어떤 방식이냐면 다음과 같다. 한 과를 다 배우고 나면 테이프를 여러 번 듣는다. 어느 정도 문장의 리듬과 흐름이 파악되면 한 페이지 남짓 되는 본문을 써본다. 단어 한 자 한 자, 그에 따른 성조를 꼼꼼히 챙긴 후 확실해졌으면 본격적으로 외우기에 들어간다. 다 외웠다고 생각되면 그 외운 내용을 녹음해서 들어본다. 대부분 낯뜨거워 들을 수 없을 정도지만 이것 역시 건너뛸 수 없는 과정이다. 이렇게 하려니 한 과 외우는 데 2시간 이상 걸린다.

참, 나처럼 공부하려면 반드시 좋은 어학 연습용 녹음기가 있어야 한다. 나는 중국제 '부부까오(步步高)'라는 어학 학습기를 200위안 정도 주고 샀는데 누르는 단추들이 닳도록 아주 잘 쓰고 있다. 이 학습기는 느리게 읽기, 반복해서 읽기, 본문을 따라하는 자기 발음 녹음하기 등 기능이 다양해서 학습에 결정적인 도움이 되었다.

그리고 나는 문장을 외울 때 되도록 소리 높여 읽으면서 외운다. 1시간 정도만 떠들면 턱이 아프고 배가 고프고 머리가 얼얼할 만큼 크게 읽는다. 중국어뿐만 아니라 다른 외국어를 배울 때도 이렇게 했는데 효과를 톡톡히 보았다. 우리나라 학생들은 외국어 공부를 너무 조용하게 한다. 여기서도 도서관에 가보면 아이들이 하루 종일 앉아서 연습장에 쓰면서 외운다. 외국어는 눈과 손만으로는 절대 안 된다. 반드시 입과 귀를 같이 써야 한다. 언어는 말이고, 말은 입과 귀로 익혀야 한다. 과학적으로도 자기가 내는 소리를 자기 귀가 들으면 훨씬 빨리 외워지고 잘 잊혀지지 않는다고 한다.

또 다른 비법이 있다면 매일 그날 배운 단어와 표현을 집까지 가기도 전에 여러 번 써먹는다는 거다. 예를 들어, '점점 ~하다'라는 표현은 '위에라이위에(越來越)'에 동사를 붙이는 것인데, 이 말을 배운 날은 일단 다음 시간 선생한테 '당신은 점점 예뻐진다'고 칭찬해주고, 친구들에게 '날씨가 점점 더워진다', '중국 생활이 점점 익숙해진다'고 말하고, 과일 가게에서는 '계절 과일이 점점 많아진다'고 말을 거는 등 될 수 있으면 이 말을 이용해 대화를 나눈다. 이러다 보면 이렇게 유용한 말을 이제껏 모르고 어떻게 살았나 하는 생각까지 든다.

이런 식으로 한 계절 동안 《301句》40과를 다 배웠다. 참 신기하다. 몇 달 배운 것으로 유치원 수준이나마 어느 정도 의사 소통을 할 수 있다는 것이. 이제는 길에서 중국인들끼리 주고받는 말도 점점 귀에 들어온다. '메이관시(괜찮아요)', '메이여우(없어요, 아니오)', '차부두어(별다르지 않지요)', '뿌싱(안 돼요)'은 물론 '쩐빵(정말 잘하네요)'이나 '쩐뺀(정말 바보 같아)', '왕바단(바보 같은 놈)', '깐마(뭐라고?)' 등 책에서는 배울 수 없는 현지어까지 들리기 시작하니 입에서 즉각 튀어나오는 건 시간 문제다.

《301句》를 배우면서 중국에서 쓰는 한자와 우리 한자가 쓰임이 전혀 다른 것이 많다는 걸 알게 되었다. 예를 들면 '作業'은 '숙제', '淸楚'는 여인의 자태와는 아무 상관 없는 '명백하다'란 말이고, '放心'은 '안심하라'는 뜻이다. '意思'라는 단어도 우리가 쓰는 뜻과는 거리가 멀다. 우리 식대로 하자면 '의사가 있다'라는 뜻이 될 '有意思'는 '재미있다', 반대로 '沒有意思'는 '재미없다'이다. 그러면 '不好意思'는 뭘까? 좋은 의견이 아니다? 뜻밖에도 '부끄럽다, 민망하다'라는 뜻이다. 아무튼 초급 과정에서는 어느 언어나 그런 것처럼 실력이 한꺼번에 두세 계단씩 쑥쑥 올라가는 기분이다. 이렇게 쭉쭉빵빵 나가주면 얼마나 좋을까? 하지만 쉽지는 않을 거다. 바로 오늘 있었던 기죽는 사건 하나.

"우위에 뽈루 커이 성삥(오월에 파인애플을 먹으면 성병에 걸려요)."

단골 과일 가게로 파인애플을 사러 갔더니 주인 아줌마가 고개를 저으며 하는 말이다. 파인애플을 먹는데 왜 성병에 걸리나? 남방에 에이즈 걸린 사람들이 많다는데 저 과일을 재배하는 사람들이 모두 성병 환자라는 말인가? 집에 다 올 때까지 생각하고 또 생각하다가 궁금증을 이기지 못해 다시 과일 가게로 갔다.

"쩐머 성삥너?(어떻게 성병에 걸리는 거죠?)"

내 질문에 아줌마가 깜짝 놀란다. 알고 보니 이 말은 '性病'과는 아무 상관 없고 '(계절이 지나 너무 농익은) 파인애플을 먹으면 병이 난다(生病)'라는 말이었다.

난 아직도, 아직도 멀었다.

윈난성 여행, 나의 통역사 데뷔 무대

"칭쭈이(승객 여러분께 알려드립니다). 남방항공 11시 50분 출발 쿤밍행 비행기는 한 시간 늦게 출발할 예정입니다."

칭쭈이(請注意)라! 중국어가 간편하긴 정말 간편하구나, 딱 세 글자로 할 말을 다 하다니. 우리말로는 '승객 여러분께 알려드립니다' 12자, 영어로는 'May I have your attention please?'가 되니 도대체 몇 자인가? 이게 바로 한자의 경쟁력이다. 국제 회의에 가면 다른 나라 기자들은 열심히 노트북 자판을 두드리는데 중국 사람들은 그저 놀면서 어쩌다 한 번씩 친다는 것이 헛말은 아닌 것 같다.

중국에서 처음 타보는 비행기다. 지난번 중국 여행을 할 때는 육로로만 다녔기 때문이다. 그나저나 내가 왜 공부를 하다 말고 쿤밍에 가는가. 그렇게 재미있다는 수업을 일주일 이상 빼먹고 말이다. 윈난성으로 소설가 박완서 선생님과 이경자 언니, 김영현 씨, 그리고 문학평론가 이성욱 씨가 오기로 했기 때문이다. 중국으로 떠나기 전에 박 선생님께 중국에 오시면 오지 여행을 시켜드리겠다고 했더니 정말 오신 것이다. 큰언니네 가족, 남동생네 가족에 이어 세 번째 '단체 손님'이다. 베이징에서 한국까지 비행 시간이 1시간 20분인데, 윈난성 쿤밍까지가 3시간이니 서울에서 오는 사람들보다 내가 더 오래 비행기를 타게 생겼다. 중국 땅이 넓긴 넓구나.

내게도 비싸게 느껴져 기차를 타고 갈까 했던 비행기라 외국 사람이 많을 거라고 생각했는데, 막상 타보니 외국인은 나밖에 없는 것 같고. 가족 단위 중국인 승객이 많아 보였다. 옷이며 지니고 다니는 물건들이 한눈에 보기에도 부티가 줄줄 흐른다. 비행기 값이 한 사람 앞에 2,000위안이라고 쳐도(대졸 노동자 한 달 월급이다), 한 가족이면 6,000위안, 왕복이면 12,000위안인데 이런 어마어마한 비용을 들여서 여행할 수 있는 사람들은 도대체 어떤 사람일까. 하기야 중국에는 해외 여행이 가능한 부유층만도 3천만 명이 넘는다니까. 3백만 명이 아니라 3천만 명이란다.

마침 내 옆자리에 다섯 살 남짓 된 남자 아이와 엄마가 앉았다. 통로를 사이에 두고 남편이 떨어져 앉았길래 한 가족이 같이 갈 수 있게 자리를 바꿔주어야겠다 생각하던 참인데, 그 꼬마가 앉자마자 창문 쪽에 앉겠다고 떼를 쓴다. 발로 의자를 차고 엄마가 건네주는 음료수를 다 쏟아버리면서. 아이가 아무리 소란을 부리며 떠들어도 엄마는 애를 그대로 내버려두더니 안 되겠는지 나를 향해 말한다.

"우리 아이가 창문 쪽에 앉고 싶다는데 자리를 바꿔주실래요?"

보통 때 같으면 당연히 바꿔주겠지만 그렇게 버릇없는 아이가 꼴 보기 싫어졌다.

"미안해요. 나는 바깥을 보지 않으면 멀미를 하거든요."

유창하지 않은 중국어에 제스처를 섞어 말하니, 그 엄마는 내가 외국인인 것을 알아차리고 아이를 달랜다.

"얘야, 저 사람은 외국인이란다."

하지만 아이는 여전히 상관없다는 듯 떼를 쓴다.

"뚜이 워 메이 관시더 쓰(그게 나하고 무슨 상관이야). 빨리 자리나 내놔(사실 이 말은 제대로 알아듣지 못해 때려맞춘 것임)."

고놈의 떼쟁이한테 기어이 자리를 뺏기고 말았다. 도대체 시끄러워서 견딜 수가 없었던 것이다. 자리를 차지한 녀석은 이제는 의자 사이가 좁다며 몸을 마구 비틀면서 칭얼댄다. 웬만하면 조카들 생각하며 어르면서 잘 데리고 놀겠지만 이 녀석은 한 대 콱 쥐어박았으면 시원하겠다.

현재 중국을 이끄는 '샤오황띠(小皇帝)'의 단면이다. 1979년 이래 정책적으로 한 가정에서 아이를 한 명만 낳을 수 있으니 엄마, 아빠가 아이에게 이렇게 쩔쩔매고, 민폐를 감수하면서까지 키우는 거다. 신하가 엄마, 아빠뿐이면 어디 황제겠는가. 엄마의 부모와 아빠의 부모까지 도합 여섯 명이 한 아이를 받들어 모시고 있다. 그러나 두고 보라. 세월은 흐르는 법. 20년만 지나면 처지는 역전되어 저 한 명이 여섯 명의 노인을 모셔야 할 때가 올 것이다. 이미 중국은 인구의 4분의 1이 60세 이상인 노령 국가에 접어들었다니, 그 기세와 영광을 누릴 수 있을 때 실컷 누릴지어다.

처음 중국 비행기를 타니 신기한 게 많다. 우선 눈에 띄는 건 여승무원들이 빼어난 미인이라는 거다. 중국에서는 하늘에서 일한다고 '空中小姐'라는 멋있는 이름으로 불린다. 모델, 영화배우와 함께 얼굴과 몸매에 자신 있는 사람들이 아주 선호하는 직종이란다. 문제는 그 아가씨들의 승무 태도이다. 예쁘고 인기 있는 직종인 나머지 자기들의 본분(?)을 잊고 아주 거만한 얼굴로 승객을 대한다. 웃는 얼굴이긴 하지만 연출된 친절. 웃지 않는 얼굴보다 보기가 더 민망스럽다.

기념품도 준다. 조그만 가죽 가방에 담긴 열쇠고리와 제대로 만든 모형 비행기인데 그대로 가지고 있다가 한국에 돌아갈 때 누구에게 선물해도 손색이 없겠다.

열흘 간의 여행은 물론 좋았다. 선생님들도 반갑고 2년 만에 다시 찾은 윈난성의 다리(大理)며 리장도 반가웠지만, 예전에 만나 친구가 된 다리 게스트 하우스 주인 아롱과 웨이야 부부와 아흔 살 넘은 회족 할머니, 그리고 리장의 씩씩한 한국 여성 김명애를 다시 보니 참 좋다.

"니 종위 회이라이러(드디어 돌아왔군요)."

자기들끼리는 얼굴도 모르는 사람들이 서로 짜기나 한 것처럼 똑같은 말을 한다. '돌아왔군요'라는 말을 들으니 정말 고향에 온 것같이 푸근한 느낌마저 든다.

박 선생님에게 중국에 오면 오지 여행의 맛을 보여드리겠다고 한 약속을 지키고 싶었다. 다른 분들께도 이곳을 잘 보여드리고 싶었다. 그러면 왕성한 활동을 하는 이분들의 작품 어딘가에 이곳 이야기가 녹아들 것이고, 글을 풍요롭게 하는 데 조금이나마 도움이 될 거라는 생각이 들었다. 다리에서는 얼하이 호수에서 배를 타고 가다가 뱃사공을 살살 꼬셔서 건너편 섬에 있는 그 총각 집에 가서 동네 구경을 했다. 파란 호수가 아름답게 보이는 어촌이었다. 뱃사공 총각의 삼촌과 아비지가 집에 있다가 어리둥절해하며 다섯 명의 손님을 맞는다. 남자 세 명이 분주하게 왔다갔다하더니 순식간에 한 상 빽적지근하게 차려 내온다. 방금 호수에서 잡았다는 고기도 튀겨왔는데, 기름에 튀긴 것이 아니라 꿀에 절여놓았던 것처럼 달았다. 박완서 선생님이 후하게 점심값을 쳐주니까 집에서 빚은 술까지 병째 주려고 한다.

리장에서는 또 어느 '오지'를 갈까 하다가 명애가 소개해준 택시 운전사 시골집을 가보기로 했다. 리장에서 1시간 거리인데도 깡촌 냄새가 물씬 난다. 시골 동네를 지그재그로 가로지르는 물이 어찌나 맑고 깨끗한지. 그 옆에 늘어진 수양버들은 어찌 그렇게 물과 잘 어우러지는지. 동네 기와집들은 또 어찌 그렇게 의젓한지. 빈촌이라지만 전혀 궁색하게 느껴지지 않는 것은 저 풍요로운 물 때문일 것이다. 미리 연락받은 운전사 부모님이 닭까지 잡아놓고 기다리고 계셨다. 이 집 식구는 모계 사회의 전통을 이어가는 '나시족(納西族)'이라 물어볼 말이 특히 많았다.

질문) 집안의 큰일은, 예를 들면 집을 팔고 사는 결정은 누가
　　　하나?
답) 당연히 어머니가 한다.

질문) 그러면 집안의 호주는 누구로 되어 있나?
답) 한족의 행정을 따라야 하므로 서류상으로는 아버지다.

이런 고난도 인터뷰 통역을 누가 했겠는가. 바로 나다. 나도 모르게 말이 술술 나온다. 남쪽에 가니 외국인이 깨끗한 표준말로 또박

또박 말하는 게 신기해 보였는지 매일 중국말 잘한다는 칭찬을 듣고 있다. 잘한다, 잘한다 하니 더 잘하게 된다. 우리 일행도 깜짝 놀란다. 몇 달 만에 어떻게 그렇게 중국어를 잘하냐고. 잘하긴 뭘. 이분들이 중국어를 거의 못하니까 잘해 보이는 거지. 그나저나 여행은 정말 좋은 중국어 연습 기회이고 실습장이다. 일주일치 수업 빼먹은 것을 이곳에서 충분히 보충하고 갈 것 같다. 이렇게 여행에는 언제나 특별 보너스가 있다.

"계란 값, 기름 값 물어내야지."

"무슨 말이에요. 잘못은 아저씨가 했잖아요."

"누가 잘못을 해? 자전거를 똑바로 탔어야지. 물어내."

완전히 협박조다. 더 기가 막힌 것은 구경하던 사람들의 반응이다.

"외국인은 돈 많잖아. 물어줘야 돼."

"맞아, 맞아. 당연히 물어줘야지."

집단적으로 자기네 편을 든다. 갑자기 분위기가 험악해졌다.

어느 책에선가 이런 경우 누구 한 사람이 선동적으로

"따타(때려라)." 하면 몰매를 맞을 수도 있다는 얘기를 본 것이 생각났다.

중국에서 누리는 최고의 호사, 과일 호사.

영계들과 공부하려니 즐겁고도 괴로워.

아, 그리운 대한민국 자장면.

베이징의 여름 밤은 이래저래 뜨겁다

"르어 쓸러(더워 죽겠어)."

"르어더 야오밍(더워서 숨이 끊어질 것 같아)."

베이징에는 봄, 가을이 없다는 말이 헛말이 아니었다. 우리나라 같으면 한창 봄이어야 할 5월 어느 날부터 30도를 훌쩍 넘기더니 사람들이 막 벗기 시작한다. 가장 먼저 눈에 띄는 사람은 동네 남자들. 야채 가게 총각도, 리어카를 끌고 가는 아저씨도, 골목 안에서 마작을 두는 할아버지도, 심지어 서너 살 꼬마 녀석까지 몽땅 상반신 누드 패션이다. 임산부처럼 배가 불룩한 남자들이 윗도리를 벗고 엉치뼈에 간신히 바지를 걸치고 다니는 걸 보면 눈을 어디에 두어야 할지 모르겠다. 내가 평생 봐온 윗통 벗고 다니는 사람 수보다 올 여름 베이징에서 본 사람 수가 훨씬 많은 것 같다.

여자들도 벗는다. 민소매, 반바지는 말할 것도 없고 훤히 비치는 원피스도 아주 흔하다. 자전거를 타고 가는 여자들의 치마 길이가 아슬아슬하기 짝이 없다. 멋쟁이들은 팔이 탈까 봐 양팔 사이로 얇은 망사가 독수리 날개처럼 늘어지는 망토를 입고 다닌다. 저녁이 되면 잠옷을 입은 여자들이 제 세상을 만난다. 아예 한 가족이 잠옷으로 단체 복장을 하고 다리 밑을 제집 안방 삼아 자는 것도 보았다.

7, 8월이 되면 한낮에는 사람들이 움직이지도 않는다. 40도가 넘으면 직장이나 학교에 가지 않아도 된다는 규정이 있어서 일기예보의 공식적인 발표는 늘 39.5도라고 했지만 분명히 40도 넘는 날이 허다했을 것이다. 톈안먼(天安門) 광장의 지열(地熱)이 60도가 넘었다느니, 택시 운전사가 운전 중에 더위를 먹어 기절했다느니 하는 거짓말 같은 뉴스를 저녁마다 들을 수 있다. 베이징의 택시는 운전석이 아크릴로 된 안전벽으로 둘러쳐져 더 덥긴 하겠다.

중국에서도 수박은 여름의 주인공이다. 게다가 싸기까지 하다. 한창 때는 들고 갈 수 없을 정도로 무거운 대형 수박 한 통이 우리 돈 1,500원이면 살 수 있어서 돈 내기가 미안할 정도다. 달고 사각사각 씹히는 맛도 좋아 여름 내내 단 하루도 거르지 않고 물 대신, 끼니 대신, 군것질 대신 먹는다. 다행히 반 통씩도 팔고 있다. 수박에 미처 몰랐던 다이어트 효과까지 있는지 몇 주일 사이에 살이 빠져 바지가 헐렁하다.

그리고 그 매미소리. 숙소 앞 공원 나무 위에서 연일 합창 경연 대회를 연다. 저녁이면 창 밖에서 죽자 하고 울어대는 소리가 시끄러워 잠을 설칠 지경이지만 한편으로 그 소리에 얼마나 속이 시원했는지 모른다. 얼마 만에 들어보는 자연의 자장가인가. 사실은 자장가가 아니라, 7년 동안 번데기로 있던 매미의 단 7일 간 세상살이에 대한 환희의 노랫소리다. 아니, 더 들어가서 보면 그 7일 안에 짝을 찾아 후세를 남기기 위한 처절한 몸부림이다. 그런 걸 사람들은 한가하게 자장가라고 부른다. 아전인수(我田引水)!

이런 더위 속에도 매일 밤 동네 공터마다 거리 무도회가 열린다. 물론 여기 둥왕장 아파트 공터도 예외가 아니다. 어스름한 저녁 무렵, 누군가 카세트 테이프 음악을 흘려 보내면 아저씨, 아줌마, 할머니, 할아버지들이 기다렸다는 듯이 모여들어 쌍쌍이 잡고 돌아간다. 슬로우 슬로우 퀵퀵! 잘 돌아간다. 저렇게 잡고 돌면 더 덥지 않을까?

거리 무도회보다 더 뜨거운 곳이 시원해야 할 숙소 앞 숲길 공원이다. 해가 진 후, 공원을 가로질러 가야 할 때면 시선 처리에 신중을 기하지 않으면 안 된다. 나무에 붙어 있는 한 쌍의 인간 매미. 그들의 애정 표현은 너무나 대담하고 당당해서 보는 사람을 기죽게 한다. 키스는 기본이고 노골적인 애무 광경도 쉽게 볼 수 있다. 한번은 어디서 고양이 우는 소리가 나서 주위를 살펴보았더니 어둠 속에서 거의 성인 비디오를 방불케 하는 장면이 연출되고 있었다. 여름이 되어서야 각 대학에 콘돔 자판기가 왜 인기가 있는지 비로소 알게 되었다.

젊은 연인들에게 여름철 연애하기에 인기 만점인 곳이 또 있다. 냉방이 잘 된 영화관이다. 아예 연인들을 위해 마음껏 실력을 발휘할 수 있도록 이인용 러브 시트를 마련해놓았다. 재수없이 이런 러브 시트 주위에 앉으면 건전한 가족 영화를 보더라도 영화관을 나올 때는 미성년자가 성인 영화를 본 것처럼 멋쩍어 두리번거리게 된다. 그 생생한 음향 효과하며 보일 듯 보이지 않는 화면 처리까지. 이래저래 베이징의 여름은 덥기만 하다.

한자 문화권에서 산다는 것

　나 역시 한글과 한자를 섞어 쓰지 말자는 주의였다. 우리 글만으로도 뜻이 통하는데 굳이 배우기 어려운 한자를 쓸 필요가 뭐가 있냐고. 그런데 십수 년간 다른 나라에 살면서, 특히 본격적으로 중국어 공부를 하면서 생각이 바뀌었다. '한국 사람은 모름지기 한자를 잘 배우고 써야 한다.' 그것이 바로 개인과 국가 경쟁력이며 실속을 차리는 것이라고 굳게 믿게 되었다.

　며칠 전, 같은 반 한국 학생들과 재미 삼아 한글 문장 안의 한자 단어를 골라보았다. 써놓고 보니 반 이상이 한자다. 이왕(已往), 인색(吝嗇), 모자(帽子)는 물론 심지어는 심지어(甚至於)까지 한자라는 것을 알고 몹시 놀라는 학생들도 있었다. 마침 노트북 컴퓨터를 가지고 온 아이가 있어서 시험 삼아 한글이라고 생각하는 것을 한문으로 호환해보았다. '눈이 침침(沈沈)하다', '주전자(酒煎子)에 담다', '역시(亦是) 아니었다' 등등. 어느 문장은 인칭대명사와 어조사만 빼고는 몽땅 한자어다. 새삼 우리 어휘의 70퍼센트가 한자에서 왔다는 말이 맞구나 실감했다. 매일 쓰는 우리말에 그렇게 많은 한자어가 있다면 당연히 한자의 뜻과 쓰임을 잘 익혀야 옳다는 생각이 새삼 들었다.

중국어를 배우는 서양 아이들은 한국 학생과 일본 학생을 아주 부러워한다. 우리들이 한자를 공부하고 있으면 한자 문화권에서 자란 사람들도 별도로 외울 것이 있냐며 의아해한다. 이런 소리를 들을 때마다 안타까운 마음을 감출 수 없다. 우리는 유럽 사람들이 프랑스어, 이탈리아어, 스페인어 등 몇 나라 말을 자유자재로 하는 것을 몹시 부러워한다. 이들은 영어도 참 빨리 배운다. 모두 라틴어라는 한 뿌리에서 나왔기 때문이다. 우리에게는 바로 한자 문화권이 이 같은 역할을 한다.

다시 말할 필요도 없이 한자는 중국, 일본, 한국은 물론 싱가포르 등의 동남아시아라는 거대한 지역에서 쓰이는 문자다. 이 지역 인구는 세계 인구의 3분의 1이 넘는다. 현대를 살아가는 우리가 영어를 배워야 세계와 교류할 수 있는 것처럼 한자 문화권에 속한 우리는 영어와 더불어 한자를 알아야 이웃한 나라들과 보다 매끄럽고 단단한 관계를 유지할 수 있는 것이다.

다른 것은 다 그만두고 우선 경제적인 측면에서만 보아도 이미 우리나라는 수출과 수입의 50퍼센트 이상이 한자 문화권에서 이루어지고 있다고 한다. 또한 우리나라에 오는 관광객은 70퍼센트 이상이 한자 문화권이란다. 이들과 소통하고, 이들에게 설명하고, 설득하고, 항의하고, 합의해야 살아남는다. 이웃이자 경쟁자인 이들과 힘을 합할 때는 합하고 충돌이 불가피할 때는 최대한 줄이면서 함께 나가야 하는 것이다.

한자를 아는 것이 얼마나 큰 힘이 되는지 나는 해외에 나와서야 비로소 알았다. 그 전에는 한자의 중요성과 필요성에 대해 제대로 말해주는 사람이 없었다. 왜 그랬을까, 이렇게 유용한 것을. 학원에서 보면 요즘 한국 학생들은 한문을 거의 그리는 수준이다. 중국에 오기 전에는 대한민국도, 부모 이름도 제대로 못 썼다면서 자신들만 그런 게 아니라고 한다. 학교에서 한자를 전혀 안 배웠냐니까 한문 시간은 자는 시간이었다면서 그때 좀 열심히 할걸 그랬단다.

중국에 온 북한 유학생도 한자 때문에 힘들어한다. 북한은 한동안 철저한 한글 전용이었다가 지금은 초·중·고등학교에서 300자 내외의 한자를 배운다고 한다. 하지만 신문이나 책 등 일상생활에서는 한자를 전혀 쓰지 않고, 한자를 배워도 눈으로만 읽지 거의 써볼 일이 없단다. 한번은 어언문화대학에 다니는 북한 아저씨가, "안중근 의사는 무슨 과 의사입네까?"라고 물어서, 한바탕 웃었다. 내가 '醫師'가 아니라 '義士'라고 써 보여주니 그제야 머리를 끄덕인다.

조금 있다가 3·1 독립 운동에 대한 얘기가 나왔는데 북한에서는 3·1 운동을 '3·1 인민 봉기'라고 한단다. '봉기'가 한자로 뭔지 아느냐고 했더니 운동이랑 같은 말이 아니냔다. 내가 봉기는 벌 봉(蜂), 일어날 기(起), 즉 벌떼처럼 일어난다는 뜻이라고 풀어주었더니 무릎을 치며 하는 말.

"조선 사람들은 한자를 반드시 알아야 하겠습네다."

나는 다행히 한자를 열심히 배우고 가르치던 때에 고등학교에 다녔다. 1, 2학년 때는 물론 3학년 초까지 한문 시간이 있었다. 게다가 한문 선생님이 친구 아버지이기도 하고 호랑이 선생님이었기 때문에 매 시간마다 보는 쪽지 시험 준비를 꼭 해야 했다. 다른 학교는 한문 시간에 영어나 수학을 보충하거나 하다못해 자습 시간으로 활용한다던데, 대입 시험에 몇 문제 나오지도 않는 어려운 한문에 시간을 들이는 게 부당하다고 생각했다. 그때 얼마나 불평을 했던지. 시대에 뒤떨어진 학교라느니, 실속이 없다느니 하면서 말이다.

그렇게 하기 싫은 공부를 제대로 했을 리 만무하지. 시험은 봐야 하니 커닝하려고 책상 위에 써놓았다가 들켜서 혼나고, 선생님이 뒤로 가시는 것 같아 짝꿍 답 베껴쓰다가 들켜서 혼나고, 선생님이 시작 종 치기 전에 미리 들어오신 것도 모르고 커닝 페이퍼 만들다가 현장에서 걸려서 혼나고……. 그뿐인가. 수업 중에 다같이 한문책을 읽을 때, 다른 아이들은 틀리게 읽어도 표가 나지 않는데 유난히 목소리 큰 내가 틀리면 그 즉시 걸려서 야단을 맞았다. 하여간 한문 시간이 들은 날은 무슨 야단이든, 야단을 맞아야 넘어갔다. 기어이 한문 공부를 시키려는 선생님과 어떻게든 하지 않으려고 꾀를 부리는 학생들의 팽팽한 대결로 점철된 한문 시간이었지만, 그때 그렇게 울며 겨자먹기로 배운 한자를 25년이 지난 오늘까지 너무나 유용하게 잘 쓰고 있다.

예전에 일본어를 공부할 때, 그리고 지금 하는 중국어 공부에 결정적인 도움을 주고 있다. 일단 문교부 지정 상용 한자 1,800자를 아는 것만으로도 이 두 가지 언어의 공부 시간을 반으로 줄일 수 있다. 물론 같은 한자라도 나라마다 발음과 쓰임이 다른 것이 있지만 뛰어봐야 부처님 손바닥 안이다. 중국에서는 간체자를 쓰니까 우리가 배우는 한자와는 완전히 다를 거라고 생각하지만, 간단하게 만드는 데도 원칙이 있기 때문에 번체자를 아는 우리에게는 누워서 떡 먹기다. 한 번 보면 죽어도 안 잊기 때문이다. 예를 들어 간체자는 한비야의 飛는 飞로, 광장의 廣은 厂으로 쓴다. 여기 중국 사람들도 번체자로 자막을 입힌 홍콩이나 타이완 영화, 텔레비전 드라마를 보는 데 아무 문제가 없다.

세계 여행 중에도 나는 한자 덕을 톡톡히 보았다. 일단 한자를 쓰는 나라와 사람은 친근하게 느껴지는데다 특히 중국 오지 여행은 한자를 몰랐다면 재미가 반의 반으로 줄었을 거다. 라오스 북부 정글에서 길을 잃고 헤맬 때 한자는 내 목숨까지 구해주었다. 라오스 쪽으로 몰래 넘어와 살고 있던 중국 아저씨를 만나 필담을 한 것이다. 인도네시아와 태국에서 그 나라 경제를 좌지우지한다는 화교들과의 만남도 사석에서 나눈 한자 필담으로 시작되었다.

베트남에서도 땡 잡은 일이 있다. 베트남 최후의 왕국의 수도 후에에 아주 유서 깊은 절이 있었다. 그 절에 갔다가 우연히 품위 넘치는 한 노승과 한문으로 필담을 나누게 되었다. 이 절에 얽힌 이야기, 베트남 불교 이야기, 내 여행 이야기 등등, 그날 하루 종일 점심, 저녁까지 잘 얻어 먹고 절 구석구석을 구경하면서 아주 재미있는 하루를 보냈다. 나중에 알고 보니 그분은 그 절의 큰스님이었다. 그날도 시작은 이랬다.

"可能 書 漢字?"

이렇게 하는 데 대단한 실력이 필요한 건 아니다. 1,800자만 제대로 읽고 쓴다면 한자 문화권과 기본적인 교류를 할 수 있다. 한자를 배우자 말자, 괄호 안에 넣자 밖에 넣자 이렇게 설왕설래하는 시간에 그냥 1,800자를 공부하면 안 되나? 초등학교는 그만두고라도 중·고등학교 6년간 1년에 300자, 하루에 한 자씩만 공부하면 되는 건데.

중국인의 혈관에는 돈이 흐른다

"중귀런 시환 빠즈(중국인은 8자를 좋아하지)."

어느 날 아침 공원에서 티아오티아오 주인 쟝 할머니를 만났는데 그날 저녁에 별식을 만들어주시겠다며 집으로 초대하셨다. 오후 늦게 한국 과자를 잔뜩 사가지고 쟝 할머니 집에 갔다. 만두피와 속을 만들어 빚고 쪄먹는 내내 우리는 숫자 얘기를 하느라 정신이 없었다. 티아오티아오는 내 옆에 딱 달라붙어 앉아 있었다.

할머니는 자기 아파트 호수가 518호라고 대만족이다. 518을 풀면 5는 '나'라는 '워(我)', 1은 '곧 ~이 될 것이다'라는 '야오(要)', 그리고 8은 '파차이(發財 : 재물이 생기다)'와 발음이 같은데, 이를 합하면 '나는 곧 부자가 될 것이다'라는 말이라서 그런다며 싱글벙글이다.

"이런 번호를 얻으려면 웃돈을 주어야 하나요?"

내가 물으니 지금 같으면 분명히 그러겠지만 예전에 자기는 국가에서 분배할 때 운 좋게 그렇게 받았단다. 내가 한국 사람들은 9를 좋아한다니까 중국에서도 9는 '久(오래 간다)'하고 발음이 같아서 좋아한단다. 할머니께 무심코 나한테는 24가 행운의 숫자라니까 깜짝 놀라신다.

"뿌 하오, 쩐 뿌 하오(정말 안 좋아)."

24라는 숫자는 어떻게, 또 언제부터인지 몰라도 나와 인연이 아주 많은 숫자다. 고등학교 때는 3년 내내 24번이었다. 그때는 이름보다 번호로 학생들을 불렀으니, 3년간 내 이름이나 마찬가지였다. 그 후 대학교 때 살았던 집 주소도 24번지, 도서관 사물함 번호도 24번, 학교 갈 때 갈아타야 하는 버스도 24번 등 하루 종일 24라는 숫자와 함께 살았으므로 이것이 내 행운의 번호라는 것을 의심하지 않았다. 지금도 매달 24일이 되면 생각지도 않은 돈이 생기거나 친구도 만나고 꼬인 일도 잘 풀린다.

그런데 이 사랑스러운 숫자를 왜 할머니는 안 된다고 하는가? 풀이인즉 24는 '얼(兒)', '쓰(死)'로 '아이가 죽는다' 혹은 '이(易)', '쓰(死)'로 '너는 바로 죽는다'라는 뜻이란다. 섬뜩하지 않은가. 이런 건 모르는 게 약이다. 이 말 저 말 하다가 이번에는 할아버지가 내 생일을 물었다. 6월 26일이라고 말씀드리니 아주 좋아하신다.

"팅하오, 페이창 하오(아주 좋아, 굉장히 좋아)."

그건 또 왜냐고 물어보니 6은 '리유(流)'로 '순조롭다'는 뜻이라서 626은 '순조롭게, 두 배로 순조롭게'라는 뜻의 길일 중의 길일이라 이날 결혼하는 사람이 아주 많다고 한다. 내 생일에 그런 깊은 뜻이 있었다니, 이번에는 아는 것이 힘이다.

값을 깎을 때 절대 말하면 안 되는 숫자는 250(너 바보다)이라는데, 1부터 10까지 중국인들이 좋아하고 싫어하는 숫자는 순전히 돈과 관련되어 있다는 얘기다. 앞서 말한 것 외에도 '싼(三)'은 '흩어진다'라는 뜻의 '싼(散)'과 같은 음으로 돈이 흩어진다는 것을 연상시켜 좋아하지 않고, '치(七)'는 '生氣(성나다)'의 '치(氣)'와 같다고 싫어한다.

아무리 돈이 좋다지만 이렇게까지 모든 것을 돈과 연결시키는 중국 사람들이 좀 징그럽게 느껴진다. 하기야 속으로는 좋아하면서 겉으로 아닌 척하는 사람보다 훨씬 솔직하고 인간적이지 않은가.

말 나온 김에 숫자에 빗댄 돈 이야기말고, 진짜 돈 이야기 한번 해볼까. 바로 중국 돈 말이다. 나는 낯선 나라에 가면 그 나라 돈부터 자세히 관찰한다. 모든 나라가 아라비아 숫자를 쓰는 것이 아니기 때문에 그 나라에서는 어떤 모양의 숫자를 쓰나 살펴보는 것이 대단히 중요하다. 그래야 100원짜리인지, 50원짜리인지를 구별할 수 있으니까 말이다. 특히 아라비아 숫자로 연상되는 중동 지역에서는 당연히 1, 2, 3, 4를 쓴다고 생각하겠지만 천만의 말씀이다. 하트 모양에, 콩나물 모양, 7자 거꾸로 된 모양 등 숫자 모양이 완전히 다르다. 인도나 미얀마에서도 자신들만의 숫자를 쓰고 있다. 서양 사람들이 중국에 와서 一, 二, 三, 四를 알아야 하는 것과 같은 이치다. 다행히 중국 돈에는 아라비아 숫자도 적혀 있다.

게다가 한 나라의 돈에는 그곳의 문화나 그 나라를 이해하는 중요한 키워드가 숨어 있다. 가장 큰 권력이 있거나 존경받는 사람, 자랑스런 명승고적, 역사적 사건 혹은 대표적인 동식물들이 그려져 있어, 돈을 자세히 보는 것만으로도 그 나라에 대한 이해가 한층 높아진다. 예를 들면, 베트남 돈에는 호치민이, 태국 돈에는 국왕의 초상화가 있고, 캄보디아 돈에는 앙코르와트 유적지, 과테말라 돈에는 마야 왕국의 피라미드가, 방글라데시 돈에는 연꽃이 그려져 있다.

중국 돈도 예외가 아니다. 인민폐라고 부르는 중국 돈의 정식 단위는 위안(元)이지만 일상생활에서는 '콰이'라고 한다. 100, 50, 20, 10, 5, 2, 1위안짜리 지폐가 있다. 낮은 단위로 쟈오(角)가 있는데 이것 역시 일상생활에서는 '마오'라고 한다. 5, 2, 1마오짜리가 있다.

이제 본격적으로 중국 돈을 살펴보자. 중국 지폐의 앞면에는 인물이, 뒷면에는 중국이 자랑하는 명승고적이 그려져 있다. 최고 고액권인 100위안 앞면은 중화인민공화국을 창시한 마오쩌둥(毛澤東), 저우언라이(周恩來), 류사오치(劉少奇), 주더(朱德)의 초상화가 있고, 뒷면에는 혁명 근거지인 징강산(井鋼山)의 풍경이 담겨 있다. 50위안 앞면에는 중국의 기둥이라는 노동자, 농민, 지식인 3명이, 뒷면에는 나이아가라 폭포를 연상케 하는 후커우(壺口) 폭포가 있다. 그런데 이 징강산이나 후커우 폭포는 중국인들에게만 인기가 있지, 외국인들에게는 사실 생소한 곳이다.

우리도 잘 아는 명승고적은 20위안부터 나오는데 앞면은 젊디젊은 마오쩌둥, 뒷면은 그 유명한 구이린(桂林) 풍광이다. 10위안 앞면에는 민속 의상을 입은 소수 민족이, 뒷면에는 히말라야의 최고봉인 주무랑마(穆朗瑪 : 에베레스트)봉이 있다. 5위안에는 장강삼협이, 2위안에는 중국 최남단 난하이(南海)섬의 기암괴석, 1위안에 드디어 만리장성이 나타난다. 이렇게 돈만 잘 살펴보아도 중국에서 꼭 가보아야 할 곳을 한눈에 알 수 있다.

그러나 중국에 여행을 갈 때, 특히 오지로 갈 때는 100위안짜리보다 잔돈을 가지고 가는 것이 좋다. 시골에서는 100, 50위안짜리 고액권이 골칫덩이다. 가짜 돈이 아주 많기 때문이다. 기차 안에서 물건 파는 사람들은 아예 새로 나온 빨간색 100위안은 받지도 않는다. 이 신권은 앞면에는 마오쩌둥, 뒷면에는 인민대회당이 있는데, 만에 하나 가짜 돈을 받는 날에는 사나흘은 헛일한 것이 되기 때문이란다. 그래서 백화점, 수퍼마켓은 물론 조그만 구멍가게, 심지어는 택시까지 위폐 감식기를 비치해두고 있다. 감식기가 없는 곳에서는 100위안짜리를 내면 우선 사람을 아래위로 한번 훑어보고(가짜 돈을 가지고 다닐 만한 사람인가 살피느라) 돈을 손가락으로 탁탁 튕겨보고는 불빛이나 햇빛에 비춰보고 나서 받는다. 나도 100위안짜리를 받을 때는 으레 이렇게 한다. 순전히 폼이지만.

얼마 전 신문을 보니 전국적으로 광범위하게 유통되는 가짜 돈을 척결하기 위해 위폐범 일곱 명을 사형에 처했다고 한다. 이들은 1995년부터 1999년까지 모두 아홉 차례에 걸쳐 인민폐 약 6억 위안(800억 원)어치의 위폐를 제조, 중국 전역에 유통시킨 것으로 밝혀졌다. 홍콩 부근의 산웨이시에서는 중국에서 유통되는 위폐의 약 80퍼센트가 제조되는 곳으로 알려졌는데 대부분의 중국인들은 중국에 나도는 가짜 돈이 그만큼만 되겠냐며 믿는 척도 하지 않는다.

나 역시 가짜 돈을 많이 받아보았다. 2년 전 윈난성을 여행할 때 암달러상에게 100달러를 주고 바꾼 100위안 여덟 장 중 무려 네 장이 가짜였다. 길거리에서 장사하는 사람들한테는 차마 그 돈을 쓸 수가 없었지만 너무나 억울한 마음에 번듯한 가게에서는 슬쩍슬쩍 냈는데, 한 번도 들키지 않았다. 혹시 위폐 감식기도 가짜가 아니었을까?

우리 속담에도 '돈 있으면 처녀 불알도 산다', '돈 있으면 귀신도 부린다'고 했듯이 중국은 돈이 신(神) 취급을 받는 곳이다. 크든 작든 가게마다 한구석에 '차이선예예(財神 할아버지)'를 모셔놓고 아침 저녁마다 정성껏 향을 사르면서 돈 많이 벌게 해달라고 비는 모습을 흔하게 볼 수 있다.

그러나 이렇게 돈을 모시는 풍습과 달리 돈을 주고받을 때 던지는 버릇이 있다. 마치 이 돈 먹고 떨어져라 하는 식이다. 중국 친구들에게 물으니 의견이 두 가지다. 옛날 장사꾼들끼리 거스름돈이 맞다는 것을 확인시키려고 돈을 펼쳐서 주는 데서 시작되었다는 것과 공산주의 시절, 물건을 사는 사람보다 물건을 파는 사람들이 더 고압적이었을 때 위세를 과시하려고 돈을 함부로 던졌다는 얘기다. 유래야 어찌되었든 처음 당하는 사람은 불쾌하기 짝이 없다. 어느 때는 돈을 낼 때 내가 먼저 내팽개치듯 주는데도 상대방이 아무렇지도 않게 받는 걸 보면 이건 그저 습관이지 악의는 전혀 없는 것 같다.

돈 얘기하면서 복권 얘기를 빼놓을 수가 없다. 요즘 베이징에는 복권 열기가 대단하다. 사회주의 국가를 표방하는 나라에서 일확천금의 꿈을 부추기는 복권이 성업 중이라니 아이러니하다. 한 장에 2위안(300원)인데, 1등에게 2천만 위안(28억 원)이라는 천문학적인 돈이 주어지니 눈이 뒤집히지 않을 수 없겠다.

내 가정 교사인 왕샹도 매주 복권을 사는데 자기가 산 복권에 8자만 들어가도 기대에 부풀어 추첨일을 손꼽아 기다린다. 심지어 400위안 정도 하는 핸드폰의 번호를 고를 때, 8자가 들어가면 한 자당 100위안씩 프리미엄이 붙어 1천 위안이 넘어가도 원하는 사람들이 넘쳐난단다.

그뿐만 아니다. 지난 번 시안(西安)에 갔을 때 기념품 가게마다 옥으로 만든 배추가 즐비해서 왜 이 채소가 이런 사랑을 받나 궁금했다. 알고 보니 배추가 시안 사투리로 '파차이', 즉 '發財'와 동음이라서 그렇단다. 사투리도 갖다 꿰어맞추는 사람들이니 중국의 신년 덕담이 돈과 관련된 것은 너무나 당연한 일이다. 솔직히 돈 들어온다는데 싫다는 사람이 어디 있을까? 중국에서는 설 인사도 이렇게 한다.

"니엔니엔뚜오위(年年多餘 : 새해 내내 풍족하게 지내세요!)"

"완쓰루이 꽁시파차이(萬事如意, 恭喜發財 : 신년 만사 순조롭고, 돈 많이 버세요!)"

이러니 중국인의 혈관에는 돈이 흐른다고 할 수밖에.

드디어 중국어로 통일 문제를 논하다

오늘 드디어 《設漢語》 하권의 마지막 과를 끝냈다. 지난번 《301句》에 이어 첫 장부터 마지막 장까지 몽땅 외운 두 번째 책이다. 책 두 권을 외웠을 뿐인데 이렇게 뿌듯하고 자신감이 생길 수 없다. 유학생으로서 할 일을 제대로 하고 있다는 느낌이 든다. 이제 외국어 학습법 제1단계 책 외우기와 더불어 제2단계를 병행하기로 했다. 바로 중국어 일기 쓰기다. 물론 초등학생처럼 그날 있었던 일을 늘어놓는 수준이지만 이렇게 써보는 것이 큰 도움이 된다.

우선은 어렴풋이 알고 있는 한자를 분명하게 익힐 수 있다. 또한 구어체와는 다른 문어체를 연습할 수 있어서 편지나 짧은 산문 등을 쓰는 데도 큰 도움이 된다. 그 나라 말로 일기 쓰기는 내가 외국어를 배울 때 꼭 해보는 과정인데, 어차피 써야 하는 일기이니 일석이조라고 할 수 있다. 매일 조금씩이라도 한자로 글을 쓰고 책을 두 권이나 통째로 외워서인지 요즘은 언제라도 건드리기만 하면 중국어가

툭 터져 나올 것 같다.

그런데, 그것이 느낌만은 아니었다. 연이어 계속 아주 으쓱해지는 경험을 했기 때문이다. 왼쪽 귀가 아파서 병원에 갔을 때였다. 운동 삼아 다니는 수영장 물이 깨끗하지 않아서일지도 모른다는 의심이 갔다. 중국인 의사에게 설명을 잘 해야겠다는 생각에 당장 급한 단어인 '이비인후과', '귓바퀴', '묵직한 느낌이다', '맞는 주사는 싫다' 등을 종이에 적어 갔다. 물론 초급 회화책의 '去醫院(병원 가기)' 단원에 나오는 기본 문형과 단어, 표현들도 자세히 훑어보고 갔다.

찾아간 곳은 어언문화대학 부속 병원인데 동네 보건소같이 작은 규모였다. 다행히 이비인후과가 있었다. 우선 2위안(300원)을 내고 진찰권을 끊어 진료실에 들어갔다. 하얀 가운과 모자를 쓴 중년 남자는 의사라기보다는 빵집 아저씨같이 친근한 느낌이었다.

"날 뿌 수프?(어디가 불편하세요?)"

"얼두어 뿌 수프(귀가 아파요)."

"총 썬머스호우 카이쓰?(언제부터요?)"

"총 첸티엔 카이쓰(그저께부터요)."

"랑 워 칸이칸(한번 볼까요)."

"하오더(그렇게 하세요)."

너무나 신기하게도 의사와 주고받은 대화 내용은 교과서에 나온 그대로였다. 이 과를 외울 때 이렇게 알뜰하게 써먹으리라고는 꿈에도 생각하지 않았다. 통증의 원인은 약간의 염증 때문이라는 걸 알아서 속이 시원했지만 정작 그날의 소득은 의사 말이 거의 다 들린다는 것과 내 초급 중국어가 실제 상황에서 제대로 통한다는 자신감이었다. 지난번 중국 오지 여행 중에 쥐에게 물려 병원에 간 적이 있었는데 그때는 이런 엉터리 필담을 해야 했다.

"鼠咬我, 我恐怖黑死病(쥐가 나를 물었어요. 나는 흑사병이 무서워요)."

4개월 만에 장족의 발전이다. 기분 째진다.

또 있다. 한번은 한국에서 오는 손님을 마중하러 공항까지 택시를 타고 갔을 때였다. 베이징의 택시 운전사들은 친절하기도 하고 얘기를 즐기기도 해서 택시 타면 보통 이런저런 가벼운 얘기를 주고받는다. 나로서는 비싼 택시비를 내는 대신 무료 과외 공부를 하는 셈이다. 그런데 이 운전사, 내가 한국 사람이라는 것을 알자마자 예외적으로 정치적인 발언을 하는 것이 아닌가.

"난한 허 베이챠오시엔 부커능 통이(남한과 북조선은 통일을 할 수 없어요)."

전 같으면 반벙어리 신세를 탓하며 마음만 부글부글 끓이고 있을 텐데 그날은 좀 달랐다.

"웨이 썬머 부커능?(왜 못한다는 거죠?) 우리가 할 수 없으면 중국과 타이완도 통일을 못하는 거네요."

이 말을 들은 운전사는 갑자기 목청을 높인다.

"타이완 번라이 스 워먼더(타이완은 본래부터 중국 거예요)."

나라고 질쏘냐.

"난한 허 베이한 번라이 예 스 이거 궈자(남한과 북한도 원래는 한 나라지요)."

공항까지 가는 40분 동안 열띤 토론을 벌이면서 나도 모르게 그동안 배우고 외운 문장들을 너무나 자연스럽게 사용하고 있었다. 물론 표현은 초등학생 수준이었지만, 하여간 통일 문제라는 중대한 사안에 대해서도 입을 뗄 엄두가 났다는 것 자체가 흡족한 일이다.

자전거를 도둑맞지 않는 다섯 가지 방법

　정말 못 살겠다. 새로 산 중고 자전거가 또 없어졌다. 벌써 세 번째다. 이번에는 정식으로 자전거 두는 곳에 열쇠까지 잘 채워서 놓았는데. 아휴, 속상해. 왜 자꾸 내 것만 훔쳐 가는 거야. 이번 자전거는 귀국하는 학생한테 50위안(7천5백 원)에 사서 딱 한 번 북경대에 다녀온 것 외에는 제대로 타보지도 않은 건데. 누가 집어갈까 봐 일부러 앞에 달린 바구니까지 찌그러뜨려 놓았는데. 길거리에 지나다니는 노란 자전거마다 혹시 내 자전거가 아닌가 자꾸 쳐다보게 된다. 누구든지 내 자전거 타고 가다가 걸리기만 해봐라.

　그나저나 자전거가 없으니 앞으로 얼마나 불편할까. 여기서는 자전거가 발과 다름없다. 가까운 데는 걸어다닌다 쳐도 시장이나 우체국 갈 때는 어떡하라고. 번번이 누구한테 빌려달랄 수도 없고. 다시 한 대 사려니 아이고 분해라, 내 발 돌리도!

　내가 하도 씩씩거리니까 왕샹이 진지하게 말한다.

"워먼 커이 취 후상방주(우리 가서 서로 도우면 되겠네요)."

"부 커이(어떻게 그렇게 해?)."

내가 놀라서 물으니, "땅란 커이(당연히 괜찮아요)."라며 자기가 쇠 톱을 구해오겠단다.

후상방주(互相帮助). 글자 그대로는 '서로 돕는다'는 말인데, 특히 외국 학생과 중국 학생이 각자의 모국어를 번갈아 가르칠 때 많이 쓴다. 하지만 여기서 왕샹의 말은 내 자전거를 누가 가지고 갔으니, 다른 사람의 자전거를 몰래 가져오자는 말이다. 말의 논리대로 따지자면 이건 훔치는 게 아니라 서로서로 자전거를 질리지 않게 돌아가며 쓰는 것이란다.

"하오더(좋아)."

현지인이 그렇다면 그런 것이다. 로마에 가면 로마법을 따르라고 하지 않던가.

"썬머 스호우?(언제?)"

"쩐티엔 완상, 하오마?(오늘 밤 어때요?)"

그래. 쇳불도 단김에 빼는 게 좋지.

그날 한밤중, 약간은 떨리는 마음으로, 반은 장난기로 '자전거 사냥'을 나갔다. 마음에 드는 자전거가 있으면 나무에 묶여 있어도 뿌리째라도 뽑아오겠다며 의기충천했다. 어느 정도 동네에서 멀어진 후에는 보이는 자전거마다 품평을 했다. '저건 안장이 너무 높아', '저건 색깔이 마음에 안 들어', '저건 너무 헌 거야.' 하나하나 트집을 잡았지만 내심 마음에 드는 것이 없었으면 좋겠다고 생각했다. 만에 하나 '후상방주'하다가 자전거 주인이나 경찰에게 걸리면 무슨 망신인가. 갑자기 〈자전거 도둑〉이라는 이탈리아 영화가 생각난다.

그 영화 주인공처럼 내가 장난으로 가져가는 자전거가 어떤 사람에게는 생계 유지에 결정적인 물건이면 어떡하지. 그렇지만 이제 와서 그만 돌아가자는 말을 하기도 쑥스러웠다. 간이 콩알만한 왕상도 같은 마음이었을 것이다.

그런데 그날 우리는 마음 가볍게 한 놈 낚았다. 어언문화대학 근처 암달러 가게 앞에 자물쇠를 잠궈놓지 않은 파란 자전거가 눈에 띄었다. 다른 나라에서는 어떤지 모르겠으나 중국에서는 이런 자전거는 땅에 떨어진 지폐와 같이 가져가도 그리 큰 죄가 되지 않는다. 그래도 그 자전거를 가지고 오면서 혹시 뒤에서 누가 목덜미라도 잡아 끌면 어쩌나 해서 '걸음아, 나 살려라' 날아오다시피 했다. '칭펑(青風 : 파란 바람)'이라는 이름을 지어준 그 업둥이 자전거는 오늘도 제 역할을 톡톡히 하고 있다. 훔친 사과가 더 맛있고 훔친 자전거가 더 잘 나간다?

하여간 두 계절 동안 중국에 살면서 터득한 자전거 잃어버리지 않는 법은 이렇다.

첫째, 절대로 새 것을 사지 않는다. 특히 노란색, 분홍색 등 색깔이 화려한 것은 어서 훔쳐가라는 소리와 같다. 새 것 샀다가 잃어버리면 더 속이 쓰리다. 값도 싸고 사람들의 '눈독'을 피할 수 있는 중고 자전거를 사는 것이 실속 있다.

둘째, 되도록 보기 흉한 자전거를 탄다. 안장이 닳아 너덜거리거나 바퀴 부분이 다 찌그러졌으면 더 좋다. 어찌 되었든 바퀴만 굴러가면 다른 장식물은 허름할수록 잃어버릴 확률이 적다.

셋째, 유학생 기숙사나 식당 등 유학생들이 자주 다니는 곳에서 되도록 멀리 세워놓는다. 자전거 도둑은 외국인들의 좋은 자전거를 노리기 때문에 이런 곳은 대단히 위험하다.

넷째, 세워놓을 때는 적어도 두 가지 종류의 열쇠와 자물쇠로 잠근다. 보통은 자전거 세워두는 곳에 체인식 자물쇠로 묶어두는데 바퀴가 움직이지 않도록 자전거 자체에도 자물통을 달아야 안심이다.

다섯째, 가장 확실한 방법. 아예 자전거를 사지도 말고 타지도 않는다. 없이 살긴 정말 힘들지만.

덧붙이는 말. 위에서 말한 이런 모든 노력을 기울여도 잃어버릴 운명인 자전거는 잃어버리게 되어 있다. 그럴 때는 이렇게 생각하는 게 정신 건강상 좋다.

'장마철에 어떻게 비 안 맞고 살 수 있나. 기왕 중국에 왔으니 남들 당하는 거 다 당해봐야지. 자전거 한두 번 안 잃어버리고 어떻게 중국을 제대로 경험했다고 할 수 있겠는가. 누가 가져갔는지 되게 고맙네(만나기만 해봐라).'

화끼는 힘이 세다

"웬 인도네시아 학생들이 이렇게 많지?"

학원에서 첫 수업을 하는 날 깜짝 놀랐다. 열두 명 한 반에 인도네시아 학생들이 세 명이었다. 중국에 유학 중인 외국인 학생 수 순서대로 나라를 대자면 1위는 한국, 2위는 일본이라고 쉽게 대답할 수 있다. 그런데 3위는 예상 밖으로 인도네시아(화교)다. 이 외에도 태국이나 말레이시아, 일본, 한국에서 온 화교들도 쉽게 볼 수 있다.

우리 반 인도네시아 화교들은 추위를 몹시 탄다.

"렁 쓰러(추워 죽겠어요)."

한여름 찜통 교실 안에서도 추위 죽겠단다. 더위를 견디지 못한 한국 학생이 에어컨을 조금만 세게 틀어놓으면 가방에서 얇은 점퍼를 꺼내 입는다. 1년 내내 더운 여름만 계속되는 나라에서 왔으니 그러기도 하겠다. 화장기 하나 없는 얼굴에 옷도 수수하게 입고 다니지만 이들은 자기 나라에서는 최상류층의 자녀들이라는데, 예의도 바르고 성격도 밝다.

북경사범대학에 다니는 앨리스와는 꽤 가깝게 지냈는데, 한번은 서울에서 친구가 와서 수업 빼먹고 이화원 등을 돌아다니고 와보니 방문에 메모가 한 장 붙어 있었다.

"오늘 어쩐 일이에요? 하여간 내일 13과, 14과 단어 시험 본답니다. 열심히 하세요."

앨리스였다. 다음날 메모 고마웠다고 하니까 그냥 지나가는 길에 들렀다고 한다. 지나가는 길은 무슨 지나가는 길. 학원 바로 옆 아파트에 살면서.

또 어느 날은 나를 보자 아주 반색을 하면서 노트에 사인을 해달란다. 갑자기 왜 그러냐니까 자기와 한 방 쓰는 친구가 한국인인데, 우연히 내 얘기를 했더니 깜짝 놀라면서 사인을 받아오면 김치찌개를 사주겠다고 하더란다. 사인을 해주면서 한국 음식을 좋아하냐니까 엄지손가락을 치켜 세우며 말한다.

"헌 하오 츠(정말 맛있어요)."

한국 음식을 좋아한다니까 더 예뻐 보였다.

"그럼 이번 주말에 우리 집에 와. 너 먹고 싶은 거 다 사줄게."

그 주 토요일 앨리스와 나는 근처 한국 식당에서 김밥, 라볶기, 만두, 비빔냉면 등을 잔뜩 시켜놓고 이런저런 얘기를 했다.

"앨리스, 넌 화교인데도 왜 중국말을 배우러 왔니? 집에서는 인도네시아 말로만 하나보지?"

"할머니랑 아버지는 중국말로 하고, 아버지와 우리들은 인도네시아 말로 해요. 할머니랑 우리는 말이 잘 안 통해요. 우리가 중국말을 잘 못 알아들으니까."

"그럼 지금은 통하겠네."

"그렇지도 않아요. 저는 표준어를 배우는데, 할머니는 남부 지방 사투리를 심하게 쓰시거든요. 그래도 옛날에 비하면 훨씬 나아요. 할머니가 저더러 기특하대요."

"아버지는 뭐하시니?"

"사업하세요. 아버지는 제가 사업을 이어받았으면 하시지만 저는 인도네시아에서 살기 싫어요."

"왜?"

"희망이 안 보이거든요. 싱가포르에서 일했으면 좋겠어요."

"그래도 인도네시아에서는 화교들이 대접받고 산다고 들었는데."

"대접은 무슨 대접요. 인도네시아에서는 우리들을 중국 사람으로 생각해요. 나는 인도네시아에서 태어나고 자랐는데도 말이에요. 그런데 중국에 오니, 여기 사람들은 우리들을 인도네시아 사람으로 봐요. 이쪽에도 저쪽에도 끼지 못한다는 생각이 들어서 슬퍼요."

"너는 어느 쪽이라고 생각하는데?"

"예전에는 당연히 중국 사람이라고 생각했는데 지금은 잘 모르겠어요."

앨리스의 조부모님은 중국 푸젠성 출신으로 1940년대 공산당이 득세했을 때, 가진 돈 한푼 없이 고향을 떠나 흘러 흘러 인도네시아까지 오게 되었다. 중국인 특유의 근면함과 장사 수완으로 발리섬을 중심으로 바틱 공장을 하면서 재산도 꽤 모으고 아들 딸 낳고 그 나름대로 잘 살고 있었는데, 1965년 느닷없이 중국인 화교 추방령이 내렸다고 한다. 인도네시아 원주민과의 힘 겨루기에서 중국 화교들이 밀린 것이다.

그때 할머니, 할아버지는 있는 집과 재산, 공장을 고스란히 두고 피신해야 했다. 가지고 나온 재산이라고는 금으로 씌운 할아버지의 어금니 두 개뿐이었다고 한다. 나중에 친척들의 도움을 받아 또 어찌어찌 다시 인도네시아에 들어와서 살게 되었지만 늘 불안해하신단다. 정치가 불안해지면 또 언제 화교들을 희생양으로 삼는 폭동이 일어날지 모른다는 피해 의식 때문이다.

아니나 다를까, 1998년 할머니의 불안이 현실로 나타났고, 그때 화교들에 대한 폭동 시위로 아버지의 공장이 몽땅 불에 타서 막대한 손해를 보았다. 그래서인지 앨리스를 포함한 다섯 명의 자식들에게 더욱더 중국어 공부를 제대로 해야 한다고 하신단다.

"원주민들이 왜 중국 화교를 싫어하니?"

"자기들이 못 사는 게 중국인 때문이라고 생각하죠. 중국 사람들이 가진 돈은 몽땅 공돈이거나 원주민들을 착취해서 번 돈이라고 여겨요. 우리 아버지요? 지금도 하루에 12시간 이상 염색 공장에서 일하세요. 우리 아버지 손바닥은 파란색이에요. 지문도 다 닳아서 없구요."

인도네시아에 사는 화교는 60만 명, 전체 인구의 5퍼센트밖에 되지 않는다. 그런데도 국가 전체 부의 95퍼센트를 가진 기형적인 경제 구조이니 이런 갈등이 생길 만도 하다. 내가 인도네시아에 갔을 때도 삐까번쩍한 가게 주인은 거의 중국인이었다. 인도네시아뿐 아니라 동남아시아를 여행하면서 본 화교들은 대부분 부자처럼 보였다. 태국 방콕, 말레이시아 콸라룸푸르의 금은방 주인도 중국인이고, 간판에도 버젓이 한자와 태국어 혹은 말레이어를 같이 쓰고 있었다. 미얀마의 보석상이나 찻잎상도(아마 마약상도) 모두 중국 사람들이었다. 물론 그 중국 사람들 밑에서 저임금으로 일하는 종업원들은 원주민들이다.

이런 현상을 보고 나는 몹시 놀랐고 동시에 속이 상했다. 놀란 이유는 화교들이 왜 이렇게 잘 살고 힘이 세냐는 것이었다. 한국에서 세계적으로도 유래 없이 '힘 없는 화교'만을 본 탓에 화교라는 집단을 대단하게 생각해본 적이 없어서다. 남의 나라에 들어와서 주인 노릇을 하고 있는 화교들이 밉기도 하지만, 한편으로 원주민들을 보면 어쩌다가 자기 나라 안에서 다른 나라 사람의 종 노릇을 하나 하는 생각에 속상했다. 역사적 배경이야 어떻든 지금 현상만으로는 착취 구조처럼 느껴져서 부자 화교들에게 그다지 호의적인 감정은 아니었다.

하지만 이 친구의 이야기를 들으니 화교에 대해 다른 각도로 생각하게 되었다. 가장 먼저 든 생각은 바로 화교의 힘, 그 원천은 무엇일까이다. 이들은 어떻게 가는 곳마다 튼튼하게 뿌리를 내리고 부를 일궈 결국에는 사는 곳의 정치, 경제까지 쥐락펴락할 수 있었을까. 도대체 이들은 어떤 마음가짐을 가지고 살기에.

화교들이 누구나 마음에 새기고 산다는 이 두 마디에서 나는 그 단초를 발견한다.

'落地生根(떨어진 곳에 뿌리내린다).'

'身在國外, 心在中國(몸은 외국에 있지만 마음은 중국에 있다).'

화교들의 이런 마음가짐은 중국 정부의 화교 정책과도 딱 맞아떨어진다. 중국 정부는 전 세계에 흩어진 화교들에게 현지 국가의 국적 얻기를 권고하고 있다. 그것이 화교가 현지에 잘 적응하는 데, 혹은 중국 국적을 유지할 경우에 예상되는 불이익을 최소화하는 데 도움이 된다고 생각하는 모양이다. 그러면서도 다른 한편으로는 어느 나라 국적으로 살든 중국인의 피가 조금이라도 섞인 사람은 중화인(中華人)이라 칭하며 중화 문화권의 한 일원으로 결속을 꾀하고 있다.

중국에 와서 보니, 화교들의 힘을 알지 못하고는 중국을 큰 그림으로 이해하기 어렵겠구나 하는 생각이 강하게 들었다. 지금 중국 정부는 스스로 중국인의 범위를 대륙, 타이완, 홍콩, 마카오와 전 세계에 퍼져 있는 5천 5백만의 화교들로 잡고 있다. 중국 대륙의 이런 탄탄한 지지 속에 각국의 화교들은 거대하고도 촘촘한 그물망을 짜고 있다. 여태까지가 개인적인 채널이었다면 지금은 훨씬 조직화되고 결속력이 강화된 화교 네트워크를 구축하고 있다는 말이다.

연 평균 9퍼센트의 초고속 성장을 하고 있는 중국 대륙, 세계 최대의 외환 보유고를 구가하는 타이완, 국제 금융 센터인 홍콩과 싱가포르, 세계 구석구석에 퍼져 있는 중국계 과학 기술 두뇌들, 천문학적인 자금 동원력을 가지고 있는 화교, 거기에 '피'로 뭉친 조직력이 한데 어우러져 가공할 만한 중국의 힘이 되고 있다.

중국 경제는 '萬事具備, 只欠東風(모든 것은 다 준비되었고 동풍만 불면 된다)'이라는 속담을 실감케 한다. 중국은 거의 모든 것을 갖추고 있다. 광활한 국토와 시장, 풍부한 자원, 거대한 인력, 그리고 화교의 조직과 자본까지. 이 거대한 '중국호'가 넓은 바다로 나가는 것은 이제 언제 바람이 부느냐에 달려 있다. 지금 주위에 감도는 습기로 보아서 그 동풍이 아주 가까이까지 왔다는 예감이 든다.

한비야 인민개판을 받다

중국을 여행하는 외국인들에게 제일 무서운 말이 무엇인 줄 아는가? 바로 '메이여우'다. 그들에게 '메이여우'는 단지 '없어요' 혹은 '아니에요'가 아니라 '너, 이제 큰일났어'라는 말과 동의어니까. 물론 지금은 내가 2년 전 중국 여행을 할 때와 비교하면 눈을 비비고 다시 봐야 할 정도로 변했지만, 그때는 기차표를 살 때나 비자를 연장할 때, 숙소를 구할 때마다 이 소리를 들으면 바짝 긴장이 되었다.

예를 들어, 여관에 가서 빈 방이나 빈 침대가 있냐고 하면 십중팔구 '메이여우'라고 한다. 장부를 들춰본다거나 컴퓨터를 두드려보거나 각 층 담당자에게 한마디 물어보지도 않고 말이다. 이삼 일 기차를 타고 와서 파김치가 되어 한밤중에 내린 곳에서 이런 식으로 여관마다 딱지를 맞으면 내가 무슨 영화를 보겠다고 이런 여행을 하나 하는 생각이 절로 든다.

처음에는 순진하게 곧이곧대로 믿었는데, 시간이 흐르니 그 말이 정말 없다는 말이 아니라 지금 일하기 싫으니 말 시키지 말라는 뜻이라는 걸 알았다. 그래서 숙소가 기숙사형 방이면 일단 빈 침대가 있나를 스스로 체크한다. 그런 후 카운터에 가서 방 있냐고 묻는다. 종업원이 '메이여우'라고 하는 순간, 몇 번 침대가 비었다고 정보를 주면 그제야 "쓰마?(아, 그래요?)" 하면서 각 층 담당자에게 전화를 거는 수고를 한다.

'메이여우'로 시작되는 중국인의 불친절은 끝이 없다. 제 돈 주고 물건을 살 때도 제대로 고를 수가 없다. 예전에 여행다니다가 당한 일은 지금 생각해도 기가 막힌다.

청두(成都)인가 쿤밍인가, 잃어버린 자명종을 다시 사려고 가게 종업원에게 진열장 안에 있는 시계를 좀 꺼내 보여달라고 했다. 그랬더니 나를 아래 위로 보면서 집어던지듯 꺼내놓는 거다. 왜 이러나 하면서 다른 것을 구경하다 선반에 진열된 것이 더 마음에 들어서 저것도 좀 보자고 했더니, 이 사람 왈.

"너 지금 뭐 하는 거야. 그냥도 보이는데 왜 자꾸 꺼내 보자는 거야, 앙?"

눈을 무섭게 부라리면서 언성을 높인다. 그 여자가 하도 길길이 뛰는 바람에 순간적으로 내 입에서 튀어나온 말.

"미안해요, 그냥 여기 꺼내놓은 걸로 살게요."

산전수전, 공중전, 시가전까지 겪었던 한비야도 그 한 대 칠 듯한 기세당당함에 찌그러드는 순간이었다.

관공서는 더하다. 어찌나 고압적인지 한국의 동사무소나 구청 등에서 수없이 실전을 거쳤음에도 주눅이 든다. 그래서 비자 문제로 공안국 외사과에 갈 때마다 기분 나빠질 각오를 단단히 해야 한다.

체류 연장을 허락한다는 도장을 찍어주며 여권을 내던질 때는 나도 모르게 욕이 나온다. '병신 같은 놈.' 그럴 때마다 중국에도, 중국 사람들에게도 정이 뚝 떨어진다.

정 떨어지는 중국인 얘기가 나왔으니 본격적으로 한바탕 퍼부어 볼까?

그 소리. 아침, 점심, 저녁, 언제 어디서나 들을 수 있는 소리, 남녀노소를 막론하고 나는 소리, 오장육부를 거쳐 목을 통해 비로소 터지는 소리. 바로 가래 뱉는 소리. 정말 싫다. 왜 길 가는 사람 귀에다 대고 크윽 하고 가래를 들이쉬는 거야. 아침이 아무리 상쾌해도 학원 가는 길에 이 소리를 들으면 기분이 팍 상한다. 게다가 들이쉰 가래를 뱉을 때가 넘었는데 뱉지 않으면 더 비위가 상한다. 들이켰던 가래는 어떻게 된 거지?

담배를 많이 피워서 그런다는데 세계에서 흡연율 1, 2위를 다투는 우리나라 사람들은 안 그렇잖아. 공기가 나빠서라고도 하던데 베이징보다 공기가 좋지 않은 도시는 얼마든지 있다. 세계에서 공기 오염 1위인 네팔의 수도 카트만두에서 누가 그렇게 하루 종일 가래를 뱉느냐 말이다. 그것도 수돗가나 화장실은 물론 길에서나 식당에서나 버스 안에서나 가리지 않고. 정말 진저리쳐진다.

또 왜 그렇게 인정머리가 없는지. 베이징 지하철역 근처에서 있었던 일이다. 어떤 초로의 할머니가 귤을 대야에 놓고 팔다가 경찰의 단속을 받는 것을 보았다. 얼른 대야를 챙겨서 도망가는 할머니를 새파란 경찰이 잡으려고 뛰었다. 할머니가 정신 없이 도망가는 바람에 대야에 담긴 귤이 흩어졌다. 놀랍게도 그때까지 보고만 있던 사람들이 벌떼같이 달려들어 얼마나 잽싸게 귤을 주워 주머니 속에 넣던지……. 울며불며 경찰에게 애원하는 할머니의 목소리가 분명히 들렸을 텐데 말이다. 정말 정 떨어진다.

게다가 외국인들에게 바가지 씌우는 걸 보면, 어휴ㅡ. 매일 가는 가게라도 아주 친하지 않으면 바가지 씌우는 게 너무 자연스럽다. 그럴 때마다 기가 찬다. 매일 보는 사람한테 어쩌면 이럴 수 있을까. 큰돈도 아니고 우리 돈 100~200원을 가지고 말이다.

물건 값만 바가지가 아니라 사고가 났을 때도 그렇다. 이런 일이 있었다. 자전거를 타고 큰길을 가다가 다른 자전거와 부딪쳤다. 내가 직진을 하고 있는데, 그 자전거가 옆 골목에서 튀어나오다가 부딪친 것이니 전적으로 상대방 잘못이었다. 그런데 자전거가 넘어지는 바람에 그 아저씨 자전거 뒤에 실은 계란과 기름병이 박살나버렸다. 내가 예의상 "메이 쓰마?(괜찮아요?)" 했더니 그 아저씨, 방귀 뀐 놈이 성낸다고 눈을 부라리며 하는 말.

"니 여우 메이여우 옌징?(눈이 있는 거야, 없는 거야?)"

기가 막혀, 적반하장도 유분수지. 참을 수 없는 내가 대들었다.

"썬머? 저쓰 밍밍 바이바이 니 추어더 쓰(뭐라고요? 당신이 명백히 잘못했잖아요)."

그러자 이 사람, 싸우다 말고 엉뚱한 질문을 한다.

"니 쓰 나궈런?(어느 나라 사람이지?)"

아무래도 외국인 티가 나는 내 발음 때문일 거다.

"뚜이 니 메이 관시더 쓰(그건 당신과 상관없는 일이잖아요)."

야무지게 되받았다. 그런데 그것이 화근이 될 줄이야. 내가 외국 사람이라는 걸 알아챈 아저씨가 싸움 구경을 하러 몰려든 주위 사람들을 상대로 연기를 하기 시작한다.

"니먼 칸(여러분 보세요). 여기 깨진 계란과 기름이 200위안어치도 넘는다고요. 나는 식당에서 일하는 종업원인데, 저처럼 가난한 사람이 어떻게 이 값을 물겠어요. 부딪친 사람이 물어줘야지요. 안 그래요?"

이렇게 궁상을 떨면서 사람들의 동정을 구한다. 아무튼 나와는 상관없는 일이라 넘어진 자전거를 일으켜 가려고 하니까 그 아저씨가 자전거 핸들을 잡아 끈다.

"계란값, 기름값 물어내야지."

"무슨 말이에요. 잘못은 아저씨가 했잖아요."

"누가 잘못을 해? 자전거를 똑바로 탔어야지. 물어내."

완전히 협박조다. 더 기가 막힌 것은 구경하던 사람들의 반응이다.

"외국인은 돈 많잖아. 물어줘야 돼."

"맞아, 맞아. 당연히 물어줘야지."

집단적으로 자기네 편을 든다. 갑자기 분위기가 험악해졌다. 어느 책에선가 이런 경우 누구 한 사람이 선동적으로 "따타(때려라)." 하면 몰매를 맞을 수도 있다는 얘기를 본 것이 생각났다. 그러나 어쩌랴, 이미 엎어진 물. 나는 순간적으로 중국 여행 중에 하던 수법을 써보았다.

"하오더, 워스 와이궈런. 워먼 취 꽁안쥐바(좋아, 나는 외국인이니까 공안국에 가서 해결하자구)."

이 말을 들은 아저씨, 단번에 당당했던 기세는 없어지고 계란값 100위안만 달란다. 100위안이면 계란을 300개도 더 살 수 있다는 걸 내가 모르는 줄 알고 하는 수작이다. 수십 분을 옥신각신한 끝에 결국에는 계란 100개 값에 해당하는 35위안을 주고 해결했다. 잘못도 하지 않았는데 돈까지 물어준다는 게 몹시 억울했지만, 싸움이라

는 실전에서 생활 중국어를 알차게 연습한 수업료라고 생각하기로
했다.

나중에 중국에서 오래 산 사람들의 얘기를 들으니 애초부터 내 작
전이 좋지 않았다. 유학 5년차인 한 학생이 오토바이를 타고 가다가
순전히 자신의 잘못으로 행인과 충돌 사고가 났었단다. 고개를 푹
숙이고 무조건 내가 잘못했다고 하니까 주위에 모여 있던 사람들이
'외국인이니까 봐줘라'는 인민 재판의 판결을 내리더란다.

하기야 세계 어디에 꼴 보기 싫은 사람 없는 곳이 있으랴? 파키스
탄에는 침 뱉는 사람은 없지만 몸을 더듬는 사람이 많다, 인도에는
돈 던지는 사람은 없지만 돈 달라는 사람은 많다. 러시아에는 자전
거 타고 가다 잘못도 없이 뒤집어쓰는 일은 없지만 대낮에도 술 마
시고 시비 거는 사람이 많다.

중국에서 정 떨어지는 사람과 사건들을 만날 때마다 불쾌하기는
하지만 이렇게 생각을 한다. '그게 그렇게 싫으면 한국에 돌아가면
되잖아? 누가 여기서 살아달라고 비나? 순전히 내가 필요해서, 또
내가 오고 싶어서 온 이상 이런저런 불편함이나 눈꼴 신 것은 내 쪽
에서 참아야 할 일이 아닌가. 게다가 중국 사람도 아닌 내가 사회 개
조를 하겠나, 민족성 개조를 하겠나. 다 내 영역 밖의 일이다. 그러
니 법적으로 대응해야 할 일이 아니라면 그저 그러려니 해야 중국
생활이 편해진다. 사람 사는 곳인데 중국이라고 별다르겠나(난 참 속
도 좋다).'

그런데 문제는 내가 요즘 중국 사람만 꼴 보기 싫은 게 아니라는
거다. 한국 사람도 마찬가지로 그런 걸 보니 확실히 후텁지근한 날
씨 탓인지도 모르겠다. 한국 사람들 중에 거슬리는 사람들은 몇 부

류로 나뉜다. 첫째는 젊은 중국 동포 여자 밝히는 남자들. 소문은 익히 들었지만 내 눈으로 직접 보니 가관이다. 학원 근처 한국 커피숍만 가도 예순 살은 넘었을 것 같은 노인이 주위의 시선에 아랑곳없이 손녀 또래의 여자 아이를 꺼안고 허벅지를 만지며 "네가 내 마음을 빼앗았어." 하면서 아파트를 하나 사주겠다느니, 당장 살림 차리자느니 하는 소리를 들으면 정말 소름 끼치도록 싫다. 이런 사람들은 당연히 돈 자랑이 심하다. 중국 속담 '出門不露白(밖에서는 돈 자랑을 하지 않는다)'과는 완전히 반대로 사는 사람들이다.

둘째 역시 수없이 많이 듣던 얘긴데 한밤중에 술 먹고 떠드는 사람들이다. 젊은 학생들이 많이 살고 있는 학원가라서 더 그런가. 밤중에 거리로 나가보면 비틀비틀 걷는 아이, 고래고래 소리 지르는 아이, 떼로 몰려다니며 소란을 피우는 아이, 골목에서 방뇨하거나 토하는 아이들 중 한 가지 경우는 꼭 본다.

며칠 전에도 새벽까지 내 숙소 앞에서 은경인지 은정인지의 남자 친구가, 자기가 뭐 로미오라도 되는 줄 아는지 술에 취해 "은깅아, 사랑해."를 외치며 밤잠을 방해했다. 아침에 호텔 종업원이 나에게 물었다. 한국말로 '싸랑애'가 뭐냐고. 이들도 잠을 설친 게 분명하다. '은깅이' 남자 친구 녀석, 정말 한 대 탁 때려주고 싶다.

어떤 사람은 우리나라 여학생들은 참 예쁜데 화장을 너무 짙게 해서 보기 싫다고 한다. 적어도 남에게 피해를 주지는 않으니 좋다 나쁘다를 따질 수 없는 문제지만, 이 삼복 더위에 그렇게 진한 화장을 하면 더 덥지 않을까.

아, 또 있다. 도서관에 가면 한국에서 하던 대로 친구 자리를 맡아주는 학생. 중국 학생들이 질색을 한다. 아직 오지 않은 사람 때문에 이미 와 있는 사람이 그 자리에서 공부할 수 없다는 것을 이해하지 못하는 중국 아이들과 말다툼을 벌이는 것을 여러 번 보았다. 나는 중국 아이들 말이 맞다고 생각한다. 팔이 안으로 굽지 않는 때도 있는 모양이다.

입시지옥은 중국에도 있더라

'7·7 사변'

한여름에 대규모 전쟁이 터졌다. 총과 칼로 하는 전쟁이 아니라 연필과 지우개로 하는 전쟁이다. 피 튀기는 전쟁이 아니라 피 말리는 전쟁이다. 아군은 고등학교 3학년생, 적군은 전국통일시험, 입시 전쟁이다.

매년 7월 7일부터 7월 9일까지 치르는 대학 입학 시험을 여기서는 7·7 사변이라고 부른다. 우리에게 입시 한파가 있다면 여기는 입시 폭염이 있다. 올해도 예외가 아니다. 입시를 앞두고 40도를 훨씬 넘는 날이 계속되었다. 며칠 전부터 아이들이 공부하다가 기절했다, 스트레스로 위장 장애가 왔다, 더위 먹은 학생들이 집단 졸도를 했다는 등 입시에 관한 흉흉한 얘기들이 무성하다. 아이들뿐만 아니라 부모들도 수면 장애에 시달려 직장 내의 작업 능률이 현저히 떨어지고 신경이 날카로워져서 사소한 일에도 싸움을 한다고 신문은 전한다. 정부에서는 학생들 공부에 방해될까 봐 적어도 시험 일주일 전부터 야간 공사도 금지시켰다. 한여름에 전쟁을 치르려니 정말 힘이 몇 배로 들겠다.

숫자로만 놓고 봐도 이 전쟁은 우리보다 훨씬 치열한 것 같다. 중국 대학에서 해마다 뽑는 신입생은 겨우 100만 명 남짓인데 전국의 지원자는 320만 명에 달한다. 중국 학생들의 학력 수준은 전반적으로 매우 높은 편이라 보통 대학도 들어가기 힘든데, 중국 최고의 명문 대학인 북경대나 청화대의 실질적인 경쟁률은 2만 대 1이라는 말이 있을 정도다.

둥왕쟝의 쟝 할아버지 손녀딸 밍밍도 청화대를 목표로 불철주야, 고군분투하면서 초를 쪼개 쓰고 있다고 한다. 한번은 할아버지네 집에 잠깐 볼일을 보러 온 밍밍과 얘기할 기회가 있었다. 내가 가을부터 청화대에 다닐 거라고 했더니 존경의 눈으로 쳐다본다.

"쩐 랴오부치(정말 대단하세요)."

무시험으로 들어가는 외국어 학당이라고 아무리 설명해도 자기가 가고 싶은 학교 이름만 들어도 위대해 보이나 보다.

"레이바?(힘들지?)"

"레이더 야오밍(힘들어 죽겠어요)."

"넌 공부를 아주 잘한다던데?"

"학교 성적이야 그렇지만 입학 시험은 좀 다르잖아요. 긴장이 되어서 밥도 못 먹겠어요."

전국통일시험은 선 지원, 후 시험 제도인데, 단 한 번의 시험으로 당락이 결정되기 때문에 더 긴장된다는 것이다. 할머니도 밍밍이 자꾸 체력과 성적이 떨어진다고 걱정이 태산이다. 자연과학계 응시생이 인문계의 2배도 넘어 걱정이 더 크다.

그래서인지 중국에서도 과외가 성업 중이다. 밍밍도 청화대 학생에게 '가산을 탕진'할 만큼 비싼 과외를 하는데 명문대에 가려는 아이들은 모두 그런단다.

"짜요우(加油 : 힘내라)."

중요한 시험을 사흘 앞둔 밍밍에게 주먹까지 불끈 쥐어보이며 선전을 빌어주었다.

중국 학생들도 그렇지만 중국을 기회의 나라로 삼고 구슬땀을 흘리는 사람들이 또 있다. 이곳에서 석·박사 과정이나 중국어 어학연수를 하는 한국 학생들이다. 내 주위에도 여러 명 있는데, 나름대로 크고작은 문제가 있긴 하지만 대부분 아주 씩씩하게 잘 적응하면서 살고 있다.

내가 처음 중국에 온 3월부터 8월까지 6개월 동안 같은 반에서 공부한 안몽은 씨는 여러 면에서 기억에 남는 사람이다. 나이는 나보다 두 살 어린데, 세 아이의 엄마이면서도 열심히 공부하는 의지의 아줌마다. 남편은 국가 파견 공무원으로 2년 기간으로 석사 과정을 하고 있는데, 공무원 부인답게 어찌나 알뜰하고 야무진지 모른다. 그 흔한 가정부도 두지 않고 혼자 살림하고 아이들을 키우면서도 어쩌면 그렇게 숙제를 열심히 해오는지. 내가 외우기 숙제를 못해 가면 선생님보다 이이 보기가 더 미안하다.

안몽은 씨는 두 딸을 중국 중학교에 보낸다. 공무원 월급으로는 다른 한국 아이들이 다니는 국제 학교의 비싼 수업료를 감당하지 못하기 때문이기도 하지만 중국에 왔으니 중국 학교에 다니는 게 아이들의 미래를 위해 훨씬 좋다고 생각해서란다. 말이 통하지 않던 초기에는 아이들이 수업 시간 내내 멍청하게 앉아 있고 집에서도 풀이 죽어 있어, 괜한 고집을 부려 아이들 잡는 것 아닌가 고민도 했다는데, 1년이 지난 지금은 어른보다 훨씬 적응과 동화가 빠른 것 같단다.

개인적으로 안몽은 씨의 교육 방법이 마음에 든다. 영어권 국가였다면 생각할 것도 없이 현지 학교에 보냈을 텐데, 중국에 있는 한국인들은 대개 아이들을 한국 학교나 국제 학교에 보낸다. 한국 부모들은 아이들, 특히 남자 아이는 당연히 한국 대학에 가야 한다고 생각한다. 그 많은 사람들이 한국에서 일부러 유학을 오는데 이미 중국에 와 있는 한국 학생들이 굳이 한국 대학에 가려고 하는 이 모순을 어떻게 설명할까? 고3 아이를 둔 엄마가 내게 들려준 대답이다.

"그래야 한국에 학연이라는 뿌리가 생기잖아요. 졸업은 안 하더라도 일단 좋은 대학에 들어는 가야지요."

그러니 아이들은 2~3년을 살아도 중국말을 제대로 할 줄 모른다. 영어로 수업하는 국제 학교에 다니고, 학원과 집에서는 한국말을 쓰기 때문이다. 게다가 곧 한국으로 돌아갈 텐데 그 복잡한 중국말을 배워서 뭘 하나 하는 태도란다. 한번은 한 학생이 이사를 했는데 이사간 집 주소만 알고 찾아갈 줄은 모른다는 것이다.

"그럼 택시 운전사한테 그 주소로 데려다 달라고 말하면 되잖아."

학교 선생이 물었더니 이 친구 하는 말이 가관이다.

"저 중국말 몰라요."

중국 생활 3년차인 고등학교 2학년생이 택시 타고 집에도 못 찾아가는 반벙어리가 된 것이다. 이것은 중국 생활을 아이들이 다른 문화를 접할 수 있는 대단한 기회이고, 중국어를 확실히 배울 수 있는 기회라며 적극적으로 활용하는 안뭉은 씨의 예와 크게 비교가 된다.

부모와 함께 중국에 오는 중·고등학생들의 상황이 이렇다면, 석·박사 과정을 하려는 사람들은 철저한 준비가 필요하단다. 중앙 민족대학에서 문화인류학 박사 과정을 밟고 있는 최경호 씨의 말을 들어보자.

"중국어를 전공하지 않은 제가 유학을 준비할 때는 국내에서 얻을 수 있는 정보가 아주 적었어요. 한국에서 석사를 마쳤으니 중국에 오기만 하면 바로 박사 과정에 들어갈 수 있다고 생각했거든요. 전 충분히 준비 안 한 죄로 거의 1년을 허송세월했어요."

막상 와보니 외국인이면 반드시 봐야 할 HSK에서 적어도 6급은 따야 대학원 응시 자격이 주어지기 때문이었다. 그러면서 사회과학 등 인문학을 전공하려는 사람들은 적어도 1년 반 정도 미리 어학 연수를 할 것을 권했다. 말을 잘 못 하는 상태에서 대학원 과정에 들어가면 시간이 무한정 들고 공부도 제대로 할 수 없기 때문이다.

"박사 과정을 하려면 적어도 5년 이상은 생각해야죠. 특히 지도 교수 선택은 아주 중요해요."

급한 마음에 지도 교수를 신중하게 선택하지 못한 한국 학생들의 경우, 공부하는 것에 비해 아무런 학문적인 보살핌도 관심도 받지 못하는 것을 많이 봤다고 안타까워했다.

갑자기 중학교 때 배운 영어 속담이 생각난다.

Haste makes waste!

동서양을 막론하고 옛말은 틀린 게 하나도 없다.

한국 학생들은 왜 봉이 되는가

중국에서 공부하는 한국 사람이 많다 보니 부작용이 없을 수 없다. 놀랍게도 한국 학생들은 중국에서도 '와이로(!)'를 바쳐야 한단다. 믿기 싫은 일이지만 사실이다.

베이징에 있는 많은 대학에서는 몇 주일 단기 연수생부터 본과생, 그리고 대학원생 등 많은 한국 학생들이 공부하고 있다. 문제는 4년제 본과를 다니는 학생들이다. 대부분의 학교에서는 한 반에서 최하위 1~2명은 졸업을 못한다는 규정이 있기 때문에, 평소 수업을 많이 빼먹고 성적도 좋지 않은 학생들이 전전긍긍하는 것은 당연한 일이다. 그리고 부끄럽게도 그런 학생들은 십중팔구 한국 학생이란다.

그래서 4학년이 졸업 논문 쓸 때가 되면 암암리에 선물을 빙자한 고가품들이 오간다고 한다. 한두 명이 그러기 시작하더니 점점 선물의 가격이 높아져서 결국 감당하기 어려운 지경에까지 이르렀단다.

하여간 작년에 졸업한 두 학생에게 들은 이야기를 가감 없이 옮겨

보자. 이 친구들 반은 열여섯 명이 정원인데, 이 가운데 상당수가 한국 학생이었다. 4학년이 시작되자 소위 지도 교수가 한국 학생들만 따로 불러 저녁을 먹자고 하더란다. 그러더니 아주 비싼 식당으로 가서 거침없이 시켜 먹더라나. 물론 계산은 한국 학생들이 했는데, 한 사람 앞에 무려 300위안씩을 냈다고 한다(300위안이면 한국 식당에서 돌솥비빔밥이 스무 그릇이다).

또 한번은 기온이 갑자기 뚝 떨어진 날이었는데 공부 시간에 날씨는 추워지는데 입을 만한 옷이 없다고 은근히 압력을 넣어서 아이들끼리 돈을 모아 1천 위안짜리 겨울 점퍼를 사주었단다. 심지어 자기 생일이 언제라고 광고를 하고 다녀서 학생들이 도에 넘치는 생일 선물을 준비한 적도 있고.

이뿐 아니다. 몇몇 학생은 아예 따로 불러내어 성적이 나빠서 졸업을 못할지도 모르니 자기에게 1시간에 100위안 하는 과외 공부를 받으라는 강요도 서슴없이 한다고 한다. 어느 선생은 식당에 가면 여학생들에게 옆에서 술 시중을 들라고도 한단다. 회식 등에 빠지거나 하는 학생들은 반드시 기억해서 불이익을 준다는데, 이 지도 교수가 마음만 먹으면 졸업을 시키지 않을 수도 있기 때문에 울며 겨자먹기, 억지 춘향이로 한다는 거다. 성적과 수업일수처럼 객관적인 것은 그렇게 큰 문제가 아니지만 졸업 논문은 지도 교수가 트집을 잡으려면 얼마든지 잡을 수 있기 때문이다. 아주 노골적으로 졸업하려면 1천 달러를 가져오라고 한 '간 큰' 선생도 있단다. 어디까지 믿어야 할지는 모르겠지만 여러 경로를 통해, 여러 사람들에게 들은 얘기라 아주 헛소리는 아닐 거다.

이런 얘기를 들을 때마다 속상하고 분통 터진다. 다른 나라 아이들에게는 입도 뻥끗 못하면서 한국 학생들만 못살게 군다는 소리를 들으면 화가 나서 얼굴이 후끈 달아오른다.

그러나 다시 잘 생각해보면 화를 낼 수는 있어도 할 말은 없다. 깨진 계란에 파리 꼬인다는 중국 속담이 있다. 파리가 꼬이는 일차적인 책임은 파리가 아니라 깨진 계란에게 있다는 말이다. 그런 일을 당하지 않으려면 평소에 공부도 열심히 하고 수업도 빼먹지 않으면 되는 것 아닌가. 내가 듣고 보기로 원래 중국 대학의 교수들은 자기 직업에 대한 자부심이 대단한 만큼 학생들에게도 공평정대한 사람들이다.

나는 이런 '자승자박식' 나쁜 전통이 앞으로 베이징에서 공부할 수많은 한국 학생들에게 해가 될까 그게 걱정이다. 그리고 이런 전통(?)이 베이징을 넘어 다른 지역으로 퍼져 나갈까 무섭다. 지금 중국에는 한국 학생들이 물밀듯이 밀려오고 있는데 이런 일은 한국 학생들이 있는 곳이면 어디든지 있을 수 있는 일이기 때문이다.

만날 사람은 반드시 만난다

'有緣千里來相會(만날 사람은 반드시 만난다).'

이 중국 속담은 나와 내 일본인 친구를 두고 하는 말이다. 그녀의 이름은 나리카와 이쿠요, 나이 43세, 지금 사는 곳은 중국 톈진시. 직업은 남개대학 일본학과 다도(茶道) 교수. 처음 만난 곳은 미국 유타주 유타대학교 도서관이다.

"미안합니다. 이 도서 대출 카드로는 책을 더 빌릴 수 없는데요."

"무슨 문제인가요?"

"어학 연수생은 일주일에 네 권 이하거든요."

"어머, 그런 줄 몰랐어요."

빨간 투피스를 입은 예쁘장한 일본 아이가 동그란 눈을 더 동그랗게 뜨며 당황해서 어쩔 줄 모른다. 그때 나는 유타대학교 대학원에 다니면서 도서관 사서 보조로 아르바이트를 하고 있었는데, 이쿠요의 도서 대출 카드가 전혀 다른 궤도를 달리던 우리의 인생을 이렇게 연결시켜주었다. 그 책을 꼭 봐야 한다길래 내 카드로 필요한 책을 빌려주었더니 고맙다며 점심을 사겠단다. 샌드위치를 먹으면서 이 말 저 말이 오갔다.

나와 동갑인 이쿠요는 일본에서는 중국어·일본어 동시통역사였다. 직업상 영어가 필요해 1년간 어학 연수를 왔지만 몇 달이 지나도 말이 늘지 않아 걱정이라면서도 세상 걱정 없는 듯한 함박 웃음을 웃는다. 동그란 얼굴에 동그란 눈, 동그란 이마에 동그란 입술, 밝은 얼굴을 들여다보며 어디선가 본 듯한 얼굴이라고 생각했다. 나중에 이 친구도 말하기를 나를 처음 본 순간 어디서 많이 본 얼굴인데 누굴까 한참 생각했단다.

그날 이후 우리는 한 세트로 시간만 나면 붙어다녔다. 우선 신새벽에 만나 체육관에서 스트레칭과 달리기를 하는 것으로 아침을 연다. 각자 수업을 듣고는 점심을 같이 먹는다. 오후 수업이 끝나고 내가 도서관에서 일할 때는, 이쿠요가 공부를 하면서 기다렸다가 집에 같이 간다. 그때 나는 대학원 수업을 아주 힘겨워하고 있었는데, 귀가 길에 이쿠요가 건네주는 이런 쪽지가 큰 힘이 되었다.

"에라이 비야, 마모나쿠 오와룬다요. 간바테(멋있는 비야, 곧 끝나잖아요. 힘내요)."

처음에는 영어가 서툰 이쿠요의 편의상, 일본말을 많이 섞은 영어를 썼는데 이 친구의 영어가 일취월장 늘어 나중에는 반반 정도가 아니라 거의 영어로만 얘기하게 되었다. 이쿠요 말이 미국 사람들만 보면 주눅이 들어 말이 잘 나오지 않는데 나한테는 자기가 이런 말까지 할 수 있구나 놀랄 정도로 그냥 술술 나온단다. 그래서 나랑 있으면 자기가 아주 영어를 잘하는 것 같아서 기분이 좋단다. 내가 같은 외국인이기도 하고 친구이기도 한 탓에, 무슨 말이라도 마음껏 할 수 있기 때문일 거다.

내가 이탈리아에서 열린 국제 회의 관련 프로젝트를 끝낸 후, 한 학기를 쉬고 유럽 여행을 할 때 미국에서 날아와 두 달 이상을 같이 돌아다닌 친구도 이쿠요이고, 한국에서 일하기 전 일본어 연습을 위해 일본에서 지내는 동안 머물렀던 곳도 이 친구 아파트였다.

이쿠요의 부모님은 도쿄 교외인 지바에서 나무도시락 공장을 하고 계셨는데, 셋째딸의 한국 친구를 몹시 귀여워하셨다. 처음에는 나를 지나치게 깍듯이 대하셨다. 고개와 허리를 깊이 숙여 인사를 하거나 내가 가져간 선물을 무릎을 꿇고 두 손으로 받으셨으니까. 지금 생각하면 그때는 나 개인 혹은 한국 사람에 대해 거리감을 가지고 있었기 때문이었던 것 같다. 나중에 안 일이지만 이쿠요네 부모님, 특히 아버지는 한국과 한국인에 대한 감정이 아주 좋지 않았다고 한다. 이건 별로 특이한 일도 아닌데, 피해자, 가해자를 떠나 우리나라에 무조건적인 반일 감정이 있는 것처럼 일본에도 아무런 이유 없이 한국을 싫어하는 사람이 많다.

나는 지금도 이 완고한 아버지가 어떻게 나를 좋아하게 되셨는지 궁금하다. 하여간 우리가 지바 본가로 놀러가면 무뚝뚝한 아버지의 입가에는 웃음이 떠나지 않았다. 그날로 도쿄에 돌아가야 하는 급한 일이 있는데도 아이들을 재워서 보내지 않는다고 어머니한테 괜한 호통도 많이 치셨다.

어느 날, 이쿠요 아버지가 나에게 진지하게 물으셨다. 왜 한국에서는 정부가 바뀔 때마다 일본 사람들에게 사죄를 요구하느냐고. 이미 반 세기 전의 해묵은 이야기를 잊을 만하면 꺼내냐고. 절대 따지는 투가 아니었다. 이런 사안에 대해 한국 사람의 말을 들어보고 싶었던 것이다. 나는 이렇게 대답했다.

"이 모든 문제는 일본이 진심으로 잘못했다고 생각하지 않는 데 있다고 봅니다. 가해자와 피해자 간의 관계 개선, 즉 용서과 화해에는 반드시 거쳐야 하는 과정이 있지요. 잘못한 사람이 자기 잘못을 인정하고 미안하게 생각하며 진정으로 용서를 구하는 것이 우선입니다. 그래야 용서해야 할 입장에 있는 사람이 용서하고, 그런 다음에야 화해가 있는 거죠. 잘못한 사람이 자기는 하나도 잘못한 것이 없다고 하는데 피해자가 그래도 나는 무조건 네 잘못을 용서한다 그럴 수는 없는 거잖아요? 더욱이 가해자가 이미 다 지난 일인데 왜 용서 못하냐고 말할 수는 없는 거라고 생각합니다."

내 일본어 실력으로는 이렇게 중요한 말을 제대로 못할까 봐 이쿠요의 통역을 빌려 얘기했다. 나는 혹시 아버지가 기분이 언짢으셨으면 어떡하나 했는데 다행히 고개를 끄덕이셨다. 그 후에 아버지는 한국에 한번 가보고 싶다는 말을 자주 하셨다고 한다. 결국 아버지는 못 오셨지만 이쿠요와 언니, 형부들은 내가 한국에 있는 동안 차례대로 다녀갔다.

내가 한국에 돌아와 회사 다닐 때 이쿠요 아버지는 간염으로 병원에 계셨다. 점점 병세가 나빠지던 어느 날 이쿠요에게 "네 친구 비야 한번 보았으면 좋겠다."고 말씀하셨단다. 이 친구가 바쁜 나에게 말을 할까 말까 망설이던 차에 내가 도쿄로 출장갈 일이 생겨 병석에 누운 아버지를 뵐 수 있었다. 너무나 쇠약해진 아버지가 내 손을 꼭 잡으시던 그 힘이 아직도 생생하다. 아버지는 다음날 돌아가셨다.

나 역시 일본 사람이라면 무조건 싫었던 적이 있다. 괜히 일본 사람만 보면 임전 태세가 될 만큼. 그러나 이쿠요와 그 가족을 만난 후 달라졌다. 일본인, 한국인, 어느 국적을 가졌는가에 앞서 그냥 한 사람으로 만날 수 있다는 것을 깨달은 건 아주 중요한 일이다.

사람만이 아니다. 이쿠요는 고양이를 키우고 있었는데, 나는 원래 고양이를 좋아하지 않았다. 그 이기적이고 잘 삐치고 도도한 척하는 성질머리가 내 기질과 맞지 않는 모양이다. 그런데 놀라운 것은 며칠 가지 않아 이쿠요의 그 페르시안 고양이 노브르에게 정이 들어버렸다는 사실이다. 자기가 좋으면 막 와서 안기고, 자기가 내키지 않으면 죽어도 오지 않는 얌체 근성도 자존심이 세서 그러는 거라고 좋게 생각되었다. 노브르는 내가 처음이자 마지막으로 좋아한 고양이다. 내게 노브르는 그냥 고양이가 아니라 이쿠요 가족의 일원이었기 때문이다.

안타깝게도 우리는 한동안 연락 없이 지내야 했다. 이쿠요 아버지가 돌아가시고 난 후 본가는 공장을 정리한 후 이사했고, 이쿠요는 다도를 제대로 배우겠다고 교토에 있는 어느 다도 학교로 떠나고, 공교롭게 같은 시기에 우리 집도 이사를 하는 바람에 서로의 주소를 알 수가 없었다. 설상가상으로 나는 바로 세계 일주 길에 올랐으니 바람처럼 다니는 나를 이 아이가 어디 가서 찾을 것인가. 내가 지바의 이쿠요네 옛날 집을 찾아가는 수밖에는 별 도리가 없다고 생각했다. 그리고 여행이 끝나면 정말 그러려고 마음먹고 있었다.

그런데 세상에 이런 인연도 있다. 세계 일주가 끝나고 중국으로 올 준비를 할 때, 어떤 한·중·일 문화 교류 단체에 잠깐 볼일이 있어서 그 사무실에 갔다가 중국에서 방금 왔다는 일본인 다도 선생을 만났다. 무슨 얘기 끝에 내 친구도 다도를 배웠다고 했더니 어느 학교냐고 묻는다. 이름은 모르고 교토에 있는 학교라니까 또 누구냐고 묻는다. 그래서 친구 이름을 댔더니 너무나 깜짝 놀라면서 그 사람을 안다는 것이 아닌가. 지금은 중국 톈진에 있다면서. 세상에!

"비야, 종위 지엔따오니, 헌 까오싱(마침내 널 보다니 정말 반가워)."
톈진역으로 마중나온 이쿠요가 어디선가 총알같이 튀어나오며 한 첫마디다.
"아이야, 이쿠요. 니 이디얼 예 메이비엔(어머, 넌 하나도 안 변했네)."
정말 이쿠요는 8년 전 마지막 볼 때와 하나도 변하지 않았다. 그저 '교수님'답게 아주 지적이면서도 단아한 품위가 배어 나왔다. 달라진 점이 있다면 이번에는 우리가 영어도, 일본어도 아닌 중국어로 말하고 있다는 거다. 그것도 아주 자연스럽게. 여름 꽃이 만발한 아름다운 남개대학 교정을 거닐면서 우리는 지난 세월의 거리를 단숨에 뛰어넘을 수 있었다. 서로 간추린 지난 시간을 브리핑하고, 가족과 친구들의 안부를 묻고, 지금 하는 일과 앞으로 할 일을 얘기하면서 울고, 웃고, 껴안고, 격려하면서…….
이 친구가 내 말끝마다 하는 말은 "워 샹신 니(난 널 믿어)." 내가 이 친구 말끝마다 하는 말은 "니 쭈어더뚜이(네가 한 일이 옳아)." 1박 2일 내내 가슴이 꽉 차서 터질 것 같은 기분이었다.
이쿠요 그리고 나. 우리는 서로를 지켜보면서 각자의 인생 길을 가고 있다. 앞으로 그 두 길이 자주 겹쳐지기를 간절히 바란다. 30대에 그랬던 것처럼, 지금 사십 대에 다시 그런 것처럼. 그러나 자주 만나지 못하면 어떠랴. 이 세상 어딘가에 있다는 것만으로도 마음 든든한 친구인데.

물, 물로 보지 마!

하루 종일 찬물 샤워 생각뿐이다.

아스팔트를 녹이는 폭염. 살펴보니 폭염(暴炎)의 염(炎)은 불이 두 개구나, 어쩐지. 예로부터 불은 물로 다스리는 법. 손발이 부을 정도로 찬물을 마시고 하루에도 몇 번씩 찬물 샤워를 하며 견디고 있다. 그러나 요즘 베이징의 물 사정은 아주 좋지 않다. 외국인 숙소는 그렇지 않지만 웬만한 곳은 격일제 단수이다. 그래서 물 대신 맥주를 마시나? 맥주가 생수보다 싸니 말이다. 어떻게 산도 없고 강도 없는 베이징을 중국의 수도로 정했는지 정말 모를 일이다. 이렇게 물이 부족한 곳에서 살다 보니 나 역시 물에 대해 대단히 민감해진다.

얼마 전 한국에서 손님이 와서 내 방을 내어주고 며칠 간 어언문화대학 내 기숙사를 빌려 묵은 적이 있다. 취사장과 세면장이 공용이라 조금 불편하긴 해도 오히려 이 공간은 각 나라 음식을 포함한 생활 습관을 한눈에 볼 수 있는 흥미로운 곳이기도 했다.

거기에 며칠 있으면서 학생들의 물 사용량이 나라에 따라 차이가 난다는 사실을 발견했다. 특히 일본 학생과 한국 학생이 설거지하는 것을 보면 그 차이가 두드러진다. 일본 아이들은 큰 그릇에 물을 받아 세제로 씻은 후에 물을 틀어 헹구는데 한국 아이들은 예외 없이 처음부터 끝까지 물을 틀어놓고 설거지를 한다. 이 닦는 것도 서양 학생은 컵에다 물을 받아서 쓰는데 한국 학생들은 이 닦는 내내 물을 틀어놓는다. 한 컵이면 충분한 일을 한 대야 이상 쓰는 것이다. 여기서 청소하는 아줌마들도 한국 사람들은 아주 물을 헤프게 쓴다며 흉을 보았다.

한국 학생들의 이런 버릇은 유학 중에 생긴 걸까? 아니다. 자기도 모르는 사이에 한국에서 하던 대로 하고 있는 거다. 우리가 얼마나 물을 많이 쓰고 있는가는 OECD 가입국 간의 물 소비량 대조에서 극명하게 드러난다. 우리나라의 물 소비량은 세계 1위, 일본의 네 배, 프랑스의 다섯 배 이상이라고 한다. 더욱 심각한 것은 이런 추세가 수그러들 기미가 전혀 없어, UN은 6년 후 우리나라가 리비아, 모로코 등 사막 국가들과 함께 물 부족 국가가 되리라 예견하고 있다.

우리나라 사람들의 이런 생각 없는 물 낭비가 외국에 가면 얼마나 눈총과 미움을 사는 일인지 모른다. 한국에서도 목욕탕에서 물을 너무 함부로 쓰는 사람을 보면 뭐 저런 사람이 있나 하는 것과 같은 이치일 거다. 특히 물이 귀한 나라에서 그렇다. 나도 시리아에서 그런 일을 당했다. 한번은 중동식 찜질 사우나를 마치고 샤워를 할 때 나도 모르게 물을 틀어놓은 채 여기저기 다녔는데, 순하기 그지없던 모슬렘 아줌마가 갑자기 험악한 얼굴이 되어 수도꼭지를 잠그며, "미쳤군, 미쳤어." 눈에 쌍심지를 켰다. 얼마나 놀랐는지. 그러나 욕

먹어도 싼 일이었다.

세상이 다 우리나라같이 물이 풍부한 것이 아니라는 것을 오지 여행을 하면서 뼈저리게 느꼈다. 동아프리카 케냐 깡촌에서 머물 때의 일이다. 그곳은 마치 타임머신을 타고 신석기 시대로 날아온 것 같은 아주 원시적인 오지 마을이었는데, 여자들의 하루 일과 중 가장 중요한 것이 물 길어오는 일이었다. 땡볕 아래 1시간 이상 걸어가서, 또 한나절 동안 차례를 기다려서는 물 한 동이를 떠오는데, 이 시뻘건 흙탕물 한 항아리로 열 명도 넘는 식구가 하루를 살아야 한다.

사정이 이러니 다른 인심은 후해도 물 인심만은 야박하기 짝이 없다. 물 좀 달라고 하면 딴에는 많이 준다는 것이 맥주병으로 딱 반이다. 그 물을 아껴 마시면서 더위를 견뎌야 하는 것은 물론, 이 닦고 세수하고 수건에 물을 묻혀 고양이 샤워를 하고 조금 남겼다가 화장실용 물로 사용해야 했다. 처음에는 세수하기에도 모자라는 물이었는데, 며칠 지나니 신기하게도 그 적은 양의 물로 큰 불편 없이 살아졌다. 인간의 적응력도 놀랍거니와 사람 사는 데 그렇게 많은 물이 필요한 건 아니구나 하는 생각을 했다.

한국에서도 그런 경험이 있다. 다음날 단수된다는 통보를 받고 부랴부랴 물을 받아놓았다. 물이 들어갈 만한 모든 것에 받아놓으면서도 모자라면 어떡하나 하는 걱정이 앞섰다. 그래서 되도록 아껴서 썼다. 세수한 물을 화장실 물로 다시 쓰고, 설거지 마지막 헹군 물은 화분에 주고. 나중에 보니 그날 받아놓은 물의 반의 반도 쓰지 않았다. 조금만 신경 써도 이렇게 물을 절약할 수 있구나 새삼 느꼈다.

우리나라 사람들은 왜 유별나게 물을 많이 쓸까? 국토 전역에 강이 흐르고 조금만 땅을 파도 물이 펑펑 나오니 물의 소중함을 느끼기 어려워 그럴까. 물값이 지나치게 싸기 때문이라는 말도 일리가 있다. 상수도 값은 생산 비용의 70퍼센트 정도, 즉 원가 100원짜리 물을 70원만 내고 쓴다는 것이다. 물값이 가정 경제에 큰 부담을 주지 않으니 생각 없이 마구 물을 쓰게 되어 '물 낭비'라는 나쁜 습관이 몸에 붙은 것 같다.

지난해 열린 세계 물 포럼에서 당장 물 소비를 줄이지 않으면 머지 않아 지구 전체가 물 고갈 상태를 맞이할 것이고, 곧 생태계가 악화되어 인간 생존 자체에 위협이 있을 것이라는 발표가 있었다.

세계까지 갈 것도 없이 당장 중국만 보아도 앞으로 10년 후면 물 때문에 큰 난리가 날 것 같다고 한다. 농업용수, 공업용수, 생활용수 모두 심각하게 부족하단다. 특히 농업용수가 부족하면 식량 생산에 차질이 생기고, 중국이 식량을 자급자족할 수 없어 외국에서 곡물을 사오게 되면 전 세계 곡물 가격이 폭등할 것이라는 예상이다. 곡물가가 폭등하면 식량 자급률이 25퍼센트(쌀을 제외하면 5퍼센트 남짓) 밖에 되지 않는 우리나라에 당장 치명적인 영향을 줄 것이다.

그러니 내 돈 내고 내 마음대로 쓰는데 무슨 상관이냐는 무식한 말은 하지 말자. 베이징에서 물 틀어놓고 이 닦는 것이 우리나라 쌀값을 비싸게 만드는 일과 직결된다지 않는가. 안정적인 국제 식량 수급(?)을 위해 이 닦을 때 컵에 물 받아 쓰는 것 외에도 오늘부터 당장 할 수 있는 일은 많다. 화장실 변기 물통에 벽돌 집어넣기, 그릇 닦을 때 내내 물 틀어놓지 않기, 샤워할 때 비누칠하는 중에는 물 틀어놓지 않기 등. 말 나온 김에 오늘 저녁 샤워할 때부터 한번 해보는 거다. 민족 중흥과 인류 평화를 위하여.

앗, 너무 거창했나?

"비야 언니, 오늘 도서관 열어요?"

"419호 소포 왔는데요."

"끼야호! 책 왔다!"

읽고 싶었던《체 게바라 평전》이 도착했다. 어찌나 반가운지 한참 껴안고 있었다. 중국 올 때부터 꼭 보고 싶었던 책인데, 비행기 탈 때 가방 무게가 넘쳐 눈물을 머금고 빼놓아야 했다. 이 책 부쳐준 친구는 내가 우체국 가는 게 번거로울까 봐 국제특급우편(EMS)으로 보냈다. 우송료가 책값보다 훨씬 비싸다. 미안하고도 고맙다. 이 웬수, 두고두고 갚아야지.

책은 아무리 생각해도 신기하기만 하다. 살아 있지도 않은 글자가 어떻게 사람을 웃기고 울리고 가슴 찌릿하게 만들면서 영향을 줄까?

나중에 죽어 하늘에 가면 꼭 만나서 고맙다는 말을 하고 싶은 세 사람이 있다. 종이를 만든 이, 활자를 만든 이, 그리고 한글을 만드신 세종대왕. 당신들 덕분에 아주 풍요롭고 재미있는 삶을 살았다고, 정말 감사드린다고. 그분들을 만날 때 좀더 떳떳할 수 있기 위해서라도 죽는 날까지 책읽기를 게을리하지 않을 작정이다. 베이징의 여름이 아무리 더워도 예외일 수가 없다. 체 게바라는 게릴라전을 펴는 중에도 책을 읽었다지?

그동안은 떠돌이 생활을 하느라 책읽기가 어려웠던 것은 사실이다. 많이 읽지도, 골고루 읽지도 못했다. 한국책을 구할 수 없는 곳에서는 영어나 일어로 된 책을 읽게 되는데 그 속도는 한글 책과 비교할 수 없이 느리고 답답하다.

그러다가 한국에 오면 신이 났다. 친구들을 만나면 나 없는 사이 어떤 책들이 나왔냐고, 너는 어떤 책이 좋았냐고 묻고 다닌다. 그렇게 귀동냥으로 목록을 만들어 책방 가서 직접 한 권 한 권 찾는 맛은 아주 짭짤하다. 내게 용돈이란 게 생기면서부터 붙은 습관이다. 두 손 가득 든 책 보따리가 주는 묵직함에 마음까지 든든해지는 건 '책 사기 중독' 증세 중 하나다. 그렇게 야금야금 사온 책들을 쌓아놓기만 해도 기분이 째지는데 한 권씩 읽어갈 때의 기쁨은 말해 무엇하랴. 한글 책을 읽을 때 느끼는 속도감이 짜릿함까지 더해준다.

사람들이, 그 중에서도 특히 학생이 책 읽을 시간이 없다는 건 순전히 엄살이다. 우선 순위에서 밀려서라고 생각한다. 물론 '통 시간'을 내서 정식으로 책상에 앉아 줄 치며 읽어야 하는 책도 있지만 많은 책들이 자투리 시간을 잘 활용하면 얼마든지 읽을 수 있다. 내가 중국에 와서 통으로 내는 시간은 금요일 오후부터 일요일 오전까지 이틀 간이다. 재미있는 책이 걸리면 밤을 새우며 보는데 보통은 한 주말에 두세 권의 책을 읽는다. 어느 주말에는 온통 개미 얘기로,

어떤 주말에는 전생과 후생을 넘나드는 여행으로 아주 다양한 삶을 살고 있다.

책 하면 생각나는 추억이 있다. 고등학교 1학년 때 일이다. 둘도 없는 단짝이자 선의의 경쟁자인 친구 영희와 올해부터 죽을 때까지 1년에 책 100권씩 읽자고 굳게 약속했다. 그래봤자 평생 1만 권도 읽지 못하는 셈이니 생이 너무 짧다고 한탄까지 하면서. 그날부터 독서 목록을 정해놓고 우리는 경쟁적으로 책을 읽기 시작했다. 한 권이 끝날 때마다 책 제목 지우는 맛으로 그 해를 보냈는데, 영희가 나보다 먼저 100권을 끝낸 것이 분해서 며칠 밤을 새워 마지막 두 권을 읽었던 기억이 새롭다. 그때부터였던 것 같다. 내 일기장 뒷면이 독서 일지가 된 것이.

친구와 했던 약속을 잊지 않고 매해 100권 이상의 책을 읽겠다고 마음먹지만 물론 뜻대로만 되지는 않는다. 해마다 100권을 읽는 건 아니다. 대학 입시에 떨어진 해처럼 두 배로 읽은 때도 있지만 갖가지 이유로 나라 밖에 있을 때는 한 달에 두세 권 읽기도 어려운 때가 많다. 여행 중에는 더욱 그랬다. 열심히 읽어도 한 해에 100권은커녕 스무 권도 어렵다.

지금도 외국 생활을 하고 있지만 그래도 한곳에 거처를 둔 정착민이니 사정이 좀 낫다. 중국으로 어학 연수를 떠나던 날, 비행기 가방 규정 무게 때문에 겨우 다섯 권을 챙겨오면서, '중국에는 한국 유학생들이 많으니 어떻게든 되겠지' 했던 게 오해였다. 유학생들이 가진 책은 중국어나 전공 관련 서적뿐, 순수한 독서 생활을 위한 읽을 거리는 거의 찾아볼 수가 없었다. 게다가 유학생들과 한가하게 책 얘기나 할 수 있는 분위기도 아니었다.

학생은 그렇다고 쳐도 베이징에 한국인이 수만 명이 넘게 사니 한국 도서관이나 하다못해 도서 대여점이라도 있을 거라는 생각에 사람들에게 물으니 그런 게 있겠냐고 오히려 반문했다. 몇 다리를 걸쳐 한국 도서관을 찾긴 했는데 내가 사는 동네에서는 오갈 수 없을 정도로 먼 곳에 있었다.

사정이 이러하니 자급자족 이외에 다른 수가 없어 보였다. 이럴 때는 책 동냥이 최상책이다. 우선 안면이 있는 사람들이 베이징에 올 때마다 일용할 양식을 좀 갖다달라고 애원 겸 부탁을 했다. 우리 식구들이 올 때는 최소한 열 권 이상이었다. 내 협박에 못 이긴 친구들이 소포로 보내준 책도 수십 권이다. 이렇게 안달복달하면서 책을 구한 덕에 오십 권 정도를 확보해두었으니 이것으로 그럭저럭 여름은 날 수 있을 것 같다.

물론 이 알토란처럼 귀한 책들은 내 주위의 사람들과 공유하고 있다. 내 방을 아예 작은 도서관으로 꾸리면서 말이다. 이름하여 419 도서관(내 방이 419호실이니까). 도서 대출 장부가 한 권이 넘어갈 정도로 인기 만점이다. 누가 유학생은 책을 안 읽는다고 했나. 책이 눈앞에 있으니까 이렇게 열심인데.

여행은 정말로 남는 장사라니까

몇 사람 간단히 죽여버릴 것같이 작열하는 태양. 그림자조차 지지 않는 햇볕 쩅쩅한 오후. 가만히 앉아 있어도 가슴 사이로 양쯔강, 황허강이 흘러내린다. 그러나 명색이 학생이니 덥다고 본분을 게을리 할 수는 없는 법. 공부에도 요령이 있다. 머리도 식히고 신나게 놀면서 재충전도 하고 동시에 공부하는 법이 있다면? 당연히 귀가 쫑긋해질 것이다. 그 비법은 바로 여행이다.

집에 있는 빼꼼이보다 돌아다니는 멍청이가 낫다라는 말이 있다. 책에서 배운 것, 신문, 방송, 영화에서 수없이 보고 들은 일을, 제 눈으로 직접 보고 온몸으로 겪어내는 것만큼 효과적인 공부는 없기 때문이다.

어학 연수를 온 사람이라면 방학을 이용해서 왔든, 휴학을 하고 왔든, 또 다른 청운의 꿈을 품고 왔든 공부 기간의 4분의 1은 여행을 하기를 적극 권한다. 그것도 여럿이 몰려다니는 여행말고 혼자서,

비행기나 고급 기차를 타는 편한 여행말고 저경비, 육로 여행으로 말이다. 그래야 많은 사람들을 만날 수 있고 다양한 체험을 할 수 있게 된다. 이런 여행은 더없이 좋은 언어 연습장이자 자기 실력 실험장이며, 그 언어에 대한 자신감을 갖게 하는 다채로운 삶의 현장이다. 끊임없이 이어지는 실제 상황에서 튀어나오는 실력이 진짜 실력이고 영원히 남는 실력이다.

그러니 중국어에 자신이 없다고 자기보다 중국어를 잘하는 사람과 동행하는 것은 그야말로 자해 행위다. 중국에 왜 왔는가? 편하려고 왔는가? 말을 제대로 배우려고 왔다면 무조건 말을 많이 듣고 많이 하는 수밖에 없다. 그리고 혼자 하는 여행이야말로 최적의 기회이다. 여행을 하다 보면 어느덧 중국 사람들이 내 말을 알아듣고 나도 아쉬운 대로 할 말을 할 수 있다는 자신감이 붙게 마련이다. 이런 기회를 놓치는 건 정말 '멍청이' 다.

여행 기간도 중요하다. 너무 짧으면 오가는 데 시간 다 보내기 쉽고 너무 길면 놀다만 간다는 자책감(?)이 생길 테니까. 방학을 이용해 온 학생이라면 일주일 기간의 여행을 두 번쯤, 1년간 왔다면 한 계절에 한 번 정도 가는데 여름, 겨울 방학에는 좀 길게, 좀 멀리 가면 좋겠다. 이렇게 시간이 넉넉할 때는 이름난 관광지를 메뚜기처럼 튀어다니는 것보다 실크로드, 윈난성, 동북 3성(헤이룽장, 지린, 랴오닝), 쓰촨성, 티베트 등 주제가 있는 동네를 충분히, 찬찬히 보았으면 한다.

여행 배낭을 꾸릴 때 고추장, 김과 함께 꼭 챙겨 갔으면 하는 것이 있다. 한국 돈이나 한국 풍물이 들어 있는 그림 엽서 등 우리나라를 소개할 만한 물건들이다. 다니다 보면 우리를 소개하고 싶은 때도,

해야 하는 때도 참 많다. 그럴 때마다 이런 작은 소품들이 얼마나 요긴하고 결정적인 역할을 하는지 모른다.

그런 '시청각 자료'와 더불어 잊지 말아야 할 것이 있다. 바로 우리 문화에 대한 최소한의 애정과 지식이다. 왜 노는 얘기하다가 갑자기 이렇게 교장 선생님 같은 소리를 하냐고? 지난 주 학원에서 있었던 일 때문이다.

회화 시간이었는데, 그날의 주제는 중국의 명승고적이었다. 중국인 선생이 자금성, 만리장성, 둔황 석굴에 대한 역사와 전설을 설명하면서 여러 나라 학생들에게 이런 명승고적에 대해 어떻게 생각하느냐고 일일이 물었다. 그러더니 갑자기 한 한국 학생을 지목하면서 한국의 명승고적을 한번 소개해보라고 했다. 나와 친한 그 학생은 우리 반 한국 학생 가운데 제일 중국말을 잘하기 때문에 제대로 설명을 할 수 있겠구나 생각했다. 그런데 그 친구 한동안 아주 곤란하고도 난처한 웃음을 짓더니 이렇게 대답했다.

"메이여우(없어요)."

순간 내 얼굴이 화끈 달아올랐다. 아니, 메이여우라고? 그 수업이 끝난 후 따지듯이 물었다.

"너 아까 왜 그렇게 대답했니?"

"그게 말이에요. 자금성, 만리장성 말하다가 경복궁이나 석굴암 이야기하려니 어쩐지 초라해 보여서요."

"초라해?"

"크기로 보나 역사로 보나 그렇잖아요."

그 학생은 조금 민망했는지 어색한 웃음으로 얼버무렸다. 그런 얼굴을 보며 더 이상 다그칠 수가 없었다. 그러나 한 나라의 문화유산을 크기나 역사로만 따질 수 있겠는가. 문제는 우리 문화유산에 대한 관심과 애정이지.

왜 아까 이 말을 하지 않았나 속이 끓어올라 집으로 돌아오는 길 내내 혼자 씩씩거렸다. 특히 그 학생은 국제관계학 전공으로 세계를 무대로 일할 거라지 않은가. 영어와 중국어는 21세기를 사는 젊은이들이 갖추어야 할 세계화의 필수 도구라며 무섭게 공부하는 사람이니 더욱 이 말을 해주어야 했는데.

세계 일주 동안 내 배낭에는 태극기와 단소, 그리고 우리나라 그림 엽서가 어김없이 들어 있었다. 처음에는 별 생각 없이 가지고 다녔는데 외국인에게 그림 엽서를 보여줄 때마다 그 인기에 내가 더 놀랐다. 항아리가 가지런히 놓여 있는 장독대, 메주가 주렁주렁 걸려 있는 대청마루, 천하대장군과 지하여장군이 서 있는 마을 어귀 풍경 등을 보면서 무척 흥미로워한다. 한 장, 한 장 설명해주면 아주 신기해하며 다른 것도 자꾸만 물어본다.

태극기는 또 어떻고. 여행자나 현지인과 주소를 주고받을 때 내 이름 옆에 색 볼펜으로 태극 무늬를 넣어준다. 그러면 이게 무슨 뜻이냐고 묻게 마련인데, 그때 자연스럽게 우리 국기 자랑을 한다. 태극의 빨간 부분은 존귀와 양을, 파란 부분은 희망과 음을 뜻하는데 세상 모든 사물과 이치가 바로 이 음양의 조화라는 뜻이라고 말해준다. 귀퉁이의 네 괘는 각각 하늘, 땅, 해와 달을 상징한다고 설명하면 깜짝 놀란다. 그럴 때 배낭 안의 작은 태극기를 꺼내 보이면 존경을 담은 손길로 태극기를 만진다. 한 장의 국기 안에 그런 깊은 뜻이 담겨 있냐면서.

단소도 그렇다. 현지인 집에 민박을 하거나 배낭 여행자 숙소에 며칠 묵게 되면 꼭 단소 불 일이 생긴다. 외국인들끼리 섞여서 놀 때는 노래와 춤이 빠지지 않는데 이럴 때마다 나는 단소로 '군밤타령'이나 '아리랑' 등을 분다. 느리게 불면 한없이 슬프고, 빠르게 불면 흥이 저절로 솟는 대나무 소리, 신비한 '한국의 소리'가 좌중에 큰 즐거움을 가져다준다.

한글은 더욱 그렇다. 여행 중 친해진 사람들에게 주는 최대의 기념품은 한글로 써준 이름이다. 나라 밖에는 우리가 고유한 말과 글을 쓰고 있다는 사실을 모르는 사람이 훨씬 많다. 한국에서는 한문을 쓰고 중국말이나 일본말을 사용하는 줄 안다. 그래서 내가 한글을 써주면 무지 놀란다.

"아니, 동그라미와 네모 그리고 작대기가 어떻게 내 이름이 된 거예요?"

이때가 바로 내가 우쭐해지는 순간이고 상대방이 한국에 대해 관심을 보이기 시작하는 순간이다. 그 후에는 화제가 흘러가는 대로, 내가 아는 대로 '한국' 얘기를 해주곤 했다.

다녀본 사람은 느꼈겠지만 세상 사람들은 놀라울 정도로 한국에 대해 잘 모르거나 관심이 없다. 중국만 해도 도시를 조금만 벗어나면 옆 나라인 우리나라에 대해 아는 바가 거의 없다. 일부러 기회를 만들지는 못한다 하더라도 여행 중에 자연스런 기회가 있다면 이 사람들에게 우리 문화, 정치, 경제 상황을 제대로 말해주어야 한다. 왜 통일을 해야 하는지, 한일 관계, 한중 관계는 어떻게 진행되는 것이 바람직한지 등등. 이런 주제가 나오면 제발 모른다고 슬쩍 넘어가지 말자. 아는 대로라도 충분히, 적어도 성의 있게 얘기해보자.

대부분의 서양 여행자들은 우리나라를 포함한 아시아의 당면 문제에 대해 정말 잘 모른다. 그래서 오히려 조금만 설명을 해주어도 당장에 표정이 달라지며 고개를 끄덕인다. 자주 만나는 일본 여행자들도 보통은 이런 복잡한 문제에 대해 관심이 없다. 그러나 과거사를 가지고 이들과 얘기할 때가 되면 우리나라 학생들은 설명이나 토론 이전에 감정이 앞서는 경우를 여러 번 보았다. 쉽지는 않지만 이럴 때 상황에 맞게 쉽고도 차분하게 설명해주도록 노력해보자. 중국말, 혹은 영어를 잘 못해서 설명을 못하겠다면 한번 곰곰이 생각해보자. 정말 그것이 이유인가?

생각해보라. 아주 옛날 고랫적부터 세상을 움직이는 사람들이 누구인가. 한 세상을 다른 세상에 알리고 그 문화를 서로 옮기는 사람들은 누구인가. 바로 여행자, 유학생, 구도자 그리고 상인이다. 이렇게 보면 중국 유학 중에 여행하는 한국 학생들은 자의든 타의든 일인이역을 맡은 것이다. 유학 혹은 해외 여행이라는 사회적 혜택을 받고 있는 사람들로서, 문화 수용자와 전달자로서, 더구나 세계를 무대로 일하려는 사람이라면 더욱더 우리 것에 대해 제대로 알고 설명할 수 있어야 하는 이유도 여기에 있다.

나는 여행을 하면서 아주 중요한 사실 하나를 깨달았다. 국제화, 혹은 세계화란 어느 것과 어느 것이 섞여서 전혀 다른 맛을 내는 술 칵테일이 아니라, 섞어놓아도 각각 제 맛을 내야 더 맛있어지는 과일 칵테일 같은 것이란 사실이다. 기술의 발달로 세상이 점점 획일화, 정형화되는 것처럼 보이지만 그럴수록 각 문화의 제 맛을 제대로 내는 일이 점점 더 중요해지는 것이다.

이렇게 보면 '세계인과 어깨를 나란히'는 절대로 거창하고 복잡한 일이 아니다. 다른 나라 사람이 우리 것에 대해 호기심을 보일 때 자신 있게 설명해주는 것부터 시작이다. 물론 처음부터 잘 되는 것은 아니다. 이것도 세상 모든 일과 마찬가지로 연습과 훈련이 필요하다. 그래야 자연스럽게 나온다. 나 역시 지난 수년간 훈련을 해왔고 지금도 열심히 훈련 중이다.

여행을 떠나려는 사람들은 명심할지어다. 여행 중에는 보는 것만큼 보여주는 것도 중요하다는 것을. 뭐라고? 놀러가는데 이런 얘기는 너무 골치 아프지 않냐고? 그러게 잘 노는 것도 힘들다니까.

여름과 가을 사이

그날 나는 마음을 굳혔다.
여행이 끝나면 난민 기구에서 일하리라고.
특히 아이들을 위해 나를 아낌없이 쓰겠다고.
돌아보면 국제홍보를 전공한 것도, 7년간 세계를 돌아다닌 것도
이 일을 하기로 마음먹는 과정, 이 일을 잘 하기 위해
운명적으로 거쳐야 했던 과정이 아니었을까라는 생각이 든다.

캄보디아 가출 소년 세카와 함께.

몇 날 며칠 하염없이 물을 기다리는 케냐의 여인들.

긴급구호 활동가 한비야

8월 말과 9월 초에 걸쳐 보름 동안 캄보디아와 케냐에 다녀왔다. 중국어가 그렇게 재미있다면서 공부하다 말고 웬 외국 여행? 명색이 유학생인데 그럴 리가 있겠는가. 놀러간 것이 아니라 한 비정부기구(NGO)가 지원하는 사업 현장에 다녀왔다. 앞으로 내가 하게 될 긴급구호 활동의 현장이기도 하다.

긴급구호 활동이라니, 어쩌다가 그런 험한 일에 관심과 애정을 가지게 되었나. 돈도 밥도 안 되는 그 일이 왜 이렇게 하고 싶은가는 앞서 냈던 내 책을 본 사람이라면 이미 잘 알고 있을 것이다. 여기서는 이번에 내 책을 처음 읽는 이들을 위해 간단하게 다시 얘기해야겠다.

1993년 세계 여행을 떠나기 전까지 나는 긴급구호 활동이나 난민에 대해 아는 바가 전혀 없었다. 그저 부산 어딘가에 산다는 베트남 난민들에 대해 듣거나 텔레비전에서 뼈만 앙상한 죽기 일보 직전의

먼 나라 아이들 모습을 본 것이 고작이었다.

그런데 세계 여행에 나선 지 3년 되던 해, 아프리카를 종단할 때였다. 그때 나는 세계 일주가 끝나면 무슨 일을 할 것인가 고민하고 있었다. 집도 절도 직장도 없이 완전히 무에서 새로 시작해야 했기에 꽤 심각하고 절실했다. 그런 내 눈에 어느 날부터인가 난민들이 들어오기 시작했다.

당시의 아프리카는 수십 년간에 걸친 내전과 기근, 홍수 등 그야말로 천재(天災)와 인재(人災)의 종합 전시장이었으니 아프리카 전체가 이동 난민촌이라 할 수 있을 정도로 난민들이 넘쳐났다. 처음에는 이들이 그저 진기한 구경거리로만 보였다. 나와는 아무 상관없는 사람들이라고 생각했기에 사람이 죽어가는 순간에도 사진기를 들이댈 수 있었다. 그런 모습을 대단한 기념 사진용이라고 생각했었던 것이다.

그런데 언제부터인가 난민이 전체가 아니라 한 사람, 한 사람으로 보였다. 아프리카 북쪽으로 여행을 계속하던 나는 어느새 시간과 힘이 허락하는 대로 할 수 있는 일을 거들기 시작했다. 보통 작은 자생 난민촌은 국제 기구의 보호와 지원을 제대로 받지 못하기 때문에 사정이 아주 열악하다. 이런 난민촌에서 식량을 나눠주는 일도 하고, 정착 난민촌에서는 아이들에게 영어도 가르쳤다.

이렇게 온갖 질병과 적군의 반격, 강간 등 한치 앞도 알 수 없는 위태로운 곳의 아이들일수록 공부도 열심히 하고 밝은 웃음을 잃지 않는다. 가슴 아플 정도로 기특하다. 물론 기가 막힌 일도 많이 보고 겪었다.

에티오피아에 있는 소말리아 난민촌에서다. 이곳 아이들은 처음부터 동양인인 나를 하나도 낯설어하지 않았다. 하루 종일 20명 정도의 아이들이 내 주위를 뱅뱅 돌며 떠나지 않았는데, 그 중에 나와 눈이 마주치면 혀를 쏙 내밀고 웃는 꼬마가 있었다. 까만 얼굴에 분홍색 혓바닥이 너무 귀여워 '핑크보이'라는 별명을 붙여주었다. 하루는 도시에 나갔다가 이틀 만에 와보니 그 아이들이 한 명도 안 보였다. 장난치느라고 숨었구나 생각하고, "핑크보이 나와라, 못 찾겠다 꾀꼬리." 하며 찾았더니 거기 있던 사람이 끔찍한 말을 전한다.

"그 아이들 다 죽었어요."

그 며칠 사이에 콜레라와 괴질이 돌았다는 거다. 이들의 직접 사망 원인은 어이없게도 800원짜리 링거 한 병으로 간단히 고칠 수 있는 탈수증이었다.

수단과 에리트레아 국경에서는 이런 일도 있었다. 내전 중인 수단에서 빠져나오면서 부모를 잃은 열세 살짜리 꼬마 아가씨가 난민촌에 있었다. 영어도 아주 잘하고 말하는 폼이 잘 교육받은 아이였다. 자기는 커서 국제 적십자단의 간호사가 되고 싶은데 세상에서 가장 중요한 건 사랑을 주고받는 일이라고 굴뚝같이 믿고 있었다.

어느 날 수단으로 가는 배편을 물색하고 다시 들렀는데 날 반겨야 할 그 아이가 인사불성으로 야전 침대에 널브러져 있었다. 이 아이가 왜 이러느냐고 직원을 다그치니 간밤에 정체를 알 수 없는 군인 예닐곱 명에게 윤간을 당했다고 한다. 갑자기 무릎에 힘이 쭉 빠졌다.

'도대체 이 아이가 무슨 잘못을 했단 말인가?'

여행은 아프리카에서 중동으로 이어졌다. 중동도 사정은 마찬가지였다. 팔레스타인, 요르단, 시리아와 이란을 거치면서 수많은 종류의 난민들을 만나게 되었다.

하지만 나를 난민 구호 활동으로 이끈 결정적인 사건은 20년 이상 내전 중인 아프가니스탄의 한 자생 난민촌에서 있었다. 나는 그곳에서 호기심 많은 아이들과 손짓, 발짓 섞어가며 한참을 재미있게 놀았다. 남자 아이들에게는 태권도 시범을 보이고, 여자들에게는 삼색 볼펜으로 꽃반지를 그려주니 얼굴이 당장에 환해진다. 그러나 나를 보는 어른들의 눈총은 견딜 수 없이 따가웠다. 외국인과 얘기를 했다고 반군들에게 받을 추궁이 무서웠던 것이다.

아이들에게 전쟁이 끝날 때까지 꼭 살아남아달라고 마음속으로 당부를 하고 돌아서려는데 누군가 수줍게 웃으며 빵을 건네주었다. 지뢰를 밟았는지 왼쪽 다리 없이 목발을 짚고, 오른쪽 팔꿈치 아래가 잘려 나간 여자 아이였다. 얼마 만에 생겼는지, 또 언제 다시 생길지 모르는 귀한 양식을 자기와 놀아준 '친구'에게 주려는 것이다.

한순간 어쩔까 망설였다. 이 빵을 이 아이가 먹고 배가 부른 것이 좋은 건지, 내가 먹어 내가 이 아이들의 친구라는 걸 알리는 것이 좋은 건지. 찰나의 망설임 끝에 나는 빵을 받아 한입 베어 물었다. 그러자 같이 있던 아이들이 손뼉을 치고 소리를 지르며 좋아서 어쩔 줄을 몰랐다. 순간 가슴 밑바닥에서 마그마처럼 뜨거운 것이 솟아올라왔다.

그날 나는 마음을 굳혔다. 여행이 끝나면 난민 기구에서 일하리라고. 특히 아이들을 위해 나를 아낌없이 쓰겠다고. 돌아보면 국제홍보를 전공한 것도, 7년간 세계를 돌아다닌 것도 이 일을 하기로 마음먹는 과정, 이 일을 잘하기 위해 운명적으로 거쳐야 했던 과정이 아니었을까라는 생각이 든다.

그러나 긴급구호 활동이란 혼자 할 수 있는 일이 아니라 단체 안에서 조직적으로 해야 하는 일이다. 여행을 끝내고, 중국에서 공부를 하면서 나는 일할 수 있는 NGO를 열심히 살피고 있었다. 그러던 중 눈에 번쩍 띄는 NGO가 나타났다. '기아 체험 24시간'이나 '사랑의 빵'으로 우리에게도 이미 친숙한 '월드비전'이다. 한국전쟁 때 우리나라의 고아와 미망인을 돕는 일로 시작된 이곳은 현재 전 세계 1백여 개국에서 긴급구호 및 개발 사업을 벌이고 있는 세계적인 NGO이다.

내가 여러 인터뷰나 글에서 난민 구호 활동에 관심이 있다고 한 말이 '씨'가 되었는지 월드비전 창립 50주년 행사의 일환으로 태국, 캄보디아, 케냐 등의 해외 사업장을 돌아볼 수 있는 기회가 주어진 것이다. 3주일 이상 수업을 빼먹으면 가을부터 다닐 학교에서 잘릴 수도 있었지만 전화로 이 제안을 받았을 때 나는 너무 기뻐서 전화통 속으로 들어갈 뻔했다. 한국 월드비전이 돕고 있는 사업장을 방문하여 구호 내용을 파악하는 것이 이번 출장의 목적이지만 개인적으로는 긴급구호 활동가로서 첫 발걸음을 내딛는 셈이다.

여기서 긴급구호 활동이란 무엇인가 짧게 짚고 넘어가자. 구호 활동은 크게 긴급구호와 개발 사업으로 나뉘는데 여기서는 긴급구호에 대해서만 얘기하겠다. 전쟁이 났다고 가정해보자. 그러면 대량의 피난민이 생긴다. 이 피난민들을 긴급하게 구호하기 위해서는 우선 사람들을 파악하고 통제해야 한다. 그 다음에는 깨끗한 물, 식량, 천막, 약품 등이 적절히 공급되어야 한다.

그리고 이에 못지않게 중요한 것이 홍보다. 현장의 상황을 제대로 파악해서 왜 이런 일이 일어났으며, 어떤 물자와 도움이 필요한지 알려야 한다. 이웃 나라를 설득해 피난민을 안전하게 피신시키는 것도 중요하다. 난리가 끝난 후에는 피난 갔던 사람들이 돌아와 정착할 수 있도록 돕는 것까지가 긴급구호 활동이다. 여기서 나는 국제홍보 요원으로 일하려는 거다. 예비 긴급구호 활동가로서 첫 출장지는 캄보디아였다.

캄보디아 에이즈 현장 보고서

캄보디아의 수도 프놈펜. 메콩강이 도도히 흐르고 있는 중심가의 저녁 어스름 무렵. 초등학교 5, 6학년 정도의 여자 아이들이 좁은 골목 양옆에 열병식이나 하듯 한 줄로 늘어서 있다. 뒤로 보이는 판잣집은 붉은 조명을 밝힌, 감옥 독방보다 좁은 칸막이 방. 오토바이를 타고 온 두 남자가 들어서니 길가에 서 있던 아이들이 벌떼처럼 달려든다. 남자들은 물건 고르듯 한 명씩을 골라 뒷방으로 들어가고 나머지 소녀들은 다시 재잘거리며 손님을 기다린다. 어린이 매춘의 현장이다.

이런 어린이 매춘부 문제말고도 캄보디아에서 시급하게 풀어야 하는 문제는 지뢰 제거, 거리에 나와 사는 어린이들, 소년병, 그리고 폭발적으로 늘고 있는 에이즈 환자다. 내가 보고 들은 얘기를 다 옮기려면 책 한 권으로도 모자랄 테니까 여기서는 너무나 충격적이었던 에이즈 예방 사업과 어린이 매춘에 대해서만 말해보겠다.

정말 어떻게 된 일인지 모르겠다. 왜 독실한 불교 국가이자 사회주의 국가였던 캄보디아에 에이즈 환자가 이토록 많은 걸까? 1991년에 단 한 명으로 보고된 에이즈 환자는 7년 만인 1998년 무려 18만 5천 명에 육박한다. 인구 1백 명당 2.5명이라는 믿지 못할 통계다.

에이즈 관련 사업은 예방과 환자 돌보기로 나뉜다. 우리는 환자들을 직접 만나보기 위해 에이즈 센터를 찾았다. 1995년 캄보디아 최초로 시작했다는 이곳에는 에이즈 환자 75명이 의학적, 심리적 치료를 받고 있었다.

우리를 보자 기다리고 있던 환자들이 "사바이 테?(안녕하십니까?)" 하며 두 손을 모으고 고개를 약간 숙이는 캄보디아식 인사를 한다. 한눈에 보기에도 병색이 완연했다. 콜라를 내오는데 무심코 병을 따는 손과 팔뚝을 보니 이미 얼룩덜룩 하이에나 같은 반점이 퍼져 있었다. 에이즈 환자를 내 눈으로 보기는 이번이 처음이다. 이 병이 성행위나 약물 주사 혹은 수혈 등을 통해서만 감염된다는 것을 잘 알면서도 그들이 따라놓은 음료수에 선뜻 손이 가지 않았다. 서양식 악수를 하지 않아 다행이라는 생각도 들었다.

그날 모인 그룹은 여자 8명, 남자 6명. 1살짜리 아기부터 40세까지다. 아주 초기 환자 한두 사람만 빼고는 모두 깡마르고 얼굴이 숯검댕 같다. 걸터앉아 있는 것도 힘겨워 보여 무엇을 물어본다는 것이 미안할 지경이었다. 눈에 띄는 사람은 쟌몰이라는, 미라처럼 말라 비틀어진 18세 된 여자 환자다. 얼굴에 핏기는커녕 눈꺼풀 움직일 힘도 없어 보였다. 14세 때 시골에서 무작정 상경하여 3년간 소녀 매춘부로 있다가 임신을 하게 되었단다. 작년에 아이를 낳았는데 에이즈에 감염되어 5개월 전에 죽었다. 전신이 쑤시고 견딜 수 없이 아파서 하루 빨리 죽었으면 좋겠단다.

쟌몰과 같은 경우가 캄보디아 에이즈 환자의 전형이라는 게 미국인 의사의 설명이다. 소녀 매춘부는 전국에 약 20만 명, 겨우 12세에서 17세 사이란다. 살기 어려운 시골에서 먹는 입 하나 줄이자고 여자 아이를 파는 경우가 허다하다. 물론 부모는 아이를 공장에 취직시켜 돈도 벌고 학교도 보내준다는 말에 속는 거지만. 매춘부의 절반은 국제 인신매매단을 통해 들어온 베트남 여자 아이들이란다. 놀랍고 부끄럽게도 여기 매춘굴의 판잣집 임대업을 하고 있는 사람과 포주 중에는 한국인도 있다고 한다.

유럽 등 외국에서 섹스 관광을 오는 '정신병자'들은 그래도 에이즈는 무서운지 점점 더 어린아이들을 찾고 있다. 성 경험이 없는 어린애를 단돈 4백 달러에 사서 일주일이고 한 달이고 놀다 버리면 이 아이들은 고스란히 소녀 매춘부가 되는 거다. 이런 아이 중에는 심지어 8살짜리 '베이비'도 있다. 캄보디아뿐만 아니라 태국이나 필리핀 등에서는 오십대의 서양 남자가 중학생 정도의 현지 여자 아이들을 끼고(?) 다니는 것을 흔하게 보는데 이들은 너무나 자연스럽게 여자들을 'paid girlfriend(돈 주고 산 여자 친구)'라고 부른다.

이 어린이, 소녀 매춘부의 99퍼센트가 에이즈 보균자이기 때문에 여기에 드나드는 현지 남자들 역시 모두 감염되었다고 봐도 좋다. 이들은 콘돔을 사용하지 않고, 에이즈도 감기나 몸살 혹은 다른 가벼운 성병처럼 걸리면 쉽게 치료할 수 있다고 생각하고 있어서 에이즈가 이토록 급속히 퍼지고 있는 것이다.

그러나 예방 사업장까지 제 발로 걸어올 수 있는 사람들은 나은 편이다. 에이즈 환자는 몸에 면역성이 전혀 없기 때문에 보통 사람이라면 간단히 나을 병에도 치명적이다. 말기에는 감기나 설사 같은 병으로도 죽는데 발병 후 5년 이상을 살기 어렵다고 한다.

우리는 죽음을 앞둔 말기 에이즈 환자들의 집을 찾아보기로 했다. 이런 환자들은 월드비전 소속 간호사들이 병세에 따라 일주일에 두세 번, 방문 관찰을 한다고 한다. 비 때문에 진흙탕이 되어버린 비포장도로를 지나 허름한 집으로 들어갔다.

나무로 지은 이층집 아래에서 평상을 놓고 곁방살이를 하고 있는 미콩(35세). 그이에게는 세 살, 다섯 살 된 아이가 있다. 지뢰 작업반이던 남편이 에이즈로 죽은 후 길거리 청소 등으로 연명하던 중 끼니를 이을 길이 없어 피를 팔러 갔다가 보균자라는 것을 알게 되었다.

처음에는 몹쓸 병을 옮긴 남편도 원망하고 착실한 불교 신자인 자신에게 왜 이런 일이 생겼는지 신세 한탄도 했지만 두 아이를 생각해서라도 꼭 살고 싶단다. 몸이 쑤시고 위가 아파서 잠도 잘 수 없을 만큼 고통스럽지만, 세 살짜리 아이가 설사와 심한 탈수로 괴로워하는 것은 차마 눈뜨고 볼 수 없다며 눈물을 훔친다. 하지만 미콩의 남은 삶은 3개월 남짓이다.

"에이즈가 죽는 병인 줄 정말 몰랐어요."

두 번째로 찾은 37세의 남자 환자가 말꼬리를 흐린다. 잔잔한 미소가 얼굴에 밴 스마일 보이다. 국경에서 군인으로 근무하던 중 말라리아에 걸려 피 검사를 받다가 감염된 사실을 알았다는데, 그때까지 에이즈라는 말을 들어본 적도 없다고 한다.

한 집안에 딸과 사위, 아들과 며느리가 몽땅 에이즈에 걸려 죽고, 남은 친손주, 외손주 다섯 명을 혼자 키우고 있는 할머니도 만났다. 빵 장사를 해서 근근이 살아가는데 동네 사람들은 이 집 빵을 절대로 사먹지 않기 때문에 아주 멀리 장사를 나가야 한다.

아이들에게도 벌써 증상이 나타나 열네 살 남자 아이가 자리에서 일어날 수 없을 정도로 마르고 힘이 없었다. 간호사에 따르면 그 다섯 명의 손자들 중 단 한 명만 에이즈에 감염되지 않았단다.

문제는 캄보디아의 에이즈 문제가 예외적인 것이 아니라 아주 일반적인 현상이라는 점이다. 에이즈는 지금 이 시간에도 대륙을 넘나들며 맹위를 떨치고 있다. 특히 아프리카의 현실은 참혹하기까지 하다. 한 예로 남부 아프리카에서는 15~45세 사이의 주민 가운데 약 20퍼센트가 에이즈에 감염되었다고 한다. 아직까지 에이즈를 치료하거나 예방할 수 있는 획기적인 방법이 없으니 에이즈 진단은 곧 사망 통지일 수밖에 없다. 상황이 이렇게 심각한데도 각국 정부는 속수무책이다. 그럴 수밖에 없는 것이 캄보디아만 보더라도 프랑스 식민 지배와 전쟁, 그리고 '킬링필드'라는 대학살의 소용돌이에서 이제 겨우 빠져나왔다.

GNP 3백 달러 미만의 이 나라에서 정부는 손을 쓰고 싶지만 돈도 인력도 없다. 그러면 이들에게 당장 필요한 것은 무엇일까. 치료법이 없으니 더 이상의 감염을 막는 것이 최선이다. 단 7년 만에 환자 수가 18만 배로 불어난 것은 순전히 그 병에 대해 무지해서이다. 이렇게 만연한 에이즈가 갖가지 경로를 통해 우리나라 등 주변 국가로 퍼지는 것은 시간 문제다.

정부가 힘을 쓸 수 없는 이런 곳에서는 정부 일을 대신하는 비정부기구들의 역할이 결정적이다. 그러나 이들 NGO 역시 돈과 인력이 있어야 일을 할 수 있다. 우리, 언제까지 강 건너 불구경만 하고 있을 것인가.

반 컵의 물에 목숨거는 사람들! 케냐에서

도로 양 옆으로 즐비한 동물들의 뼈. 만지면 바스러질 것 같은 나무와 풀. 정수리로 내리 꽂히는 태양. 그리고 그 태양 아래서 목말라 죽어가는 사람들. 아프리카 케냐와 소말리아 국경인 와지르 지역, 5년 가뭄의 현장이다.

수년간 비다운 비가 오지 않는 케냐, 에티오피아, 소말리아는 이렇게 국토 전체가 불모지가 되어가고 있다. 이상 기후 엘니뇨 현상의 최대 피해지이다. 내가 찾은 사업장은 그 목마름의 한가운데였다. 나이로비에서 경비행기로 2시간 30분, 케냐에서도 제일 낙후한 곳 중의 하나인 이곳은 인구 32만 명 대부분이 소말리인이고 이슬람교를 믿는 유목민이다.

한국 월드비전과 한국 국제협력단(KOICA)은 1995년부터 이곳에서 긴급구호 사업을 벌이고 있다. 극심한 영양 실조로 근근이 생명의 불씨를 이어가는 아이들을 돌보는 병원과 보건소, 새 생명이 태어나는 조산원 등도 충격적이었지만 나에게 강렬한 인상을 남긴 곳은 역시 현장이었다. 마을까지 가는 길은 '물'을 두고 부족 간의 살인, 강도가 극성을 부리는 곳이라 중무장한 군인 여섯 명이 따라 붙었다.

이곳에서 내 이름 때문에 작은 에피소드가 있었다. 사업장에 도착한 첫날 현장 책임자가 나를 현지인들에게 소개할 때마다 동네 사람들이 뛸 듯이 기뻐하며 내 손을 부여잡고는 놓지 않았다. 그러고는 자기들끼리 '비야, 비야' 내 이름을 되새기며 또 좋아하길래 무슨 영문인가 궁금했다. 알고 보니 소말리어로 '한'은 큰 항아리, '비야'는 물이란다. 물 한 방울이 귀한 곳에 큰 물 항아리가 왔으니 비가 내릴 거라면서 그렇게 좋아하는 거란다.

그런데 정작 놀라운 일은 그날 밤에 일어났다. 2년 만에 처음으로 굵은 비가 내린 것이다. 밤부터 그 다음날 아침까지 비가 쏟아지자 남녀노소 할 것 없이 집 밖으로 나와 빗속에서 소리를 지르고 덩실덩실 춤을 추며 좋아했다. 바싹 마른 땅에 물 웅덩이가 생길 만큼 많은 비가 왔는데 이들은 이것이 모두 나 때문이라고 생각했다. 나는 잠시 '비야교' 교주가 된 기분이었다.

현장까지는 지프로 2시간 정도 걸린다더니 가도 가도 메마르고 척박한 땅이 끝나지 않고 길가 집들은 텅텅 비어 있었다. 가끔씩 알록달록 총천연색 옷을 입은 여인들이 10명, 20명씩 무리를 지어 길옆 땡볕 아래 앉아 있는 것이 보였다. 그 앞에 플라스틱 물통들이 산처럼 쌓여 있다. 며칠씩 무작정 물차가 오기만을 기다리고 있는 거란다. 다들 염소를 한 마리씩 데리고 있었는데, 물이 생기는 즉시 염소에게 반 컵을 주어 그 젖을 어린이에게 먹인단다.

우리가 찾아간 마을은 월드비전이 저장용 물탱크를 만들어준 소말리아 접경 지역이다. 이곳은 물탱크 덕분에 그나마 하루에 1인당 5리터씩의 식수를 배급받는 곳으로 이 부근에서는 제일 사정이 나은 편이라고 한다. 그러나 내 눈에는 여기도 생지옥이기는 마찬가지다.

기르던 가축은 이미 오래 전에 말라죽었고, 식량과 바꿀 가축이 없으니 먹을 것도 동이 날 수밖에. 먹을 물도 부족하니 몸을 씻지 못할 것은 뻔한 일. 더러운 손으로 눈을 만져서 마을 사람들의 반 정도는 심한 눈병에 걸려 있고, 그들 중 반 정도는 그대로 장님이 된다.

나무 밑에 겨우 앉아 있는 한 젊은 여자는 이미 눈동자가 다 풀려 있고, 품에 안고 있는 뼈만 앙상한 아기는 입에 거품을 물고 숨을 가쁘게 들이쉬고 있었다. 혹시 내 눈앞에서 죽는 건 아닐까 가슴이 덜컹 내려앉았다. 주위에 모여든 동네 아이들의 하얀 이를 다 드러낸 환한 웃음에 울컥 목이 멘다. 그들의 눈도 이미 우윳빛으로 흐려져 있다.

월드비전은 이들을 위해 이동 병원을 운영하는데 담당자의 말에 따르면 이곳 눈병은 시력을 앗아갈 뿐만 아니라 뇌까지 손상시킨다고 한다. 이 모두가 물 때문이다. 그 흔하디 흔한 물 때문에 사람이 이렇게 꼼짝없이 죽어가다니, 정말 기가 막히는 일이다. 너무나 억울하고 분한 일이다.

물론 이 나라 정부에 돈과 인력이 충분하다면 이 지경까지는 되지 않을 거다. 그러나 케냐는 GNP 330달러(우리나라는 약 1만 달러), UN이 발표한 인간 개발 지수는 174개국 중 139위인 나라다. 자체적으로 난민들을 돌본다는 것은 한마디로 역부족이다. 이런 곳에서도 국제 NGO의 활동이 구세주 역할을 한다. 케냐 정부가 식수와 식수 운반 트럭을 부담하면 그 나머지, 돈이 많이 드는 기름값과 운전사 인건비는 월드비전이 내서 일주일에 한 번씩이라도 사람들에게 물을 공급할 수 있기 때문이다. 그러니 NGO 역시 돈과 인력이 있어야 이 일을 계속할 수 있다는 것은 다시 말할 필요가 없다.

1천 원, 2천 원이 한국에서는 라면 한 그릇이 되고 좌석버스 차비가 되고 커피 한 잔이 될 것이다. 그러나 이 많지 않은 돈이 아프리카에서는 그대로 물이 되고 옥수수가 되고 안약이 된다. 벼랑에 겨우 손톱만 걸친 채 매달려 있는 사람들을 끌어올리는 생명줄이 된다.

여름과 가을 사이, 나는 케냐의 오지에서 물이 없어 죽어가고 있는 사람들을 보았다. 그러나 한국에서 보낸 관심과 성금이 그들을 살려내고 있는 것도 내 눈으로 똑똑히 보았다.

우리, 더 이상 무엇을 망설일 것인가.

요즘 베이징에는 어디를 가나 탐스러운 국화가 한창이다.

제철을 만난 국화를 보면서 이런 생각을 한다.

저 국화는 묵묵히 때를 기다릴 줄 아는구나.

그리고 자기 차례가 왔을 때 저렇게 아름답게 필 줄 아는구나.

가을에 피는 국화는 첫 봄의 상징으로 사랑받는 개나리를 시샘하지 않는다.

한여름의 붉은 장미가 필 때,

나는 왜 다른 꽃보다 늦게 피나 한탄하지도 않는다.

그저 묵묵히 준비하며 내공을 쌓고 있을 뿐이다.

그러다가 매미소리 그치고 하늘이 높아지는 가을,

드디어 자기 차례가 돌아온 지금,

국화는 오랫동안 준비해온 그 은은한 향기와 자태를

마음껏 뽐내고 있는 것이다.

아름다운 청화대 교정에서 공부도 하고 사색도 하고.

청화대 한어중심 우리 반 친구들.

419 도서관 관장 한비야.

진짜 고풍스러운 인구 조사 포스터.

나는야, 청화대 ○○학번

다시 중국이다.

지난 해외 출장 중에 만난 사람들이 나한테 집이 어디냐고 물으면 별 생각 없이 베이징이라고 대답하고는 번번이 고개를 갸웃했다. 몇 개월 살았다고 서울 대신 베이징이 집이라고 하다니.

생각해보면 맞는 말이다. 일기장과 20년 이상 지니고 다닌 묵주 등 분신 같은 물건들이 있는 곳이고, 학생이라는 적을 두고 있는 곳이고, 내 마음이 가 있는 곳이니까.

베이징 공항에서 들리는 시끄러운 중국말도 정겹고, 택시에서 나는 콤콤한 시트 냄새도 익숙하다. 내 방으로 들어서니 엄마, 아버지 사진이 나를 맞는다.

다시 '집'에 온 것이다.

예정했던 어학 연수 기간이 이제 딱 반 남았다. 축구로 보면 전반전 45분을 뛰고 하프타임 15분을 보낸 후 후반전에 돌입한 셈이다.

아 참, 아니지, 인생을 전쟁으로 보지 않기로 해놓고서 후반전이라니. 부드럽게 후반부라고 해야지.

후반부에는 지난 6개월과 많은 것이 달라졌다. 우선 신분이 변했다. 전반부가 별 세 개짜리 호텔 곁방의 사설 학원 시대였다면 후반부는 중국 최고의 명문 대학인 청화대학 시대다. 사설 학원 단과반 학원생에서 청화대 중국언어문학과 학생이 되었다. 학번은 00247. 이름하여 빵빵학번이다.

이렇게 신분이 달라지니 노는 물도 다를 수밖에. 건물 하나에 교실만 다닥다닥 붙어 있는 학원과는 비교할 수 없이 좋은 환경에서 공부하고 있다. 청화대 교정은 그 자체가 멋진 공원이자 작은 도시이다. 학교 안에 연못, 정자가 있고 야트막한 산과 숲이 있고 오솔길이 있다. 고색창연한 청나라 때 건축물들도 셀 수 없다. 동시에 시장, 수퍼마켓, 소학교, 은행, 병원, 우체국, 책방, 식당만도 20군데가 넘는다. 그 안에서만 있어도 일상생활에 전혀 불편함이 없다. 그뿐인가. 학교 건물들은 전통의 무게가 느껴지는데, 특히 도서관은 근처에만 가도 안에 있는 학생들의 진지한 에너지가 전해져 공부하고 싶은 마음이 저절로 솟는다.

등교할 때 교통 수단도 달라졌다. 지금은 자전거를 타고 다닌다. 좀 멀어도 걸어다닐까 하고 시간을 재보았는데 1시간도 훨씬 더 걸려서 포기했다. 자전거로는 30분 남짓. 그 중에서 20분 정도는 학교 안을 타고 간다. 역시 바퀴 달린 것이라 빠르기는 빠르다. 싱그러운 아침 햇살을 받으며 교실까지 달리는 맛이 그만이다.

제일 크게 달라진 것은 뭐니뭐니 해도 어학 연수 6개월 만에 초급반의 '初'자를 벗어나 중급반에 들어간 일이다. 중급 上반도 아니고 한 단계 높은 下반에. 졸지에 월반을 했다. 동남아, 아프리카 출장 때문에 개학 후 2주일 간 수업을 들을 수 없었다. 처음에는 내 수준에 너무 무리 아닌가 하는 생각도 들었다. 회화책에 나오는 단어는 반도 모르겠고 강독책은 아예 하얀 건 종이요, 검은 건 글씨다. 조금 할랑하게 중급 上반에 들어갈까 했는데, 반 배치하는 선생님이 내가 회화하는 것만 듣고 자꾸만 下반으로 가란다. 사실 너무 느긋하게 공부하는 건 성에 차지 않는다. 못하는 반에서 잘하는 것보다 잘하는 아이들이 있는 반에서 조금 기죽으면서 하는 것이 더 효과적일 거다. 못한다고 기죽을 나도 아니지만.

우리 반은 한국인과 외국인이 반반이다. 미국인, 호주인, 일본인, 러시아인, 홍콩인에 북한 아저씨도 있다. 대부분 이십대 초반 아니면 중반. 머리 팽팽 돌아가는 아이들과 같이 공부할 생각을 하니 한편으로는 기분 좋고 한편으로는 긴장된다. 2~3년 중국어를 공부한 중문학 전공 학생이 많아서 더욱 그렇다. 앞으로 밤새는 날 많아지겠군.

배우는 과목은 회화, 문법과 쓰기, 읽기, 청취력 네 가지다. 전 과목을 몽땅 여선생이 가르쳐서 약간 아쉽다. 남녀가 골고루 섞여야 이런저런 목소리도 들어보고, 표현 등도 다양하게 배울 수 있는데. 회화와 읽기 선생은 대학을 갓 졸업한 애송이고, 쓰기 선생은 교사 경력 15년인 전직 기자 출신이다. 제일 마음에 드는 사람은 나랑 동갑인 경력 9년의 팅리(聽力 : 청취력) 선생님인데, 공부 시간 내내 흥분해서 눈을 동그랗게 뜨고 수업을 한다.

요즘 한국 사람들을 만나면 나보고 왜 청화대에 갔냐고 많이 묻는다. 한국에서는 어학 연수를 하러 온다면 거의 어언문화대학을 생각한다. 나도 처음에는 다른 곳은 생각도 안 했다. 실제로 어언문화대는 오랜 전통이 있고 경험이 풍부한 교수진과 훌륭한 프로그램을 가지고 있다고 자타가 인정하고 있다. 현재 각국의 주중 대사 중 상당수가 이 학교 출신이고, 외국인을 위한 교재 중 반 이상이 어언문화대 출판부에서 나올 정도다. 학생들의 학교와 교수에 대한 만족도도 아주 높다.

그런데 여기 사정을 알고는 생각이 달라졌다. 어언문화대가 이런저런 장점이 있는 것은 사실이지만 치명적인 단점이 있다. 한국 학생이 다른 학교에 비해 너무 많다는 거다. 특히 다기어학반은 한 반이 스무 명이라면 적어도 열다섯 명 이상이 한국인이라, 수업 시간을 빼고는 한국말로만 이야기한다는 소리를 수없이 들었다. 북경대도 좋은 프로그램이 있다지만 학생을 1년 단위로만 뽑기 때문에 6개월밖에 시간이 없는 나는 다니고 싶어도 다닐 수가 없다. 그래서 청화대였다.

이 학교는 어언문화대, 북경대에 비해 교수진의 수준과 경험이 떨어진다지만 한국 학생이 상대적으로 적고 전체 학생 수도 180명 남짓이라 한층 오붓하다. 무엇보다 중국 최고 명문대에 다닌다는 자부심을 갖고 있는 학생, 교수들과 같은 교정을 쓴다는 것이 큰 장점이라고 생각했다. 좋은 선택이었는지 바보 같은 선택이었는지는 두고 볼 일이다.

국기에 대하여 경례!

　왕샹이 지난 주 수업을 몽땅 빼먹고도 모자라서 월요일인 오늘 또 못 온다고 전화를 했다. 내가 중간고사 대비 회화 연습을 해야 한다고 사정했는데도 말을 안 듣는다. 올림픽 중계 때문이다. 평소에 배드민턴을 치는 것 외에 운동이라고는 하지 않는 사람이 올림픽 중계는 왜 그렇게 열심히 보는지.

　같이 보고 있으면 가관이다. 텔레비전 속으로 들어가기 일보 직전이다. 처음에는 멀찍이 앉아서 보다가 시간이 갈수록 점점 가까이 다가간다. 나중에는 아예 텔레비전 화면에 코가 닿을 정도다. 눈과 귀뿐 아니라 마음이 온통 거기로 가 있다. 가히 몰아지경이다. 그리고 어떤 종목이든 중국이 금메달을 따서 국가가 울려나오면 따라 부른다. 선수가 감격에 겨워 울기라도 하면 그 무뚝뚝한 아이가 눈물까지 글썽인다. 그러고 나서 나에게 던지는 그 뻐기는 듯한 미소. 자기 나라가 금메달 땄다 이거다.

경기 기간 내내 물어보지도 않는데, 매일 중국 팀이 오늘까지 몇 개의 메달을 땄으며, 세계 몇 위인지 나에게 중계 방송을 한다. 최종 집계는 3위였는데 보름 간 얼마나 중국 국가를 많이 들었던지 고스란히 외울 지경이다.

치라이!(일어나라!)
노예가 되고 싶지 않은 사람들이여!
우리의 피와 살로 만리장성을 쌓으세!
......
일어나라! 일어나라! 일어나라!
모두 한마음 되어 적들의 총탄을 뚫고
전진, 전진, 전전진.

이렇게 도전적이고 선동적인 가사와 곡조로 된 노래를 부르면서 어떻게 눈물을 흘릴 수 있을까? '동해물과 백두산이……'로 시작하는 서정적인 우리 애국가라면 모를까. 그런데 이 씩씩한 의용군 행진곡을 수천 명이 눈물을 흘리며 합창하는 모습을 본 적이 있다. 톈안먼 광장의 국기 게양식 때였다.

1949년 10월 1일 중국 국기인 오성홍기가 톈안먼 광장에 게양된 후, 이 광장은 중국의 심장이자 상징이 되었다. 시골을 여행할 때 내가 베이징을 거쳐왔다고 하면 사람들이 꼭 물어보는 게 있다. 톈안먼 광장에 가보았나, 거기서 마오 주석 사진을 보았나, 국기 게양식을 보았나. 특히 국기 게양식은 굉장히 중요하게 여기는 모양으로 텔레비전 일기예보에서 해 뜨는 시각, 해 지는 시각과 함께 오늘의 국기 게양 시간을 알려준다.

언제부터 오성홍기가 국민들의 절대적인 숭배의 대상이 되었는지는 모르겠지만 국기 게양식을 더 성대하게 해야 한다는 것이 전국인민대표대회 주요 사안이 될 정도라니까 대단하긴 대단하다. 덕분에 외국인에게는 아침마다 굉장한 볼거리를 제공한다. 해가 떠오르기 직전, 정복 차림의 국기 호위병 수십 명이 무장 군악대의 소리에 맞춰 게양대로 행진한다. 그리고 국기 게양 전, 그 중 한 명이 발레하는 듯한 자세로 국기를 멋지게 펼쳐 보인다. 그때 해가 뜨기 시작한다. 다음 순간 국가가 울려 퍼지면서 서서히 국기가 올라가는데 이때가 광장에 모인 군중들이 국가를 따라 부르며 감격의 눈물을 흘리는 때다. 그 모습이 어찌나 엄숙하고 진지한지 중국 사람도 아닌 내 목이 다 메일 정도다.

내가 간 날은 평일이었는데도 사람에 휩쓸려 죽을 뻔했다. 주요 명절이나 기념일에는 평균 25만 명 정도가 모이는데 지난 3년간 국기 게양식에 다녀간 사람이 무려 3천만 명이 넘는단다. 국경일에는 더 화려하다는데 시골 사람들이 이것을 보려고 며칠씩 광장에서 노숙을 한다니 중국 사람들의 국기에 대한 사랑은 거의 신앙에 가깝다.

나도 국기 하면 '한 국기' 하는 사람이다. 앞에서도 얘기했듯이 여행 중에 늘 작은 태극기를 가지고 다니며 설명과 자랑을 한다. 아프리카, 중동 여행이 끝난 다음부터는 대형 국기도 한 장 넣어 다녔다. 여행하면서 갖가지 위험한 일을 겪고 나니 이런 생각이 들어서였다. '만에 하나, 내가 오지에서 불귀의 객이 되면 태극기로 나를 덮어야겠다.'

자칭 타칭 코스모폴리탄이라는 사람이 웬 감상적 민족주의냐고?

나도 예전에는 언제 어디서나 나 자신이 '한비야'라는 개인만으로도 충분할 줄 알았다. 그런데 막상 다른 나라 사람들과 섞여보니, 대부분의 경우 그들에게 나를 확인시키는 첫 번째 창은 한비야가 아니라 '한국인'이었다. 내가 한국 사람임을 확실히 드러내는 것이 바로 세계 시민의 일원이 되는 지름길이라는 걸 그때 깨달았다. 외국에서 낯선 사람끼리 만나면 맨 처음 물어보는 것이 무엇인지 아는가. 이름일까? 천만에. 바로 어느 나라 사람이냐다. 국제 회의에서 모르는 참가자끼리 만날 때에도 명찰에 써 있는 국적이 이름보다 훨씬 궁금하다. 이름은 그저 한 가지 개인 정보에 지나지 않지만, 그 사람의 국적을 알면 그 사람의 행동과 생각이, 혹은 그 사람의 세계가 그려지면서 비로소 공통 화제를 찾을 수 있다. 개인차라는 것을 감안하더라도 그 사람이 어느 문화권에서 왔는지만 알아도 그 사람을 이해하고 대하기가 훨씬 쉬워진다.

이런 경험을 통해서 나는 자연스레 한국은 내 울타리이자 베이스캠프라는 생각을 하게 되었다. 나의 문화적, 생물학적 특징을 규정하는 울타리이자, 지쳤을 때 쉬고 동질감으로 재충전하며 마음의 평화를 얻는 베이스캠프. 해외에 나가면 다 애국자가 된다던가. 십수 년간 돌아다니다 보니 나도 애국에 대해 일가견이 생겼다. 애국이란 무엇인가? 나에게는 단순 명료하다. 제 집 울타리 안팎을 애정으로 가꾸는 것이다. 비록 선택한 것이 아니라 주어진 것일지라도 잘 가꿔진 울타리가 있다는 건 남에게도 떳떳하고 내 마음도 든든한 일임에 틀림없다.

다국적 한국어 사용 집단

며칠 전 중국 동포 친구를 따라 '조선족 주최 청년 친목회'에 갔었다. 예상치 않게 거기에는 북한 유학생, 우즈베키스탄에서 온 고려인, 그리고 한국어를 전공하는 조선어과 중국 학생들이 모여 있었다. 나이도 다르고 태어나서 자란 곳도 다르고, 베이징에서 공부하고 있는 이유도 달라 서먹할 줄 알았는데, 단박에 분위기가 화기애애해졌다. 소개하는 순간부터 웃음바다였다. 중국 동포 친구는 나를 자기 친구들에게 이렇게 소개한다.

"이거는(이분은) 한국에서 온 려행 작가입네다."

그러니까 다른 나라에서 온 친구들이 나를 '한 려사님'이라고 부르더니, 좀 친해지자 작가 동무, 동지 등의 공산주의 용어(?)가 나오기 시작했다.

오가는 말들은 혼자 듣고 있기가 아까울 정도로 재미있었다.

북한 사람 : "공부가 세게 바쁘단 말입니다(공부가 아주 힘듭니다)."

중국 동포 : "우리 나그네는 골이 아주 비상하기요(우리 남편은 아주 머리가 좋지요)."

북한 사람 : "다음번에는 반드시 지각 소멸을 해야 합네다(지각을 하지 말아야 합니다)."

북한 사람 : "북경에서 밤에 혼자 다니기가 으쓸하디요?(무섭고 싫지요?)"

중국 동포 : "그래 나그네랑 동무해서 일 없습네다(남편이랑 같이 다녀서 괜찮습니다)."

중국 동포 : "까마치를 어로스에서는 메라고 합네까?(누룽지를 러시아에서는 뭐라고 부릅니까?)"

고려인 : "까만밥이라고 합네다."

한국, 북한, 러시아, 중국에서 쓰는 한국어는 단어와 표현이 조금씩 다르긴 하지만 의사 소통에는 전혀 지장이 없었다. 아니, 오히려 그런 차이가 재미를 더했다. 누가 무슨 말을 하면 그 말투와 생소한 단어를 따라해보면서 모두 즐거워했다.

태어나서 자란 곳의 언어를 자기도 모르게 섞어 쓰는 것도 흥미로웠다. 구 소련에서 온 카레이스키, 즉 고려인은 말끝마다 "오친 하라쇼(아주 좋아요)."라는 러시아말을 반복했고, 중국 동포들은 '상빤(출근)'이나 '위에회이(약속)' 등 중국어 단어를 섞어 썼다. 북한 학생은 '까부수자', '자폭하자' 등 섬뜩한 단어도 많이 쓰지만 예쁘게 다듬어진 이런 말도 쓰고 있었다.

"저런 끌신(슬리퍼), 물맞이칸(샤워실)에서는 크게 소용되겠습니다."

나는 장난기가 발동해서 말했다.

"더운데 우리 얼음보숭이 하나씩 사먹을까?"

그러자 거기 모인 사람들 중에서 북한 학생만 알아듣고 싱긋 웃는 다. 이렇게 아름다운 우리말을 두고 중국 동포들은 빙지링(冰激凌), 한국 사람들은 아이스크림으로 부른다.

십대에서 사십대까지, 국적도 현재의 처지도 다양한 우리는 하루 종일 시간 가는 줄 모르고 놀다가 그것도 모자라 내 숙소에 와서 저 녁까지 먹고 갔다. 그때가 남북 정상 회담을 한 직후라 베이징 유학 생 촌에서는 이렇게 '동서남북 통일'이 다 되었다며 한바탕 웃었다.

우리가 하루도 지나지 않아 이처럼 유쾌하게 어울릴 수 있었던 이 유는 단 한 가지, 말이 같다는 것 때문이다. 얼마나 가슴 벅찬 일인 가, 같은 말을 쓴다는 것은. 그러면서 느껴지는 동질감을 가슴 깊이 새겨둔다는 것은.

그런데 그날 다국적 한국어 사용 집단의 가장 큰 장애물은 놀랍게 도 내가 섞어 쓰는 영어였다. 한국에서 아주 일상적으로 쓰는 이슈, 칼럼, 체크 등 간단한 단어에도 모두 고개를 갸우뚱한다. 중국 동포 들은 중 · 고등학교 때 영어 대신 일어를 배우게 되어 있다는데 처음 옌벤에 오기 시작한 한국 사람들이 섞어 쓰는 영어에 몹시 당황했단 다. 지금 옌벤에서는 한국에서 쓰는 외래어를 정리한 사전이 대인기 라고 한다. 조선어과 중국 학생도 한국말을 배울 때 제일 어려운 것 이 바로 영어라고 말한다. 며칠 전에도 한국어 선생님이 연구실 책 상 위에 있는 '키'를 가져오라고 했는데, 아무도 '키'라는 말을 몰랐 단다. 급한 김에 사전을 뒤져보았지만 '곡식 따위를 까불러서 고르는 기구'로 되어 있더라고. 하여간 그날 자기가 지체하는 바람에 시험이 1시간 늦어져서 선생님이 노발대발했다면서, "그냥 열쇠라고 말하면 안 되나요?" 하고 묻는다.

영어 얘기가 나오니까 고려인 학생이 베이징에 와서 처음 한국 패션잡지를 보았을 때의 경험을 말했다. 한글로 쓰인 기사를 읽으면서도 도대체 무슨 말인지 한마디도 알 수가 없어서 몹시 놀랐단다. 어떤 식의 글인지 짐작이 간다. 이를테면 이런 것이었겠지.

'페미닌한 라인과 그린 톤의 앙상블이 로맨틱한 니렝스 스커트다.'

영문과 출신인 내가 봐도 무슨 뜻인지 아리송한 말이다.

통역 일을 하는 중국 동포 친구는 지난 달 한국에서 열린 인터넷 관련 회의에 갔는데 회의 내내 조사만 빼고는 몽땅 영어를 쓰는 통에 큰 애를 먹었다며 영어 통역사가 갔더라면 더 좋았을 거라고 뼈 있는 농담을 한다. 그 말을 해놓고는 행여 내 마음이 상했을까 봐 이런 제의를 했다.

"자, 우리 건배합시다. 아름다운 한국말, 그리고 조선말을 위해!"

뜨끔했다. 나는, 그리고 우리는 과연 아름다운 우리말을 위해 떳떳하게 건배할 수 있는가?

폼나게 〈인민일보〉를 넘기며

   '이펀화 이펀치엔(一分貨 一分錢)'이라는 중국 속담이 있다. 싼 게 비지떡이라는 얘긴데, 뒤집어 말하면 비싼 것은 그 값을 한다는 뜻이 되나? 무지무지 비싼 등록금을 내고 다니려니 속이 쓰려서 속담까지 재해석하며 위안을 삼는다.

   학원과 학교는 수업료가 천지 차이다. 학원은 하루 4시간 수업에 한 달 학원비가 15만 원으로 시간당 3,500원 정도이다. 이에 비해 학교는 한 학기(18주), 하루 4시간 수업의 등록금이 무려 1,200달러(150만 원 정도), 시간당으로 따지면 1시간에 2만 원도 넘는다. 아무리 명문 대학 부설 어학당이지만 간판값 치고는 대단히 비싸다.

   그렇다고 해서 이름 있는 학교만 다니면 가만히 앉아 있어도 선생들이 머릿속에 중국어를 넣어주는 건 아닌데. 게다가 선생들이 모두 경험과 실력이 있어 보이지도 않는다. 믿기지 않겠지만 선생 중에는 청화대 대학원에 재학 중인 대학원생도 많다. 이런 사람들은 당연히 아르바이트 수준으로 가르치니 질 높은 수업은 애초에 기대하기가 어렵다. 한 달쯤 지나면 결석하는 학생들이 나온다. 이건 기본적으로 아이들의 학습 태도 문제이긴 하지만 이런 함량 미달 선생들의 수업을 듣는 것이 시간 낭비라는 말에도 일리는 있다.

그럼에도 불구하고 학원이 아닌 학교에서 공부하는 최대의 이점은 균형 있는 중국어를 배운다는 거다. 말하기 중심이 아니라 쓰기, 읽기, 듣기를 골고루 하기 때문에 적어도 절름발이가 되지는 않는다는 말이다.

학교 다닌 지 한 달 만에 읽기와 듣기가 장족의 발전을 했다. 우선 신문 읽기가 된다. 물론 한국 신문처럼 자세히 읽지는 못하지만 중국 신문 보는 것이 엄두가 나는 것만으로도 커다란 수확이다. 제목만 읽어도 중국 돌아가는 사정을 알 수 있어서 얼마나 속이 시원한지 모른다. 뭘 알아야 물어볼 것도 생긴다고 요즘에는 내가 만나는 각계 각층의 중국 사람들에게 궁금한 것도 훨씬 많아졌다. 이제야말로 말과 더불어 '대화'도 통하게 생겼다. 게다가 폼나지 않는가. 중국어 배운 지 6개월 만에 신문을 읽다니. 길거리 가판대에서 〈인민일보〉나 〈베이징청년보〉를 한 부 사서 들고 다니면 남들이 나를 마치 중국어를 썩 잘하는 사람처럼 여기겠다는 생각에 무진장 뿌듯하다.

읽기 시간에 모르는 단어나 표현이 나와도 무시(?)하는 '몸통 읽기법'을 연습하기 때문이다. 전체 뜻을 파악하는 데는 몇 개의 키워드만 알면 대충 이해할 수 있는 것이 신문 기사의 특성이니까. 어휘력도 저절로 느는 것 같다. 돌이켜보면 나의 영어 단어 실력이 결정적으로 는 때도 영자 신문을 보기 시작하면서였다. 하여간 한국 가기 전에 꼭 하고 싶은 것은 중국 어린이용 《홍루몽》을 읽는 거다. 한

번 두고 보겠다.

신문 읽기 못지 않게 내 중국어 실력 향상에 기여하는 것은 텔레비전 보기다. 이건 청취력 연습용이다. 7시 30분 전국 통일 저녁 뉴스를 거르지 않고 보는데 알아듣지 못한 내용은 CCTV 5의 영어 방송을 보면서 보충한다. 나머지는 자막이 있는 프로그램을 찾아서 본다. 매일 보는 것은 〈동물의 왕국〉과 같은 다큐멘터리 프로그램과 당나라 측천무후의 이야기를 다룬 역사 드라마다. 앞의 것은 재미있는 내용을 아주 천천히 읽어서 듣기 연습이 잘 되고, 뒤의 것은 옛날 말이긴 하지만 간단한 대화체이고 중국 왕실에 관한 흥미진진한 내용이라 도움이 된다. 가끔 가다 한국 드라마도 한다. 안재욱 주연의 〈별은 내 가슴에〉는 나보다 왕샹이 더 손꼽아 기다리며 본다. 더빙을 해서 안재욱이 중국말을 하니까 진짜 이상하다.

요즘 들어 생긴 공부 버릇이 하나 있다. 사전을 열심히 찾는다는 것. 예전에는 귀찮아서 모르는 게 있어도 되도록이면 그냥 넘어갔는데 요즘에는 신문이나 방송을 볼 때, 혹은 중국 사람하고 말할 때 아리송한 단어들은 조그만 수첩에 적었다가 꼭 한 번씩 찾아본다. 참 재미있다. 발음만 겨우 아는 단어를 사전에서 힘들여 찾아냈을 때의 기쁨이란.

할 일 없이 사전을 이리저리 들추면서 단어 해설을 읽는 재미도 좋다. 사전의 해설에도 사회주의 냄새가 물씬 나기 때문이다. '조국을 지키기 위해 자신의 생명을 희생하는 것을 아까워하지 않는다'라느니 '김 병장은 결혼 휴가를 반납하고 사회주의 건설에 앞장섰다'라느니 '우리나라 최초로 남극에 간 대원들은 공산당과 인민들의 후원에 고무되어 감기조차 걸리지 않고 아주 건강하다'까지.

하도 중국어 사전을 들여다보아서일까? 근래에는 한국말 중에 한자어가 나오면 이건 무슨 뜻일까 생각하는 버릇도 생겼다. 예를 들어 "너 지금 그런 말을 하는 '의도'가 뭐니?"라는 말을 들었을 때 '아, 의도는 뜻 의(意), 그림 도(圖), 지금 마음에 어떤 그림을 그리고 있느냐는 뜻이구나'라고 새겨 듣게 된다. '호시탐탐 노리다'의 '虎視耽耽'도 호랑이가 먹이를 찾듯이 틈을 노린다는 말이다. 고부 간의 갈등이 심하다고 할 때의 '갈등'은 칡 갈(葛)에 등나무 등(藤), 칡 뿌리와 등나무처럼 얽히고 설켰다는 말이다. 기가 막히지 않은가?

여태껏 무슨 뜻인지도 모르면서 자주 쓰던 한자를 알아간다는 것도 흥미 있다. 신문 광고에 나는 '최고 공시'. 뭔가를 최고로 알리자는 말인 줄 알았는데 실은 빠를 최(催), 알릴 고(告), 빨리 알린다는 말이었다.

중국어를 배우는 데 한국말이 점점 더 쫀득쫀득하고 분명해지는 건 정말 예상치 못했던 일이다. 신기하다.

"목숨 붙어 있는 한 희망은 있습네다."

"한 려사님, 만나서 반갑습네다."

수경이는 자그마한 몸집에 예쁘장하고 앳된 얼굴이었다.

탈북자와 북한의 식량 사정에 관한 무성한 소문이 도대체 어디까지 진실일까 늘 궁금했다. 옌볜뿐만이 아니라 베이징에도 탈북자들이 많다는 얘기를 들었는데 마침 한 반에서 수업을 듣던 교회 선교사 사모님께 어렵사리 소개받은 사람이 수경이다.

"여사님은 무슨 여사님, 언니라고 불러요. 수경이라고 했죠? 그런데 이렇게 돌아다녀도 괜찮은 건가?"

"일 없습네다. 옌볜에서 공민증을 만들어 왔단 말입네다."

"내가 사는 곳이 바로 요 앞인데 집에 가서 편안하게 얘기할까?"

"좋으실 대로 하시라요."

수경이한테 티셔츠와 편한 바지를 주고, 나도 편안한 옷으로 갈아입고 나니 마음까지 편안해졌는지 묻지도 않은 말이 술술 나왔다.

수경이는 함경북도 출신으로 의대를 나와 인턴 생활을 하고 있었다. 중학교 때부터 단 한 번도 배부르게 먹어본 일이 없었는데 2년 전 혹심한 기근을 견디다 못해 한겨울에 차디찬 두만강을 건너왔단다. 그때는 옌볜에서 돈과 식량을 구해 누워 있는 어머니 병도 고치고 몇 달 간 허기나 면할 생각이었다. 국경 초소를 지키는 군인에게 있는 돈을 다 집어주고 자기가 강을 반 건너갈 때까지만 총을 쏘지 말아달라고 했단다. 강을 반쯤 건널 때, 등 뒤에서 총소리가 나서 이제는 죽었구나 했는데 다행히 한 발도 맞지 않고 중국쪽 강변에 도착했다.

　그런데 어떻게 알았는지 강변에는 중국인 인신매매단이 지키고 있다가 도강한 이 친구를 끌고 헤이룽장성으로 데리고 가서 한 농가에 팔아버렸다. 그녀를 산 사람은 지금의 남편으로, 다행히 장가가려고 차곡차곡 돈을 모은 착실한 중국 동포 남자였다. 나중에 알고 보니 그녀의 몸값은 약 2만 위안(3백만 원)이었고 그녀와 같은 처지의 여자들은 적게 잡아 5만 명을 헤아린다고 한다.

　"아까 중국 공민증이 있다는 건 뭐야?"

　"아, 그거 말입네까? 이거 보시라요."

　꺼내 보여주는 중화인민공화국 공민증에는 이 친구 사진이 붙어 있고 민족은 '조선족', 이름은 '김×희'라고 되어 있다. 나이는 무려 서른여덟 살이다. 어떻게 된 거냐니까, 남편이 시골에 가서 사망 신고를 하지 않은 사람 것을 돈 주고 사왔단다. 그러나 공민증이 있어도 불안하기는 마찬가지이다. 중국말을 전혀 못하니 동네 사람이나 북한 경찰이 의심을 하면 꼼짝없이 잡혀가기 때문이다. 밤낮 집에만 갇혀 사는 것을 도저히 견딜 수가 없어서 남편에게 베이징에 가서 살자고 졸랐다. 아무 기술도 없는 남편이 망설이니까 이렇게 말했단다.

"내래 총알이 빗발치는 얼음 강물도 건너온 넌이란 말입네다. 내 벌어 먹일 테니 걱정 말기요."

그러나 남편 말이 옳았다. 피붙이는커녕 아는 이 한 명 없는 베이징에서 고생을 직사하게 하다가 마침내 한국 사람이 하는 사우나에 조선족으로 속이고 취직을 하게 되었다. 그런데 며칠 지나지 않아 정체가 탄로났다. 역시 '조선족'이 중국말을 전혀 못하기 때문이었다. 한국인 사장이 너 어디서 왔냐고 쥐 잡듯이 다그쳐서 견디다 못한 수경이가 실토를 했단다.

"그래요. 내래 공화국에서 왔시오. 나, 여기 나가믄 굶어죽어요. 일하게 해주시라요."

무슨 생각인지 그 사장이 다른 사람에게는 아무 말 말라면서 계속 일하게 해주었단다. 거기서 2년간 돈을 모아 지금은 작게 보따리 장사를 하며 살고 있다. 수경이의 생존력과 적응력이 놀랍기만 하다.

"북한에 남은 식구들 걱정은 안 되니?"

"왜 안 되갔시오. 내래 그 생각만 하믄……."

"남편하고는 잘 지내니?"

"처음에는 많이 싸웠시오. 걸핏하면 때려놓고. 한 번은 또 때리려고 해서 내가 식칼을 들고 덤볐디요. 내래 두만강 건너올 때 너 같은 간나 새끼한테 얻어맞으려고 넘어왔냐고. 너 죽고 나 죽자고. 그랬더니 다음부터는 잠잠합네다."

이 말을 하며 싱긋 웃는다.

"앞으로 어쩔 셈이야?"

"어쨌거나 돈을 벌어야 하지 않갔시오? 돈이 있으믄 우리 친정 도

와줄 수 있는 방법도 생길 거고, 여기서 사는 힘도 세지는 거고."

그러면서 갑자기 목소리의 톤을 높인다.

"목숨이 붙어 있는 한 희망이 있는 거 아닙네까?"

갑자기 머리를 둔기로 맞은 것 같다. 만나자고 할 때는 뭔가 도울 일이 없을까 했는데 돕기는 누굴 돕는다는 말인가. 힘겹지만 이렇게 굳세게 살아가고 있는데.

게철에 피는 꽃을 보라!

"공부하기 힘드시죠?"

중국에 와서 거의 매일 받는 질문이다. 중국어 배우기가 힘들겠다는 말이 아니라 늦깎이로 공부하는 것이 얼마나 힘든가를 묻는 거다. 내 대답은 늘 이렇다.

"힘들기는요. 얼마나 재미있는데요."

물론 힘들 때도 많다. 아니, 솔직히 말해 힘들어 죽겠다. 우선 내 나이의 반도 되지 않는 학생들과 같이 공부하려면 시간이 무한정 든다. 특히 외우기가 잘 되지 않는다. 별수없이 보고 또 보고, 읽고 또 읽고, 쓰고 또 쓰고 있다. 그렇게 간신히 외워도 돌아서면 잊어버리기 일쑤다. 정말 속상하다. 한 번 외운 건 도망가지 못하게 머리 안에 강력 본드를 발라놓고 싶은 심정이다.

수업 시간에 틀리게 대답했을 때 무안함을 참는 것도 쉽지 않다. 반 아이들한테 체면도 안 서고 선생님들한테도 창피하다. 또 있다.

사전 글씨가 너무 작아서 잘 알아볼 수가 없다. 획이 많은 한자는 파스텔화처럼 뭉치거나 퍼져서 보인다. 이건 내 문제라기보다 사전 만드는 회사의 불찰이다. 좀 큰 활자로 만들면 안 되나? 다른 아이들이 이런 불평을 안 하는 걸 보면 잘 보이는 게 분명하다. 좋겠다.

하지만 늦게 하는 공부에는 즐거움이 어려움에 비교할 수 없을 정도로 많다. 무엇보다도 하고 싶던 공부를 하고 있다는 충만감 자체가 더할 수 없는 기쁨이다. 아침잠이 많은 내가 6시면 벌떡 일어나고 매일 10시간 이상씩 공부해도 지치지 않는다. 누가 시켜서 하는 일이라면 지금처럼 열심히 못할 거다.

돈 받고 하는 일이라면 이렇게까지 신이 날까? 만약 받는다면 얼마를 받고 이 일을 하겠는가. 순전히 자기가 하고 싶어서 하는 일이기 때문에 아주 열심히 그리고 끈질기게 한다. 밤을 꼬박 새워 한 작문 숙제에 마침표를 찍을 때, 쉬는 시간 아이들과 잘 안 되는 발음을 가지고 같이 연습하다 원하던 소리가 날 때, 쪽지 시험에서 100점을 맞았을 때, 중국말을 하고 있는데도 어느 순간 하나도 답답하지 않을 때, 정말로 행복하다.

게다가 만학도만이 누릴 수 있는 두둑한 보너스까지 있다. 우선 연륜(?)이 있기 때문에 외우기가 잘 안 되는 대신 교과 내용에 대한 전반적인 이해력과 응용력이 월등하다. 세월이 선물한 낯두꺼움과 뻔뻔스러움을 십분 발휘해서 수업 시간에 되도록 말을 많이 할 수도 있다. 선생님들이 틀린 것을 바로바로 고쳐주니 무척 재미있다.

'불치하문(不恥下問)'이라고 모르는 것이 있으면 학생들에게 마구 묻는다. 대부분 중국어를 전공한 아이들이니 얼마나 좋은 가정 교사인가. 게다가 한국 학생들은 커피 심부름도 자진해서 하고 자전거가 고장나면 알아서 고쳐준다. 외국인 학생들은 나를 선생님으로 오해하고 오며가며 인사도 잘한다.

그러니 이렇게 늦깎이로 공부하는 것이 나쁘지만은 않다. 아니, 나쁘지 않은 정도가 아니라 객관적인 나이와 상관없이 지금이 가장 적당한 때라는 생각이 든다.

느긋하기도 하다고? 그래서 언제 남들처럼 살아보겠냐고? 나도 한때는 남들보다 늦는 것이 조바심나서 바들바들 떨면서 살았다. 그런데 지금은 전혀 그렇지 않다. 더 이상 남과 비교하지 않는, 독자적인 삶을 꾸려가기로 마음먹었기 때문이다. 세계 여행 덕분이다.

아프리카의 킬리만자로, 파키스탄의 낭가파르바트, 네팔의 에베레스트 베이스캠프를 오를 때 공통적으로 깨달은 것이 있다. '정상까지 오르려면 반드시 자기 속도로 가야 한다.' 그렇게 하는 것이 느리고 답답하게 보여도 정상으로 가는 유일한 방법이다. 체력 좋은 사람이 뛰어오르는 것을 보고 같이 뛰면 꼭대기까지 절대로 갈 수가 없다. 반대로 어린이나 노약자들의 속도로 가면 반도 못 가서 지치고 만다. 억울하지 않은가. 자기 속도로 가기만 하면 되는데, 그렇게 한 발짝 한 발짝 부단히 올라가면 정상에 오를 수 있는데, 쓸데없이 남과 비교하면서 체력과 시간을 낭비하느라 꼭대기에 오르지 못한다면.

물론 사람에게는 객관적이고 일반적인 인생의 속도와 일정표가 있다. 언제까지 공부를 하고, 결혼을 하고, 직장을 가져서 돈을 벌고, 아이들 낳아 키우고, 노후를 어떻게 보내야 한다는. 이것에 딱 맞추어서 인생을 계획하고 진행하는 사람들도 많다. 그렇게 해야 본인뿐만 아니라 주위 모든 사람들이 편하다는 말에도 일리가 있다.

대부분의 사람들은 이 보편적인 시간표와 자기 것을 대조하면서 불안해하고 초조해하곤 한다. 나는 벌써 늦은 것이 아닐까, 내 기회는 이미 지나간 것이 아닐까. 그런데 다시 생각해보자. 우리의 인생에서 이 표준 시간표가 정말 그토록 중요한 것일까? 오히려 주관적이고 개인적인 시간표가 더 중요한 것이 아닐까?

요즘 베이징에는 어디를 가나 탐스러운 국화가 한창이다. 제철을 만난 국화를 보면서 이런 생각을 한다. 저 국화는 묵묵히 때를 기다릴 줄 아는구나. 그리고 자기 차례가 왔을 때 저렇게 아름답게 필 줄 아는구나.

가을에 피는 국화는 첫 봄의 상징으로 사랑받는 개나리를 시샘하지 않는다. 역시 봄에 피는 복숭아꽃이나 벚꽃을 부러워하지 않는다. 한여름 붉은 장미가 필 때, 나는 왜 이렇게 다른 꽃보다 늦게 피나 한탄하지도 않는다. 그저 묵묵히 준비하며 내공을 쌓고 있을 뿐이다. 그러다가 매미소리 그치고 하늘이 높아지는 가을, 드디어 자기 차례가 돌아온 지금, 국화는 오랫동안 준비해온 그 은은한 향기와 자태를 마음껏 뽐내는 것이다.

이렇게 따지고 보면 늦깎이라는 말은 없다. 아무도 국화를 보고 늦깎이 꽃이라고 부르지 않는 것처럼, 사람도 마찬가지다. 우리가 다른 사람들에 비해 뒤처졌다고 생각되는 것은 우리의 속도와 시간표가 다른 사람들과 다르기 때문이고, 내공의 결과가 나타나지 않는 것은 아직 우리 차례가 오지 않았기 때문이다.

제철에 피는 꽃을 보라! 개나리는 봄에 피고 국화는 가을에 피지 않는가.

우리 반 북한 아저씨

러시아에서 온 타지아나는 우리 반에서 내가 제일 가깝게 지내는 사람이다. 이제 겨우 스물두 살, 양 볼에 솜털도 가시지 않은 앳된 얼굴이다. 러시아 전체에서 뽑혀 온, 학비와 기숙사비를 면제받는 중국 정부 장학생이다. 졸업 후 중국어 교사가 되려고 한다는데 지독하게 열심히 공부한다. 수업 들어가는 첫날 옆자리에 앉은 것이 인연이 되었다.

학기 초 그녀가 사는 기숙사에 가보았는데, 이렇게 해서 생활이 될까 싶을 정도로 아무것도 없었다. 필요한 걸 살 만큼 금전적인 여유가 없는 듯해서 귀국하는 한국 학생에게 말해 녹음기와 그릇, 컵, 스탠드 등을 얻어다 주었다. 알고 보니 타지아나는 한 달에 400위안(6만 원)도 안 되는 돈으로 생활하며 몸이 상할 정도로 돈을 아껴 쓰고 있었다. 밥도 하루 세 끼 다 먹는 것 같지도 않았다.

이 아이는 부끄러움을 몹시 타서 나 외에 반 친구들한테는 말도 건네지 않는다. 공부 시간에도 선생이 지목해서 시키지 않는 한 절대로 입을 열지 않는다. 그런 아이가 무슨 용기가 났는지 어느 날 부끄러워 날 똑바로 쳐다보지도 않으면서 말했다.

"비야, 언제나 내 옆자리에 앉아주세요."

내가 옆에 앉아야 마음이 편하단다. 그래, 죽은 사람 소원도 들어준다는데 그렇게 쉬운 소원을 왜 못 들어주겠냐. 이제부터 이번 학기 끝날 때까지 너랑 나랑 짝꿍이다.

이 친구가 중간고사 도중에 병이 났다. 시험 공부를 하느라 너무 애를 쓴 것이다. 쓰기 시험을 보는 내내 밭은 기침을 하며 가쁜 숨을 내쉬었다. 시험 끝나고 같이 밥 먹고 회화 시험 준비하자니까 자기는 좀 쉬어야겠단다. 점심 식사 후 먹을 걸 사 들고 그 친구 기숙사에 가보니 열이 나는지 벌건 얼굴로 누워 있다. 괜찮으냐며 이마를 짚어주니까 갑자기 나를 꼭 껴안으며 하는 말.

"엄마랑 언니가 보고 싶어요."

뜨거운 뺨을 타고 흐르는 눈물이 목 뒤에 느껴졌다.

"울지 마, 타지아나. 내가 짝꿍도 해주고 언니도 해줄게."

일본인 야디엔은 연구 대상이다. 매일 같은 청바지를 입고 다니는데 그 바지가 너무 낡아 무릎은 물론 팬티가 보일 지경이다. 중국에 오려고 6개월 동안 막노동을 했단다. 정치학 전공이라서 그런지 주변 국가의 정치 상황에 민감하다. 동북아시아 지역의 정치 문제에 대해 의견이 있는 것은 좋은데, 잘 알지도 못하면서 가끔씩 염장 지르는 말을 해서 탈이다. 일본은 한국의 통일을 원하지 않는다, 통일이 되면 한국하고 다 끝난 식민 통치 보상 문제 등을 북한과 다시 시작하는 것이 귀찮고 부담스럽다고 했다. 중국 난징대학살에 대해서도 왜 별것 아닌 문제로 늘 골치 아프게 하냐고 말했다가 기자 출신 선생한테 박살이 났다. 그 선생님, 목젖이 보이도록 목소리를 있는 대로 높여서 하는 말.

"30만 명이 죽창에 찔려 죽었는데 어떻게 별것이 아니냐? 너희 같으면 가만히 있겠는가? 일본이 중국에게 무릎을 꿇고 용서를 빌 날이 머지 않아 올 것이다. 머지 않아!!!"

그날 수업 분위기 정말 살벌했다.

북한 아저씨도 있다. 김일성대학 교수로 현재 청화대에 교환 교수로 왔는데 중국어가 모자라 회화 시간에만 청강한다. 그는 오른쪽 가슴에 김일성 사진을 달고 다닌다(아저씨는 이걸 모신다고 한다). 수업 중에는 아주 적극적으로 발언하지만 자연스런 회화체가 아니라 늘 문장을 외운 듯한 긴 장광설이다. 발음도 안 좋다. 그도 그럴 것이 북한 학생들은 반드시 둘씩 짝을 지어 다니면서 다른 사람들과 어울리지 않는 것을 원칙으로 한단다. 학기 초에 우리 반은 매주 월요일 점심을 같이 먹었는데 이 아저씨는 단 한 번도 같이 간 적이 없다. 나중에 우리가 하도 가자고 조르니까 정말로 곤란한 표정을 지으며 말한다.

"내 사정을 리해해주시기 바랍네다."

이 아저씨를 통해 북한 사회의 단면도 보게 된다. 한번은 무단횡단하다가 교통 순경에게 걸리면 어떻게 되는가를 각 나라 별로 얘기하는 시간이 있었다. 아저씨 차례가 되었다.

"우리나라에서는 아무도 교통 질서를 어기지 않습니다."

내가 장난 삼아 물었다.

"교통 법규를 어기는 사람이 단 한 명도 없다니 그럴 리가 있어요?"

"그렇습니다. 만일 교통 법규를 어기면 그 사실을 직장에 통보해서 불이익을 주기 때문에 감히 그렇게 하는 사람이 없습니다."

또 한번은 각 나라의 징병 제도에 대해 말하는 시간이었다. 내가 한국은 북한과 대치하고 있어서 만 18세 이상의 남자들은 의무적으로 군대에 가며 우리는 복무 기간이 26개월인데 북한의 의무 복무 기간은 10년이라고 아는 체를 했다. 그랬더니 그 아저씨가 고개를 젓는다. 놀랍게도 북한은 지원병제란다.

자기가 제일 존경하는 사람에 대해 말하는 시간에 아저씨는 예상대로 "우리 김일성 장군님입니다." 하면서 장황한 설명을 하는데 정말 그 목소리가 떨리고 한마디 한마디에 사랑과 감사가 넘쳐 흘렀다. 노는 시간에 가끔 나는 아저씨에게 엉뚱한 말을 건넨다.

"임 선생님, 평양에서 오셨죠? 북조선 사람들은 모두 평양에서 살고 싶어한다면서요? 그래서 병아리도 '피양피양' 하고 운다면서요?"

"아니, 어디에서 그런 소리까지 들었습네까?"

아저씨가 놀라면서도 반가운 표정을 짓는다.

우리가 아저씨한테 궁금한 것이 많은 것처럼 이 아저씨도 한국 학생들에게 묻고 싶은 것이 얼마나 많을까? 수업이 끝나면 쫓기듯 쏜살같이 나가는 아저씨의 뒷모습은 그래서 언제나 쓸쓸하다. 기말고사 마지막 날 아저씨는 교실을 나가면서 나한테 작별 인사를 겸한 한마디를 건넸다.

"한 선생, 좋은 사람 만나서 얼른 결혼하시라요."

세계 5위, 청화대 엘리트들의 야망

　청화대 학생들은 수수하다. 여학생은 커트머리나 생머리, 남학생은 그냥 이발소 머리다. 차림도 여자나 남자나 티셔츠에 허름한 바지, 화장을 하거나 멋을 부린 아이들은 거의 찾아볼 수가 없다. 이웃 북경대보다 시골 출신들이 많아서 더 그런지도 모르겠다.

　학교 주변은 우리의 대학가와는 전혀 딴판이다. 학교 밖으로 나가면 그냥 큰길이고 변변한 가게 하나 없다. 게임방, 당구장, 커피숍, 미용실, 문방구 등 학교 근처에 기본적으로 있을 것 같은 가게도 없다. 음식점도 학교 밖보다 학교 안에 훨씬 많다. 학생들은 아예 학교 밖으로 나가는 것 같지도 않다. 여기뿐만이 아니라 대학교 부근은 대동소이하단다.

　학교 식당에 가보면 학생들이 밥에 반찬 한두 가지로 식사를 한다. 국이나 찌개도 없이 잘도 먹는다. 이런 검소한 식사도 전에 비하면 호화로워진 거란다. 몇 년 전만 해도 대부분 손잡이가 달려 있는 커다란 철제 컵에 밥과 반찬 한 가지를 넣어 들고다니면서 먹었단다. 지금도 건설 현장의 막노동자들이 손에 손에 대형 철컵을 들고 간이 식당으로 향하는 걸 보는데, 우리나라에서 짤릴 염려 없는 직업이란 뜻으로 쓰는 '철밥통'이라는 단어의 실체를 보는 것 같아서 재미있다.

이렇게 검소하고 수수한 학생들도 알고 보면 한 명 한 명 수재 소리를 들으며 이 학교에 들어온 거다. 청화대는 중국 제1의 이공대이자 전 세계 공과 대학 중 5위를 차지하고 있다. 시골에서 청화대에 들어가면 동네 경사라고 지방 신문에도 나고 그 동네에서 제일 높은 사람이 찾아와 잔치도 벌여주고 동네 사람들은 결혼할 때 버금가는 선물을 준단다. 수만 대 1의 경쟁을 뚫고 입학했고 사회에서 이렇게 특별 취급을 해주니 자부심을 넘어서 그 잘난 척과 꼴값이 가관이겠군 했었는데, 막상 교정에서 만난 학생들에게서는 소박함과 진지함이 훨씬 진하게 묻어났다.

"메이쓰마?(괜찮아요?)"

등교 길에 자전거를 타고 가다 마주 오는 자전거와 정면 충돌했다. 내가 한눈 팔다 일어난 일인데도 자전거에서 내린 남학생이 몹시 미안한 표정으로 묻는다. 학교 밖에서라면 분명히 이런 말이 먼저 나왔을 거다.

"쩐머 치처더? 메이 쟝 엔징마?(자전거를 어떻게 타는 거야? 눈 안 뜨고 다녀?)"

자전거를 일으켜주고 흩어진 책들도 주워주는 아이를 보니 두꺼운 안경에 더벅머리, 한눈에도 시골 출신임을 알 수 있었다. 저렇게 어벙벙한 얼굴이 그래도 자기 고향에서는 아주 자랑스런 얼굴일 거다.

그 학생을 어학당 건물 밖에 있는 탁구 체육관 앞에서 또 만났다. 수업 끝나고 가는데 웬 남학생이 다른 학생과 얘기하다가 나를 보고 손을 흔든다. 자세히 보니 아까 그 친구다.

"쓰 니아(너로구나). 아침에는 고마웠어."

"메이 쓰. 니쓰 류쉬에성바(아니에요. 유학생이었군요)."

이번에도 그렇게 지나쳤는데 저녁 무렵 이 학생을 우리 동네에서 또 만났다. 근처에서 중학생 과외 공부를 한다고 했다. 하루에 같은 사람을 세 번이나 우연히 만났다는 것이 신기해서 이름을 물었더니 화공과 3학년 쩐찌엔롱이란다. 저녁밥을 먹으러 가는 참이니 괜찮으면 한국식으로 저녁 같이 먹지 않겠냐고 제의했다. 자기는 지금 기숙사로 돌아가는 길이라 시간은 괜찮고 한국 음식을 먹어본 적이 없어서 좋다면서도 멋쩍어한다. 근처 한국 식당으로 들어가 이것저것 시켜놓고 이런저런 얘기를 나누었다. 솔직히 말하면 내가 그동안 궁금했던 청화대 학생에 관한 집중 질문 시간이었다.

"너도 기숙사에서 사는구나?"

"예, 대부분 기숙사에서 살아요."

기숙사는 한 방을 8명이 쓰는데 특별한 경우가 아니면 4년 내내 변동이 없기 때문에 방 친구들하고 잘 지내는 것이 아주 중요하단다. 아침 5시에 일어나고 밤 10시면 취침인데 불까지 다 꺼버린다. 그래서 시험 때는 전등에 종이를 씌워 불이 새지 않게 하든지 아예 화장실에서 공부한다고.

중국의 대학에서는 결강이란 있을 수 없는 일이란다. 우리 중·고등학교 때처럼 특별한 이유 없이 수업을 빼먹는 일도 없다. 그래서

인지 대학원생인 우리 반 읽기 선생은 한국 학생들이 자주 결석하는 걸 너무나 이상하게 생각한다. 언젠가 나한테 한국 학생들은 왜 그렇게 몸이 약하냐고 심각하게 물었을 정도다.

방학도 아주 짧다. 여름 방학 한 달, 겨울 방학도 설날 전후로 약한 달 가량이다. 수업도 안 빼먹고 결강도 없고 방학도 짧으니 아주 알찬 대학 공부가 될 것은 뻔하다.

"청화대 공부 귀신들은 주말에도 공부만 하나?"

"아니에요. 춤추러도 가고 동아리에서 무술, 붓글씨, 토론 등 동호 활동도 해요. 나처럼 아르바이트도 하고."

이 학생은 주말에 중학생 수학을 가르치는데, 1시간에 10위안 (1,500원)을 받는다며 청화대생이라 2배로 받는 거라고 한다.

"졸업 후에는 뭘 할 거야?"

"미국으로 유학 가려고요."

지금 토플 공부를 하고 있는데 미국 정부 장학생이 되어 미국에서 공부하는 것이 꿈이란다. 내가 대단하다고 했더니 웃으며 받는 말.

"우리 과 애들 대부분이 외국에 나가려고 해요. 이름하여 '출국열 (出國熱)'. 선배들도 아주 많이 나가 있어요(실제로 최근 2년 동안 미국으로 간 유학생 수 1위가 중국이다)."

우리나라 대학생들이 극심한 취업난에 허덕이는 것과는 전혀 다르게 청화대 졸업생의 몸값은 천정부지다. 임금도 대졸자 평균 임금의 서너 배란다. 각 기업마다 초호화판 취업 설명회를 벌이며 모셔가기에 혈안이지만 취직을 원하는 사람은 40퍼센트 정도이고 나머지는 연구와 창업, 그리고 유학을 간다고 한다.

"유학을 갔다 와야 훨씬 좋은 대우를 받거든요."

'갔다 온다'고 했다. 세상 완전히 변했다. 15년 전 미국 유학 때 만난 중국 학생들은 백이면 백, 졸업 후 어떻게 하든 중국에 돌아가지 않으려고 했다. 그때만 해도 유학을 했든 전공이 뭐든 돌아가면 꼼짝없이 당이 분배해주는 일을 해야 했으니까. 하지만 지금은 유학생들이 속속 돌아온다고 한다. 중국 정부가 '해외 유학생 창업 촉진 규정'을 제정, 귀국 유학생에게 창업 작업 일체를 지원하면서 두뇌 유출을 최대한 막고 있는 것이다.

"북경대나 청화대 학생들의 반미 감정이 대단한 줄 알고 있는데……."

"미국이요? 당연히 싫죠. 나토 전투기가 유고 주재 중국 대사관을 폭격한 거 아시죠? 우리는 그건 사고가 아니라 고의라고 봐요. 2000년 올림픽 유치 실패도 미국의 농간 때문이고. 미국은 사사건건 우리에게 트집을 잡죠. 인권 문제가 어떻다, 환경 문제가 어떻다. 이런 건 명백한 내정 간섭 아닌가요?"

"그런데도 미국에 가고 싶어?"

"그건 그거고 이건 이거죠. 중국이 앞으로 잘 살려면 선진 기술을 많이 배워와야 하니까."

"그럼 유학 가는 것도 애국의 일종이라고 생각하는 건가?"

"그건 아니에요. 솔직히 말씀드리면요……."

1989년 톈안먼 사건 이후, 더 정확히 말해서 인민해방군이 인민에게 총을 들이대는 것을 본 이후 당과 국가에 대해 그 전과 같은 전폭적인 지지와 애정은 사라졌다고 한다.

"하여간 공부를 열심히 해서 실력을 쌓아야 해요. 내 실력이 있어야 어딜 가도 떳떳하잖아요. 국가 경쟁력도 높아지는 거고. 무엇보다도 그래야 좋은 직장 얻고 결혼도 할 수 있을 테니까요. 그런데 이거 뭐예요? 굉장히 맛있네요."

"그거? 아줌마, 여기 김치 빈대떡 한 장 더 주세요."

열 장인들 더 못 시키겠는가, 아주 속 시원하고 영양가 있는 인터뷰였는데.

한국에 다시는 안 갈 거예요

오늘부터 일주일 간 방학이다. 이름하여 국경절 주간. 중국에는 정말 부러운 것이 있다. 5월 1일부터 시작하는 노동절 주간과 10월 1일부터 일주일인 국경절 주간 휴일이다. 세상 어느 나라가 제일 놀기 좋은 봄, 가을에 일주일씩 전 국민은 물론 외국인에게까지 특별 방학을 주는가. 그뿐이면 이렇게 부러워하지도 않는다.

설날인 춘제(春節)는 공식적으로는 3일이 공휴일이지만 실제로는 모든 직장이 일주일에서 열흘까지 휴가를 준다. 그 밖에 부녀절, 아동절 등도 모두 휴일이다. 중국이 1995년부터 주 5일 근무제라는 것을 감안하면 우리보다 훨씬 짭짤하게 논다. 아니, 아예 정부가 놀기를 장려하며 소비를 부추긴다는 인상이다.

요즘 베이징 전체가 꽃밭이다. 물론 국경절 때문이다. 우리 학교도 도처에 국화며 사루비아 화분을 갖다놓아 축제 분위기가 무르익었다. 관광 명소이기도 한 청화대 내 청화문 앞에는 종이 국기를 파는 사람까지 나타났다. 제일 멋있는 곳은 역시 톈안먼 광장이다. 거리를 수놓은 꽃, 예쁜 등, 오성홍기, 대형 조형물로 몇 킬로미터에 이르는 대로가 휘황찬란하다. 광장에 걸린 마오쩌둥 주석 초상화도 올해 바꿨는데, 아주 인자한 모습이라는 소식이다.

50년 전인 1949년 10월 1일 마오쩌둥이 톈안먼 광장 높은 망루에서 "쭝화런민꿍허궈 청리러(중화인민공화국이 성립되었음을 선포한다)."고 외치는 모습을 담은 기록 화면을 텔레비전에서 질리도록 반복적으로 틀어준다. 중국 사람들이 마오쩌둥을 인민들을 먹고살게 해준 훌륭한 영도자로 기억하며, 진심으로 고마워하고 있다는 것을 도처에서 느낄 수 있다.

원래 사람이란 먹고사는 것이 해결되면, 그 다음에는 삶의 질을 생각하게 마련이다. 경제가 성장함에 따라 여행 인구가 느는 것은 당연한 일. 지난해 국경절에 해외 여행을 떠난 사람이 20만 명이었다는데, 그 수가 해마다 거의 100퍼센트씩 는다고 한다.

이번 국경절도 예외가 아니다. 그 해외 여행 대열에 새로 구한 과외 선생인 치엔훙도 끼여 있었다. 고등학교 지리 선생인데 남편은 외국계 보험 회사에 다니는 고소득자다. 여행 목적지가 반갑게도 한국이다. 서울과 민속촌 등을 도는 3박 4일 여정이었는데, 얼마나 부풀어 있던지 나까지 기분이 좋아졌다.

한국에 다녀온 일주일 뒤, 과외 수업을 하러온 치엔훙에게 물었다.

"한궈 뤼싱 썬머양?(한국 여행 어땠어?)"

"하이 커이."

시큰둥한 반응이 의외다. 말 그대로 번역하면 좋다는 쪽으로 해석할 수도 있지만 뉘앙스로 봐서는 '그냥 그래요' 혹은 '별로예요'라는 부정적인 심정의 외교적인 표현임에 틀림없다.

"요 원티마?(무슨 문제 있었어?)"

그러자 참았다는 듯이 불평이 쏟아져 나온다.

"3박 4일 내내 배가 고팠어요."

"입국 심사할 때 기분이 상했어요. 그 사람들 너무나 무뚝뚝하고 고압적이야."

"묵은 여관도 너무 지저분하고 시설이 엉망이었어요. 4성급이라 면서."

"도로 표지나 관광 표지에 한자가 없어서 불편했어요."

"돈도 고스란히 남겨 왔어요. 쓸래야 쓸 데가 있어야죠."

"무엇보다도 한국 사람들의 깔보는 듯한 시선이 제일 싫었어요."

그러다가 내가 당황하는 기색을 눈치챘는지 이렇게 말꼬리를 흐렸다.

"하기야 비행기 값도 되지 않는 돈으로 한국을 돌아보는 것만도 감지덕지죠."

만족스럽지 않은 여행이었음이 분명했다. 가슴이 덜컹 내려앉는다. 이 친구는 나와 공부하며 한국에 상당한 호감을 가지고 있는데도 한국 여행이 이 정도였다니.

듣기 싫은 말이겠지만 중국에서 한국은 그리 인기 있는 나라가 아니다. 최근 베이징에 있는 15개 대학 학생들을 대상으로 한 국가 호감도 조사에서도 한국은 거론된 13개국 중 10위다. 유학 가고 싶은 나라로도 10위, 여행하고 싶은 나라에서는 13위 꼴찌였다.

다른 한편으로 중국에는 지금 문화 현상이라 불릴 만큼 강한 한국 대중 문화 열풍도 불고 있다. 이름하여 '한류(韓流)'다. 표면적으로는 HOT와 안재욱으로 대표되는 대중 가수와 탤런트에 대한 열광이지만 이것은 곧장 한국과 우리 문화 전반에 대한 관심과 호감으로 이어진다. 우리 대중 문화를 좋아하는 아이들은 앞의 조사 결과와 정반대로 한국을 꼭 가보고 싶은 나라, 한국어를 꼭 배우고 싶은 언어로 꼽는다. 한국 제품과 유행도 거의 무조건 좋아하고, 갖고 싶어 한다.

이 '한류'가 하나의 물결로 순식간에 지나가버릴지, 아니면 하나의 도도한 흐름을 이룰지 아직은 잘 모르는 일이나 이것이 한중 교류의 첨병 역할을 하고 있음은 분명하다. 그런데 한국에 호의적인 이들이 치엔홍처럼 한국에 갔다가 실망을 한다면 정말 큰일이 아닐 수 없다. 단순히 여행객 한 사람의 문제가 아니다. 중국이라는 거대한 시장이 걸린 문제이기 때문이다.

중국이 움직이고 있다. 관광 사업에서는 더욱 그렇다. 2000년 통계를 보아도 한국에 온 관광객 중 중국인은 본토인과 타이완인, 홍콩인을 합쳐 일본인에 이어 이미 2위를 차지하고 있다. 최근 몇 년 동안의 증가율은 거의 수직선을 그리고 있다. 그러나 한국을 다녀간 사람 중에 다른 이에게 한국 여행을 권하는 사람은 많지 않다고 한다. 우리나라 관광 공사의 자체 조사에서도 중국 관광객의 여행 만족도는 50퍼센트도 되지 않는다.

특히 한국 음식에 대한 만족도는 40퍼센트에 불과하다. 금강산도 식후경이라는데 먹는 걸 제대로 못 먹으니 그 여행이 어떻게 만족스럽겠는가. 가뜩이나 먹는 것을 중요시하는 사람들인데 말이다.

가장 비용이 적게 들고도 효과적인 홍보는 다녀간 사람들이 '정말 좋더라'라는 입소문을 내는 일이다. 그런데 현실은 이렇다.

지난번 제주도에 갔다가 중국인들이 한결같이 먹을 것에 대해 불만을 품는 이유를 알았다. 일행과 함께 어느 식당에 들어섰는데, 마침 중국 관광객이 막 식사를 끝낸 참이었다. 그들이 앉았던 상 위에는 음식이 거의 다 남아 있었다. 돼지고기 편육과 게장, 한치회, 된장찌개, 계란찜, 생야채 등 내가 보아도 중국 사람 입에는 맞지 않는 것들이었다.

그 식당에서 중국 사람들이 불평할 만한 것을 또 한 가지 발견했다. 뜨거운 물이 없다는 거다. 중국인들은 하루 종일 차를 마시는데, 뜨거운 물이 없으니 얼마나 불편하겠는가. 중국인들은 커피를 거의 마시지 않기 때문에 식사 후 공짜로 주는 커피는 아무 의미가 없다.

하지만 이런 기본적이고 물리적인 문제는 시행 착오를 거쳐 차츰 개선할 수 있다. 문제는 중국 사람들을 '못 사는 나라에서 놀러온 촌놈'쯤으로 보는 태도이다. 내가 한 중국 관광객과 이야기를 나누고 있을 때, 수학 여행 온 고등학생들이 "쟤네들 짱꼴라지?"라며 킥킥거렸다. 물론 악의는 없었을 거다. 하지만 그 중국 사람, 말은 몰라도 그 말이 풍기는 불쾌한 느낌은 눈치챘을 것이다.

참으로 실속 없는 일이다. 호박밭에 가서 호박을 따오지는 못할망정, 굴러들어온 호박을 걷어차지는 말아야겠다.

인구조사원은 저승사자

'11월 1일 인구 조사 실시.'

학교 안에 걸려 있는 플래카드를 보면서 같이 집으로 가던 회화 선생에게 말했다.

"드디어 하느님도 모른다는 중국 인구를 알 수 있게 되었네."

"뿌싱바(아마 어려울걸요)."

"웨이썬머?(왜?)"

"인웨이 헤이하이즈 타이 두어(출생 신고를 하지 않는 아이들이 너무 많잖아요)."

"텔레비전에서 보니까 이번에 자진 신고하면 처벌하지 않겠다던데?"

"아이고, 그걸 믿는 사람이 어디 있어요?"

학교 안뿐만 아니라 거리마다 골목마다 붉은 글씨의 플래카드가 일제히 나붙었다. 우리 동네 둥왕장 아파트 단지 내에는 인구 조사에 관한 전단이나 지침서 등이 연일 들어온다. 텔레비전도 틀기만 하면 인구 조사원이 방문하면 어떻게 대답해야 하는가에 관한 캠페인이 한창이다. 조사원만도 전국적으로 1천만 명, 베이징에만 10만 명이 넘는 대규모 인구 센서스다. 국가에서는 아주 의욕적으로 실행하고 있지만 소위 '라오바이싱(老百姓)'이라는 일반 국민들의 반응은 이렇게 시큰둥하기만 하다.

우리 동네에 새로 생긴 교원용 아파트에서 종이 상자를 주워가는 아줌마 얘기에서 그 단면을 볼 수 있다. 쓰촨성에서 왔다는 이 아줌마는 딸만 넷. 16세, 13세, 10세, 6세인데 큰아이만 빼고 모두 '검은아이(黑孩子 : 헤이하이즈, 출생 신고를 하지 않은 아이)'들이다. 베이징 거류증이 없는 게 아니라 아예 주민등록 자체가 없으니 학교도 가지 못한다. 벌금을 내고 원적이 있는 곳으로 가면 되지만 돈도 없거니와 시골에서는 도대체 해 먹고살 게 없다며 그래도 식구들이 다 모여 사니 다행이란다.

내가 아들 낳으려고 이렇게 많이 낳았냐니까 대답 대신 웃는다. 이런 사람에게 인구 조사원은 저승사자나 마찬가지일 텐데 어떻게 정확한 조사를 할 수 있을까. 항간에는 이런 검은 아이들의 숫자가 1억이 넘을 것이라는 추측이다.

중국에서는 한 가족 한 자녀 정책이 대단히 엄격하다. 소수 민족들과 농촌에서는 첫딸을 낳았을 경우에만 둘째까지 낳을 수 있지만, 그 외에 둘째를 낳았을 때 내는 벌금은 몇 년치 월급에 해당할 정도로 가혹하고 더불어 온갖 혜택도 없어진다.

도시만 그런 것이 아니다. 왕샹네 시골 동네는 더 엄격하다. 이곳 사람들은 미혼인 여자는 6개월에 한 번씩, 결혼한 여자는 1년에 한 번씩 동네 보건소에서 의무적으로 임신 여부를 검사해야 한다. 검사비는 5위안(750원)이지만 타지에 살고 있는 경우 오가는 시간이며 차비가 부담스럽기 짝이 없다. 의사의 확인증을 보내면 안 되냐니까 반드시 본인이 직접 와야 한단다. 미국 유학 때 사귄 중국인 친구도 둘째 아이 가진 것을 모르고 중국에 다니러 갔다가 국가에 의해 강제 낙태당했다는 얘기를 듣고 대단히 엽기적이라고 생각했다.

개인적으로는 상당히 비인간적이지만 국가적으로는 이렇게 하지 않으면 안 될 절박한 상황이다. 어떤 학자는 이런 강력한 가족 계획 정책이 아니었다면 현재 중국의 인구는 15억을 넘었을 것이라고도 하는데, 일리가 있는 말이다.

중국 인구의 증가는 우리나라 인문 서적 제목에서 여실히 드러난다. 내가 고등학교 졸업한 후 읽었던 리영희 선생님의 책은 1977년 《8억인과의 대화》라는 제목으로 출간되었는데, 8년 후인 1985년에는 《10억인의 나라》라는 제목의 책이 나왔다. 그런데 1994년 이후에 나온 중국 관련 책들은 모두 중국 인구를 12억이라고 한다. 이번 조사 후, 통계국에서 발표한 공식적인 인구는 12억 9천5백 33만 명. 1995년에 이미 12억을 훨씬 넘었으니 참으로 믿기 어렵지만 말이다.

12억이든 13억이든 우리 머리로는 도저히 상상할 수 없는 숫자다. 그러니 중국에 사람이 얼마나 많은가는 직접 체험해보는 것이 최고다. 중국에는 세상에 둘도 없는 진기한 풍경이 있으니 이름하여 인산인해(人山人海). 그 인해(人海)에는 인파(人波)라는 파도도 친다. 이런 걸 보려면 언제 어디에 가면 좋을까?

우선 춘제 바로 직전의 역 앞에 가본다. 베이징이나 상하이 등 큰 역일수록 좋다. 앞에도 사람, 뒤에도 사람, 옆에도 사람. 눈에 보이는 건 모두 사람이다. 보는 것만으로 성에 안 차면 기차표 사는 줄에 들어가 겹겹이 다가오는 사람의 파도에 몸을 맡기고 이리저리 밀려본다. 이게 말로만 듣던 인파다. 눈을 감고 있으면 정말 파도를 타는 것처럼 멀미도 난다.

그리고 기차를 탈 일이 있다면 제일 싼 표인 입석으로 산다. 앉은 사람, 서 있는 사람, 의자 밑에도 복도에도 심지어는 선반 위에도 사람으로 넘쳐난다. 인산이라는 말이 실감날 거다.

국기 게양식이나 하강식 때의 톈안먼 광장도 아주 좋은 장소다. 특히 국경절인 10월 1일 일출과 더불어 시작되는 국기 게양식은 압권이다. 수십만 명이 이루는 인간의 바다가 펼쳐질 것이다. 국기가 올라가기 시작하면 서로 조금이라도 잘 보려고 펄쩍펄쩍 뛰거나 무등을 타거나 하는 크고 작은 인간의 파도를 경험할 수 있다. 가까이 보아도, 멀리 보아도 사람들뿐이다. 조금만 높은 데 있으면 까만 머리의 물결, 인선(人船)을 타고 인해를 항해하는 기분일 거다.

그러나 이 의식의 하이라이트는 정작 게양식이 끝나고 나서다. 어디론가 한꺼번에, 불가사의하게, 일사불란하게 빠져나가는 인파의 썰물. 눈 깜짝할 사이에 주위에 아무도 없다. 5분 안에 외돌토리가 되고 만다. 인산인해의 나라, 중국만이 연출할 수 있는 풍경이다.

중국에 올 일이 있는 사람들이라면 꼭 한 번씩 경험해보기를 권한다. 중국 인구를 상상하는 데 결정적인 도움이 될 것이다. 우리는 '백문이불여일견(百聞而不如一見)'이라는 말을 많이 쓰지만, 중국에서는 '백견이불여일행(百見而不如一行)'이라는 말을 훨씬 많이 쓴다. 즉 백 번 보는 것보다 한 번 해보는 것이 낫다는 것이다. 전적으로 동의한다. 일단 한번 해보시라니까요.

뼛속의 힘까지 다 써버렸다니

요즘 창 밖의 풍경이 완전히 달라졌다. 며칠 전 가을비가 한번 다녀간 후로는 초록색 바탕에 노란색 톤이 진하게 깔려 있다. 자세히 보니 나뭇잎들이 힘이 없고 까칠해 보인다. 세월이 저렇게 나뭇잎에서 흐르는구나. 저것들은 내가 지난 3월 처음 이 방에 들어섰을 때는 아직 나오지도 않았던 잎들인데. 그동안 손톱만한 연두색 새 잎이 돋아나고 그 잎이 어린애 손바닥만해지면서 참기름 바른 것처럼 반들반들하게 커졌는데. 그리고 그 진초록 이파리 뒤에서 매미가 요란하게 울어대며 잠을 설치게 한 것이 바로 엊그제 같은데.

이제 저 잎 위로 흰눈이 내리고 그 눈이 녹고 눈 녹은 자리에 또 새순이 나올 채비를 하면 나도 한국으로 돌아갈 준비를 해야 한다.

지금은 가을이 무르익는다는 10월.

그러고 보니 그동안 과일 가게의 과일들도 달라졌다. 처음에 올 때는 뭐가 있었더라. 맞다. 딸기랑 파인애플이 지천이었지. 그러다가는 슬슬 복숭아로 바뀌더니 곧이어 수박. 여름 내내 수박 천지였는데 여름 끝물부터 지금까지는 포도 잔치다. 간간이 햇사과가 나오고 햇배도 보인다. 귤도 보인다. 중국 귤은 참 못생겼다. 씨도 많고 달지도 않다. 뭐니뭐니 해도 요즘 제일 맛있는 것은 단감이다. 벌써 만지면 터질 것 같은 홍시도 보인다. 베이징의 가을은 이렇게 과일전에서 농익고 있다.

과일 구경을 하다가 갑자기 나는 인생의 어느 계절에 와 있는 걸까 하는 엉뚱한 생각을 했다. 중국에 와서 혼자 있는 시간이 많아져서인지 나를 자세히 관찰할 시간 역시 많아졌다. 우선 생물학적인 나이가 선명하게 인식된다. 밤에 책을 보려면 눈이 침침하고, 사전의 작은 글씨는 가까이에서보다 좀 멀리해야 잘 보인다. 날씨가 쌀쌀해지니 무릎이 제일 먼저 시리고, 앉았다가 일어나려면 무릎에서 우두둑 소리가 난다. 그것뿐인가. 눈 밑의 잔주름도 짙어졌다. 지성 피부라서 걱정하지 않았던 잔주름인데. 손에도 아무리 열심히 로션을 발라도 늘 건조하다. 이게 다 베이징의 건조한 날씨 탓이라기보다는 내가 나이들어간다는 증거다. 정신적인 나이와 무관하게, 저 창 밖의 나뭇잎처럼 내 몸의 나이는 이제 여름을 지나 초가을로 접어들고 있는 모양이다.

그러지 않아도 요즘에는 왠지 힘이 없고 자꾸만 피곤하다. 보는 사람마다 얼굴 색이 좋지 않다느니 살이 빠졌다느니 듣기 싫은 말만 골라 한다. 걱정해서 하는 말도 있지만 그냥 지나가는 인사말 삼아 던지는 말이 실상 나에게는 인사가 안 되고 있다. 왜일까? 우선 베이징에 온 후로 제대로 된 운동을 하지 않아서일 거다. 매일 1시간씩 자전거 타는 것과 일주일에 두세 번 수영하는 것으로는 절대 운동량이 모자라나 보다. 베이징 근처에 산이 있다면 얼마나 좋을까? 그러고 보니 내가 산 냄새를 못 맡아서 이러는지도 모르겠다.

내가 하도 힘이 없다고 찡찡대니까 '사랑방'이라는 한국 식당 주인 이영숙 씨가 용한 한의사를 안다고 한번 같이 가보자고 했다. 누구냐니까 북경중의약대학 박사 과정 중인 '베이징의 허준'이라는 김인근 씨인데 진맥 경험이 10년도 넘는단다. 왜 허준이냐니까 사장이든 유학생이든, 한국 사람이든 중국 사람이든, 진맥이든 침이든 몽땅 공짜란다. 약을 써야 하면 약방문만 써주고 약은 각자 지어먹어야 한단다. 참 희한한 사람이라고 생각했지만 돈을 받지 않는다면 분명 자기가 좋아서 하는 일일 테고 그러면 얼마나 성의 있게 봐줄까 짐작이 갔다.

얼굴에 선한 기와 장난기가 절묘하게 어우러진 삼십대 중반의 김인근 씨는 내 맥을 집더니 한마디한다.

"뼛속의 힘까지 다 써버렸네요."

타고나기는 단단하게 타고났는데 그동안 무리를 하면서 있는 힘을 다 써버렸단다. 얘기를 그대로 옮기면 이렇다. 사람이 힘이 딸리면 처음에는 피부와 살의 힘을, 그 다음에는 오장육부의 힘을, 그것도 모자라면 뼛속의 힘을 꺼내 쓰게 되는데, 나는 지금 마지막 힘까지 갖다 쓰고 있다는 것이다. 지금부터 차근차근 보충하지 않으면 사십대, 오십대, 육십대를 건강하게 살 수 없다고도 했다.

"어떻게 하면 좋을까요?"

"오늘부터라도 공부고 뭐고, 하는 일을 무조건 반으로 줄이세요."

"네?"

"좀 느슨하게 하라는 말이에요. 천천히, 조금은 무료하게."

그리고 덧붙이는 비유는 뜨끔했지만 아주 적절했다.

"나이로는 가을에 다가서는 환절기인데 아직도 여름 옷을 입고 다니는 형상이에요. 계절은 추워지는데 옷을 갈아입지 않았으니 탈이 난 게 당연하지요."

돌아오는 길에 곰곰이 생각해본다. 중국에 있는 동안 무리한 계획은 세우지 말아야 한단다. 공부 열심히 하면 큰일난단다. 하지만 내가 중국에 온 제일 큰 이유가 공부인데 지금 정도도 하지 않는다면 직무유기 아닌가. 아냐, 그냥 김인근 씨 말대로 공부는 대강대강하고 슬슬 놀다가 갈까? 아냐, 그럴 수는 없지. 놀려면 딴 데서 놀지, 왜 베이징에서 놀아. 아, 그럼 죽도록 공부해서 중국어 박사 돼라, 박사.

한참을 그러다가 지금 내가 직면한 근본적인 문제는 공부를 1시간 하느냐 10시간 하느냐가 아니라는 생각이 퍼뜩 머리를 스쳤다. 문제의 본질은 공부를 어떤 마음가짐으로 하느냐가 아닐까? 즐기면서 하고 있는가, 아니면 다른 사람보다 잘해야 하고 빨리 해야 한다는 경쟁심으로 하고 있는가. 나를 위해서 하고 있는가, 아니면 남에게 보이기 위해서 하고 있는가. 앞의 것은 나를 살리는 일이고, 뒤의 것은 나를 죽이는 일이다.

공부하다 죽었다는 얘기는 듣지 못했지만 하여간 죽으면 안 되니까 너무 애쓰지 말고 할 수 있는 만큼만 하자. 앞으로 하고 싶은 일도 많고 할 일도 많은데 지금 건강을 해치면 큰일이니까.

이번 진맥을 통해서 한 가지 중요한 것을 깨닫게 되었다. 사람도 자연의 일부라는 사실이다. 그러니 사람의 몸 역시 봄, 여름, 가을, 겨울이 있는 게 당연하다. 몸이 예전 같지 않다고 너무 안타까워하지 말자. 오히려 이건 너무나 자연스러운 일이다. 다시 봄이나 여름으로 돌아갈 수 없으니 다가오는 가을, 겨울을 재미있게 살아갈 궁리를 하는 것이 실속 있는 일이다.

그러려면 어떻게 하지? 우선은 끼니 거르지 말고 잘 먹어야 한다. 내용물도 충실해야 한다. 여름 내내 냉면만 먹고 지냈더니 당장 몸이 복수혈전을 벌이지 않는가. 중국에도 이런 말이 있다. '약보불여식보(藥補不如食補 : 밥 잘 먹는 것이 보약보다 낫다).' 그리고 오늘부터 12시에는 세상 없어도 꼭 자야겠다. 거기에 운동까지 열심히 하면 금상첨화겠지. 무엇보다도 즐거운 마음으로 산다면, 그 계절을 즐기는 마음으로 산다면 어찌 병 따위가 나를 넘볼 수 있겠는가. 암, 그럴 수는 없느니.

쟝 할아버지의 사랑이야기

이번 주 신문은 한국전 참전 50주년 이야기로 도배되어 있다. 텔레비전에서도 계속해서 전쟁 영화, 참전 용사 다큐멘터리 등을 방영하고 있다. 우리가 초등학교 때 배운 대로라면 '국군과 연합군이 공산 세력을 압록강까지 밀어냈지만 북한의 요청에 응한 중공군이 인해 전술로 물밀 듯이 내려와 통일을 망쳤다'인데 여기 버전은 '곤궁에 처한 북조선을 도와 제국주의자 미국에 응전하여 통쾌하게 승리했다'였다. 정작 한국전쟁의 당사자들인 북한과 한국은 평화 공존에 해가 될까 봐 50주년 행사를 자제하고 있는데 한갓 지원군이었던 중국이 이렇게 요란한 것이 아이러니하다. 그것도 6·25도 한참 지난 10월에 말이다(나중에 알고 보니 10월 25일이 미 제국과의 첫 교전일이라 이 날을 기념하는 거란다).

며칠 전 한국 식당에서 본 한국 신문에도 관련 기사가 났었다. 베이징의 한 대형 문고에는 참전 관련 특별 코너가 생겼는데 발 디딜

틈이 없고, 베이징 군사 박물관에서 열린 특별 전람회에서는 김일성이 마오쩌둥에게 도움을 청했던 친필 서한이 처음 공개되었으며, 텔레비전에서는 30부작 '조선전쟁'이 방영되는데 여기서는 마오쩌둥의 아들인 마오안잉(毛岸英)의 전사를 지켜보는 여군 이야기를 다루었다고 전했다.

나와 친하게 지내는 둥왕좡 쟝 할아버지는 한국전쟁 참전 용사다. 전투병은 아니고 무전병이었는데 평양까지 진군했었단다. 아파트 현관에 군복 차림의 새파란 청년 사진이 걸려 있는데 그게 바로 참전 당시의 할아버지 모습이라고 그 집에 놀러간 첫날 자랑스럽게 설명했다.

"그럼 할아버지와 저는 적인 셈이네요?"

장난 삼아 껄끄러운 말을 했더니 총명한 할아버지가 대뜸 하는 말.

"아니지. 우리는 한국하고 싸운 것이 아니라 미 제국주의자들과 싸운 거니까."

좌우지간 할아버지를 비롯한 참전 용사들은 지금 상당한 연금과 대우를 받고 있다. 할아버지도 방 세 개짜리 아파트를 무상으로 배급받았고 한 달에 대졸 노동자 월급인 2,000위안 정도의 연금을 받는다고 한다.

"페이창 렁(몹시 추웠어). 내 생전에 그렇게 추운 적은 다시는 없을 거야."

내가 전쟁 얘기를 더 해달라고 했더니 춥다는 소리부터 한다. 할아버지와 같이 북조선에 갔던 사람들 중 아주 많은 사람들이 총 한 번 쏴보지 못하고 얼어죽었단다. 겨울 장비는커녕 양말도 제대로 배급이 안 된 상태에서 강도 건너고 야영, 노숙을 했다니 그러기도 하겠다. 그러고는 이어지는 게 전쟁터에서 핀 풋사랑 이야기. 김 아무 개라는 조선 처녀를 짝사랑했었더란다. 의무병인지 통신병인지 하는 이 조선 여군 이야기를, 할머니는 하도 들어서 다 외우는지 가끔씩 보태는 말을 해줄 정도다. 하기야 스무 살 새파란 청년인데 전쟁 터가 아니라 지옥에선들 뜨거운 사랑의 불꽃을 피우지 못했을까. 어쩌면 그 사랑의 열기로 얼어죽지 않고 살아 돌아왔는지도 모르겠다.

"그럼 할머니와는 어떻게 만났어요?"

"무시무시했던 문화혁명 때였다우."

할머니가 거든다.

그때 할머니는 고등학교 선생님이었는데 지식 분자 '하방(下方)' 조치에 따라 시골로 추방당해 농촌에서 돼지를 키우고 있었고, 할아 버지는 할머니가 있던 지역의 주둔군 연락병이었단다. 내가 문화혁 명 때 이야기를 더 해달라고 했더니 뭐 다 지나간 얘기를 하느냐고 머뭇거리신다. 아직도 마음놓고 얘기하기가 무서운 거다. 내가 교과 서에도 문화혁명은 실패한 혁명이고 그때 홍위병 노릇을 하며 공부 를 제대로 못한 오십대를 '뒤처짐을 당한 세대(被耽誤的一代)'라고 한다고 써 있었다니까 그제야 안심이 되었는지 말문을 여신다.

"홍위병들 말도 마. 얼마나 무서운지. 바로 내가 가르치던 그 순하 디 순한 학생들이 하루아침에 대자보에 나를 비판하고, 고깔 모자를 씌우고 목에 죄목을 적은 팻말을 달아 공개 비판을 했다우."

"왜요?"

"반혁명 세력이라는 거야. 하여간 만들어서라도 무조건 잘못했다 고 자아 비판해야 했어. 그러지 않으면 개처럼 질질 끌려다니거나 몰매를 맞았지. 나도 하방되지 않았으면 홍위병 손에 맞아죽고 말았을 거야. 우리 아버지가 지주였거든."

한번 말문이 열리니 줄줄이 나온다.

"죽지 않을 만큼만 먹으면서 하루에 15시간 이상 일하고, 밤에는 무슨 회의나 성토 대회를 하고 돌아와서는 뭘 잘못했는지도 모른 채 수십 장의 반성문을 쓰면서 3년을 보냈어."

"한번은 길을 가는데 한 무리의 홍위병들이 나를 불러세우더니 《마오쩌둥 어록》 몇 페이지 몇 조를 외워보라는 거야. 물론 외우지 못했지. 그날 나는 햇볕이 쨍쨍 내리쬐는 땡볕에서 한나절을 꿇어앉아 있어야 했다우. 그것도 깨진 유리 조각 위에서."

오십대 중에 유난히 거칠고 무뚝뚝한 사람들은 십중팔구 홍위병 출신이라고 보면 된다며, 아직도 그때를 생각하면 분하고 억울해서 가슴이 벌렁벌렁하시단다.

듣고 있으니 무슨 영화를 보고 있는 것 같다. 다이호우잉의 《사람 아 아, 사람아!》, 혹은 장융의 《대륙의 딸들》에 나오는 문화혁명 이야기는 너무나 믿기 어려워서 작가의 상상일 거라고 생각했는데 바로 내 눈앞에 있는 육십대 중반의 할머니가 고스란히 그 일들을 겪었다는 것이 신기하기만 하다.

"그래도 할머니는 덕분에 할아버지를 만나셨잖아요."

"그래, 너무 힘들어서 칵 죽어버려야지 하고 있을 때 저 영감을 만났으니까."

그때를 회상하는 듯 입가에 잔잔한 미소가 떠오르는 할머니 얼굴을 보고 있자니 마음이 찡해진다. 할아버지가 전쟁터에서 북조선 아가씨를 만나 그 어려운 시절을 견뎌냈듯이 할머니는 힘겨운 혁명기의 소용돌이를 할아버지를 만나서 이겨낸 거다. 사랑의 힘으로.

세상에 공짜가 어디 있어!

"어머, 저 사람들 좀 봐."

어느 주말 옷을 사러 시내에 나갔다가, 한 가게 앞에 귀성 열차표를 살 때처럼 길게 늘어선 사람들을 보았다. 요즘 중국에서 한창 유행인 체육복권을 사려는 사람들이다. 한 장에 2위안(300원)인데 1등에게 천문학적인 액수인 5백만 위안(7억 원)을 주는 바람에 복권 가게 앞이면 어디나 저렇게 장사진을 이룬단다. 평소에는 줄을 잘 서지 않는 사람들이 질서정연하게 제 차례를 기다리는 것도 퍽 이채로웠다. 지금 중국에는 복권 장사가 유망 업종인데 책상 하나와 컴퓨터 한 대만 있으면 한 달에 1만 위안, 보통 월급쟁이의 5배도 넘는 돈을 번단다. 중국에도 바야흐로 일확천금, 복권 시대가 온 것이다.

갑자기 주말마다 500원짜리 주택복권을 열심히 사던 여고 동창이 생각난다. 그 친구 밤낮 하는 말.

"이번에 복권만 맞으면 몇 달 간 초호화판 해외 여행을 떠날 거야."

이 친구와 나는 비슷한 시기에 세계 여행을 하기로 마음먹게 되었다. 여행을 위해 내가 한 푼 두 푼 모으는 것을 보면서 친구는 그렇게 해서 어느 세월에 여행 경비를 마련하겠냐며 자기처럼 돈이 있는 대로 복권을 사는 것이 훨씬 빠르다고 했었다. 그렇지만 7년간에 걸친 내 세계 여행은 벌써 끝났는데 그 친구의 호화 여행은 아직도 '계획 중'이다.

이 친구, 한동안 소식이 뜸하더니 얼마 전에 이메일을 보내왔다. 괜찮은 회사의 홍보부장 자리를 그만두고 본격적으로 증권에 투신할 생각이라며 멋지게 한탕 하면 호화 요트를 사서 같이 배 타고 지구 세 바퀴 반 하잖다. 예나 지금이나 엉뚱한 소리는 여전하다. 참 알 수 없는 일이다. 평소에는 더할 수 없이 야무지고 현실적인 친구가 요행수 앞에서는 이렇게 순진무구한(?) 어린아이가 된다는 것이. 나는 반가움과 놀라움에 걱정을 조금 섞어 답장을 보냈다.

"얘, 정신 차려. 세상에 공짜 떡이 어디 있니?"

공짜. 사실 나는 유난히 공것이 잘 생긴다. 어렸을 때 뽑기를 하면 십중팔구는 뽑곤 했다. 각종 잡지에서 주는 독자 선물도 황송할 정도로 많이 타보았다. 라스베이거스 카지노에 갔을 때는 처음 1달러를 넣은 기계에서 500달러가 쏟아져 나왔다. 한번은 길 가다가 백화점 개점 기념 행운권을 나누어주길래 무심코 주소를 적어 넣었는데 며칠 후 집으로 대형 냉장고가 배달된 적도 있다.

그러나 아직까지 당첨금이 몇 억씩 되는 복권에 맞거나 대박이 터져 횡재한 적은 없다. 정말 다행이라고 생각한다. 그게 바로 목숨을 부지하는 일이기 때문이다. '수주대토(守株待兔).' 글자 그대로의 풀이는 '나무 밑에서 토끼를 기다린다'지만 내용은 그렇게 낭만적이지 않다. 한 부지런한 농사꾼이 어느 날 우연히 나무에 뛰어든 토끼를 잡은 후부터 농사를 팽개치고 토끼만 기다리다 굶어죽었다는 얘기다. 한마디로 횡재가 사람 잡는다는 말이다. 언제부터 이 속담을 알고 있었는지는 모르지만 공것이 생길 때마다 생각나서 등골이 오싹하다. 주역 풀이도 그렇단다. '횡재'는 운수대통이 아니라 급살이라고. 정말 모골이 송연한 말이다.

어쨌거나 나는 공짜를 믿지 않는다(안 죽으려고?!). 내 노력을 통하지 않고 거저 얻은 것을 내 것이라고 믿지 않는다는 말이다. '일주일 만에 확 달라집니다', '석 달 완성 속기', '6개월 완전 정복 영어' 등 속성 과정도 믿지 않는다. 오히려 나는 낙수가 바위를 뚫는 그 한 방울 한 방울의 힘을 믿는다. 한 발짝 한 발짝이 모여 마침내 산꼭대기에 이르는 그 한 걸음의 힘을 믿는다. 천천히, 그러나 꾸준히 가는 것이 훨씬 빠르고 확실한 길이라는 것도 굴뚝같이 믿고 있다.

작년에 국토 종단을 할 때의 일이다. 마라톤 선수가 홈그라운드를 한 바퀴 도는 것으로 경기를 마무리하듯, 세계 일주를 우리나라 최남단 전라도 땅끝마을부터 최북단 강원도 통일전망대까지 걷는 것으로 마무리하는 중이었다. 첫 일주일 동안 전라도 길에서 만나는 할머니들마다 걱정 반, 꾸지람 반 하시던 말씀은 이랬다.

"강원도꺼정 걸어서? 워메, 절대로 못 간당게."

2천 리 도보 길이 엄두가 나지 않으셨던 게다. 그러나 나는 40여 일 동안 한 발짝, 한 발짝 걸어서 강원도 통일전망대에 도착했다. 특별한 재주가 있어서가 아니다. 내게는 나는 힘도 없고 뛰는 힘도 없다. 내가 한 일은 보통 사람보다 훨씬 작은 발로 그저 한 걸음 한 걸음 옮긴 것이다. 그 작은 한 걸음이 모이고 쌓여 어느덧 못 간다던 2

천 리 길을 다 걸은 것이다.

하늘에서 감이 떨어지기를 바라는가? 그러려면 봄에 감나무를 심어야 한다. 그리고 여름 내내 물을 주고 퇴비도 주며 잘 보살펴야 한다. 그런 공을 들여 가을에 감이 탐스럽게 열리면, 그때 그 나무 밑에 앉아 있어야 비로소 감이 떨어지는 것이다. 만약 봄, 여름에 애쓰지도 않았는데, 가을 어느 날 우연히 그 밑에 앉았다가 감을 얻었다면 당연히 그 감은 내 감이 아니다.

영어에 이런 말이 있다. 'There is no free lunch in the world (세상에 공짜 점심이란 없다).' 중국 속담에는 이런 말이 있다. '世上沒有天上掉下的餠(하늘에서 거저 떨어지는 떡은 없다).' 동서양에서 이구동성으로 없다고 하니, 정말 세상에 공짜는 없는 모양이다.

공짜 떡이 없는 것과 마찬가지로 공짜 품도 없다고 생각한다. 공든 탑은 절대로 무너지지 않는다는 것이다. 지금 중국어를 배우면서 더욱 새롭게 깨닫고 있는 중이다.

지난 학기, 우리 반에는 총명한 학생이 있었다. 한 번 보고 들은 것은 머릿속에 그대로 입력되는 것 같았다. 특히 외우기에서 진가를 발휘했다. 회화반 선생님은 늘 교과서 본문을 통째로 외워오는 숙제를 내주고 수업 시작 전에 한 사람씩 큰 소리로 외우게 했다. 발음과 성조가 조금만 틀려도 그냥 넘어가는 법이 없는 공포의 시간이다. 다른 학생들에게도 쉽지 않았겠지만 특히 외우기가 잘 되지 않는 나는 정말 죽을 맛이었다.

한 학기 내내 교과서 녹음 테이프가 늘어나도록 듣고 또 들으면서 읽고 써야 했다. 어느 때는 한 과를 외우는 데 서너 시간이 넘게 걸렸다. 이렇게 느려서야 어느 천년에 중국어를 배우나 하는 생각도 들었다. 그러나 그 학생은 달랐다. 20~30분 정도면 가볍게 한 과를 외운다는데 숙제 검사 때 보면 몇 배 더 공부한 우리보다도 훨씬 유창하고 정확했다. 그 잘 돌아가는 머리가 얼마나 부러웠는지.

그러나 중급반이 된 지금은 그 학생이 우리를 몹시 부러워하고 있다. 단계가 올라갈수록 초급반에서 배운 것들이 중요한 기초가 되는데, 자기는 지난 학기에 외웠던 것들이 기억이 나지 않는단다. 잘 외워지는 것만 믿고 30분 만에 그냥 머리 위에 살짝 올렸다가 내려놓았을 뿐이라며 후회막급이다. 반대로 그때 힘 들이고 시간 들이고 공 들여서 외운 문장들이 내 머릿속에는 고스란히 남아 있어 얼마나 유용한지 모른다. 하루에 몇 단어씩, 몇 문장씩 외운 것이 아홉 달간 모이고 쌓여 알토란 같은 실력이 되고 있는 것이다.

무언가를 간절히 바라고 있는가? 그렇다면 가지러 가자. 내일 말고 바로 오늘, 지금 떠나자. 한꺼번에 많이는 말고 한 번에 한 발짝씩만 가자. 남의 날개를 타고 날아가거나, 남의 등에 업혀 편히 가는 요행수는 바라지도 말자. 세상에 공짜란 없다지 않은가.

이름도 바꾸고 인생도 바꾸고

"정시엔위에(鄭現月). 네 이름 발음하기 진짜 어렵다."

"맞아요, 내 이름 가르쳐주면 제대로 따라 하는 사람 별로 없어요."

"한국말로도 현월, 좀 촌스럽지 않니?"

"그래요?"

"'현'자는 괜찮은데 '월'자가 좀……."

"좀 그렇지요?"

어느 햇살이 눈부시던 오후, 지난 봄 만난 중국 동포 친구 현월이와 가을이 한창인 청화대를 산책했다. 매일 자전거로 지나는 길이지만 언제 한번 교정을 찬찬히 걸어봐야지 하던 참이었다. 샛노란 은행잎이 풍성히 달려 있는 나무들의 터널이 아름다웠다. 이 말 저 말 끝에 이름 얘기가 나왔다.

"그럼 내가 이름 하나 지어줄까? 좀더 국제적이고 세련된 걸로."

"그래 줄래요?"

"뭐가 좋을까. 네 얼굴이 동그랗고 이름에도 '월'자가 들어가니 달과 관련된 것이 적합한데."

그러고는 장시간 머리를 굴렸다. 내 부전공인 이름짓기가 시작된 것이다. 정자와 석탑이 있는 연못가를 돌면서 생각난 몇 가지 이름은 달아, 월아, 문아, 달빛.

"어머, 너무 예뻐요."

"아니야. 한글로는 예쁜 어감이지만 영어권에서 쓰기에는 약간 무리가 있겠어. 땡."

내가 생각해놓고 금방 마음에 들지 않는다. 생물학과의 고색 창연한 석조 건물과 해시계를 보면서 생각난 건 위에량(月亮), 중국말로 '달'이다.

"그것도 괜찮은데요. 아주 중국적이고."

"아니야, 역시 발음이 어려워. 퇴짜."

소나무 향이 은은히 퍼지는 야트막한 언덕을 오르면서 떠오른 건 다이애너.

"야, 멋있다. 영국 왕세자비 이름도 그거죠?"

"아니야, 너무 흔해. 동양인에게는 어울리지도 않고. 정 다이애너라니. 아예 정 다이아몬드라고 하는 게 낫겠다. 땡. 그럼 또 뭐가 있을까? 스페인어로 달이 뭐더라."

한 줄기 바람이 불었는지 노란 은행나무 잎들을 폭포처럼 쏟아내는 가로수 길을 지나갈 때 생각난 이름이 루나.

"아, 그래. 이거 좋다. 정루나. 성하고도 딱 어울리고. 서양식으로는 루나 정, 이건 더 멋있는데."

"야호! 바로 그거예요. 나 이걸로 할래요. 정루나. 마음에 쏙 들어요."

현월이는 나를 껴안으면서 좋아 죽는다. 정현월이 정루나로 다시 태어나는 순간이다. 이름지어준 값으로 루나가 이번 달 내내 저녁밥을 해주기로 했으니 작명 값으로는 짭짤하다. 이 친구는 그날로 이메일 ID를 LunaZheng으로 바꾸었다. 명함도 당장 바꿀 거란다. 루나가 나를 처음 만난 날, 오늘의 운세에서 인생의 길을 바꿔줄 귀인을 만난다고 했는데. 이름이 바뀌었으니 더불어 운명도 바뀌는 건가?

베이징에 온 지 사흘째 되던 날 PC방에서 처음 본 이후로 지금까지 우리는 자주 만난다. 이 친구 집은 내 숙소에서 자전거로 5분 거리에 있고, 결혼 6년차지만 북한과 무역을 하는 남편이 자주 장기 출장을 가는 데다 아이도 없어 같이 지낼 수 있는 시간이 많다.

어느 때는 학교 가는 시간 빼고는 하루 종일 같이 있기도 한다. 할 말도 많고 취미 생활도 비슷하기 때문이다. 수영도 같이 다니고 책 읽는 것을 좋아해 경쟁하듯 책을 읽고 토론을 벌인다. 내 중국어 실력이 늘어감에 따라 수십 번도 더 오늘부터는 중국말만 하자고 규칙을 정하지만 본격적인 수다가 시작되면 번번이 반칙을 하는 건 나다. 도저히 어린애 수준인 중국말로는 하고 싶은 말을 속 시원히 다 할 수가 없어서다.

몇 달 전 한의사가 나에게 밥을 잘 챙겨 먹지 않으면 무슨 보약을 먹어도 소용없다고 하는 말을 듣고는, 사먹는 밥은 살로 안 간다며 그날부터 매일 저녁밥을 해주는 기막힌 친구다. 주중에는 이 친구 집에서 먹고 주말에는 내가 외식으로 한턱 낸다. 이렇게 매일 보다가 루나가 한국이나 상하이 등으로 출장을 가면 둘이 찍은 사진을 책상 앞에 놓고 오며 가며 쳐다본다.

　루나는 얼굴도 곱지만 마음은 더 곱다. 이 친구의 최대 장점은 뭐니뭐니 해도 남의 말을 잘 들어주며 맞장구를 잘 치는 거다. 그래서 그날 생긴 좋은 일, 신나는 일, 기분 잡치는 일, 억울한 일들을 미주알고주알 얘기하게 된다. 이 친구와 얘기하면 속이 시원해지고 분도 금방 풀리고 좋은 생각, 기발한 아이디어도 마구 떠오른다.

　10월 어느 날, 베이징에서 가장 아름다운 단풍을 볼 수 있다는 샹산(香山)으로 가을 나들이를 갔을 때였다. 루나는 예쁘게 물든 붉은 단풍 숲을 지나면서 내게 속내를 털어놨다. 결혼을 했지만 아이도 없고, 지금 하는 일도 만족스럽지 않아 새로운 일을 하고 싶다는 것이다.

　"뭔가 하고 싶은 일이 있니?"

　"있기는 하지만……."

　"뭔데?"

　"중의학을 공부해서 한의사가 되는 거요. 이게 진짜 하고 싶어요."

　"야, 그거 좋다, 한의사. 자기가 하고 싶은 일이 남에게도 도움이 되니 얼마나 좋아?"

　"너무 늦은 거 아닐까요?"

　"얘가 무슨 소리야. 너 몇 살이야? 서른두 살, 핏덩이 아니야?"

　"핏덩이라구요? 정말 그렇게 생각해요?"

　그날 우리는 보러 간 단풍은 제쳐놓고 하루 종일 '정루나 한의사 만들기 프로젝트'에 대해 얘기했다. 나는 우선 한의사 김인근 씨를 소개해주기로 했다. 현역에 있는 사람에게 조언을 구하는 것이 제일 좋은 방법이려니와, 김인근 씨가 환자를 볼 때 책상머리에 앉아 귀동냥 눈동냥을 하는 것이 중요하다고 생각했다. 루나가 한의사가 되면 내 주치의가 되어주는 것은 물론 내가 일하는 긴급구호 현장에도 와서 진료를 해주기로 했다. 그날, 이야기에 취해 단풍 구경은 제대로 못했지만 정말 큰 수확이 있는 날이었다. 이 기특한 친구는 올 9월부터 중의학과 학생이 된다. 인생의 새로운 장에 들어선 친구에게 부디 행운이 함께 하기를.

오늘이 없으면 내일도 없다

　중간고사를 마치고 머리를 식힐 겸 반 친구 몇 명과 함께 내몽고자치구로 여행을 떠났다. 사막과 초원을 모두 처음 본다는 아이들은 며칠 전부터 설레어 잠도 제대로 못 잤다고 했다. 내몽고자치구의 수도 후허하오터(呼和浩特)까지는 밤새 달려 15시간. 밤 10시가 넘었는지 불이 꺼져 캄캄한 기차 안에서 여행사 가이드와 이런저런 얘기를 나누었다.

　"좋은 대학 나와서 겨우 이렇게 외국인 뒤치다꺼리나 하는 건 정말 싫어요."

　내가 깜짝 놀라 되물었다,

　"그럼 넌 왜 이 일을 하고 있니?"

　"영어 연습이나 하는 거예요. 집에서 노는 것보다 나으니까요."

　"일이 재미있기는 하니?"

　"재미요? 창피하고 부끄러울 때가 훨씬 많아요. 당장 그만두고 싶지만······."

"그렇지만?"

"돈이 잘 벌리잖아요. 이 다음 직장 구할 때 이력서에 쓰기도 좋고."

중국인민대학 외국어학부에서 영어를 전공했다는 가이드의 말이다. 나는 고개를 갸우뚱했다. 이런 생각을 가지고 있는 사람이 무슨 일을 잘 할까 해서다.

이번 여행은 시간이 촉박한 탓에 늘 하던 오지 여행이 아니라 안내자까지 딸린 편안한 여행을 택했다. 단체 여행의 재미는 가이드에 달렸다는데 귀엽고도 똘똘해 보이는 아가씨를 만나 일단 안심이 되었다. 남학생들은 좋아서 입을 다물지 못한다. 그런데 출발하자마자 나에게 한편으로는 내심을 털어놓듯, 한편으로는 자기는 여느 가이드와 다르다는 것을 알아달라는 듯 이런 말을 하는 것이다.

아니나 다를까. 이 아가씨, 여행 내내 제대로 하는 일이 없었다. 기차표 살 때부터 실수를 하더니 초원과 사막으로 가는 교통편 예약도 엉망이다. 말타기 등 다른 활동 준비 역시 성의가 없고, 일이 잘못되었을 때는 수습할 의향도 없었다. 덕분에 우리는 그 드넓은 푸른 초원을 놔두고 차 다니는 한길가의 몽골 텐트에서 자야 했고 예정에도 없이 말을 3시간 이상 타느라 떼돈 들이고 엉덩이 다 까질 뻔했다. 반대로 좀더 머물고 싶었던 그림 같은 사막 모래언덕에서는 그저 사진 찍고 가는 것으로 만족해야 했다. 또 가이드는 중국 4대 미인 중의 한 명인 왕소군 유적지 등 꼭 설명이 필요한 곳에 가서는 꿀 먹은 벙어리가 되어 그저 어색한 웃음으로 때우려고 했다. 그러고는 말끝마다 하는 말.

"뚜이부치, 쩐 뚜이부치(미안해요, 정말 죄송합니다)."

내 보기에 우리 가이드가 이 일을 하면서 창피하고 자존심 상할 때가 많은 것은 너무나 당연했다. 안내해야 할 여행지에 대해 아는 것도 전혀 없고, 그런 '하찮은 일'을 알려고도 하지 않고, 자기와 수준이 맞지 않는 다른 가이드들에게 도움을 구하려고도 하지 않기 때문이다. 그러니 자기 고객에게는 늘 미안한 일만 생길 수밖에. 돌아오는 기차 안에서 조금은 얄밉고 조금은 안타까운 마음으로 물었다.

"왕링, 앞으로 계속 이 일을 할 거니?"

"내가 원래 이 일을 할 사람이 아니잖아요. 하루 빨리 무역 회사에 취직해야지요."

나는 다시 한 번 고개를 갸우뚱했다. 오늘 이렇게 쉽다는(?) 가이드 일도 제대로 못하는 사람이 어떻게 내일 '중요한' 무역 회사 통역 일을 할 것인가. 오늘이 쌓여 내일이 되는 것이 분명한데 불만스러운 오늘이 어떻게 만족한 내일을 만들 수 있겠는가. 지금 손에 있는 오늘도 요리를 못하면서 멀리 있는 내일을 어떻게 해보겠다는 것은 대단한 착각이 아닌가. 베이징까지 가는 내내 생각이 꼬리에 꼬리를 물었다.

일뿐만 아니라 일상생활에서도 이 가이드처럼 오늘을 살지 못하여 항상 불만으로 가득 차 있는 사람들을 쉽게 본다. 내가 지금 살고 있는 중국에서도 그렇다.

중국에 오니 아쉬운 게 많다는 사람들이 흔하다. 석회수가 많이 섞인 물도 좋지 않고, 공기가 건조해서 잔주름이 쉽게 생기고, 아이들 다닐 학교도 마땅치 않고, 미술 시간에 쓸 색종이도 없고, 겨울에 온돌방에 몸을 지졌으면 좋겠는데 그것도 없고, 김, 미역, 멸치 등도 귀하고, 읽을 만한 책 구하기도 힘들고, 산이 없어 허전하고, 친구가 없어 심심하고……. 부족하고 아쉬운 것들이 한도 끝도 없다.

중국 속담에 '捧著金碗要飯吃(금 밥그릇을 안고 거지 동냥을 한다)'라는 말이 있다. 바로 이런 사람들이다. 한국에서는 도저히 누릴 수 없는 호사를 누릴 수 있는 곳이 중국이라는 사실을 간과하고 있으니 말이다. 우선 중국은 중국어 공부를 하러 온 사람들에게는 최대의 언어 교육 환경이다. 학교 선생이나 과외 선생만이 선생이 아니다. 물건을 파는 가게 아저씨도, 택시 운전사도, 자전거 수리점 꼬마도, 여행 중 기차 안에서 만난 신혼 부부도, 심지어 시비를 거는 건달까지 모두 중국어 회화 선생이니까. 또한 중국에서는 집안일을 거들어 주는 아줌마 임금이 싸니 가정부를 두고 살 수 있다(한국 돈으로 한 달에 10만 원 정도이다). 그래서 주부들도 틈틈이 중국어를 배운다거나 다른 여가 활동하기가 수월하다.

게다가 베이징은 천년 왕도(王都)답게 볼거리가 풍성하다. 톈안먼, 고궁, 만리장성, 이화원, 각종 박물관은 물론 뒷골목이나 오래된 찻집, 극장 등 1년 내내 주말마다 열심히 쫓아다녀도 다 보지 못할 정도다. 갖가지 꽃도 10위안(1,500원)어치만 사면 적어도 일주일 간은 눈이 즐겁다. 음식은 또 어떻고. 우리가 지금 어디에 있는가. 음식의 천국에 와 있지 않은가. 아주 허름한 식당의 2위안(300원)짜리 국수도 천하일미인 곳이 여기다.

그뿐인가. 책값도 한국과 비교할 수 없이 싸고, 가짜지만 진짜 같은 CD도 음반이든 영화든 최신 것을 아주 저렴하게 구할 수 있다. 보약을 지어 먹어도 한국보다 다섯 배는 싸다.

오늘을 산다는 것은 바로 이런 거다. 자기가 가지고 있지 않은 것을 아쉬워하고 불평하기보다는 지금 손에 쥐고 있는 것을 충분히 즐기는 것. 그래서 하루하루가 감사하고 풍요로워지는 것. 물론 말처럼 쉬운 일은 아닐 것이다. 어쩌면 확실한 오늘을 무시한 채 지나간 어제나 불확실한 내일을 그리워하는 것이 우리 나약한 인간의 본성일지도 모른다.

어린이들은 빨리 간섭받지 않는 어른이 되었으면 한다. 중·고등학생들은 하루 빨리 시험 지옥에서 벗어나 대학생이 되었으면, 대학생들은 빨리 졸업을 하고 취직을 했으면, 한창 바쁘게 일할 때는 빨리 정년퇴직을 해 한가롭게 살면 얼마나 좋을까 생각한다. 항상 한 발짝 앞을 갈망한다. 오늘을 즐기지 못하고 내일만 생각하며 사는 거다.

반대로 어제만을 부러워하면서 사는 사람도 많다. 사십대는 삼십대에게, 삼십대는 이십대에게 말한다. 참 좋은 나이라고. 그러고는 반드시 나이 타령이 이어진다. 내가 5년만 젊었어도 어쩌구 저쩌구.

이 모두가 오늘을 살지 못하는 사람들의 핑계이자 자기 기만이다. 마치 무슨 일을 시작하지 못하는 것이, 기회가 없는 것이, 하고 있는 일을 열심히 하지 않는 것이 순전히 나이 때문인 것처럼 말한다. 그러나 지금 이 나이란 어떤 나이인가. 어제 우리가 그렇게 하루 빨리 오기를 바라던 날이며, 내일 우리가 그렇게 되돌아가고 싶은 날이 아닌가.

한번 곰곰이 생각해보자. 나는 과연 어떤 사람인가? 지금 한창 제철인 사과와 배를 맛있게 먹고 있는가? 아니면 철 지난 딸기나 아직 나오지도 않은 곶감을 먹고 싶어하며 애를 태우고 있는가? 우리가 가진 것은 오늘뿐이다. 지금 손에 가지고 있는 것을 고마워하자. 그리고 그것을 충분히 누리고 즐기자.

불평쟁이 가이드 왕링 덕분에 정리된 인생의 중요한 법칙 하나.
'오늘이 없으면 내일도 없다.'

"한국 남자들은 밥 안 해먹어요?"

　오늘 학교 회화 수업에서 남녀평등에 대한 토론이 있었다. 책의 예문은 같이 퇴근한 부부가 부인은 밥을 하는데 남편은 텔레비전을 보면서 밥 빨리 달라고 재촉하는 장면이었다. 나이 어린 여자 회화 선생은 이런 '대남주의(大男主義 : 남성 권위주의)'는 있을 수 없는 일이고 이런 내용이 교과서에 나와서도 안 된다며 비분강개했다. 그러는 걸 보니 지난 학기 학원에서 만났던 한국 중년 아저씨가 생각난다. 그때 수업 내용은 '내가 제일 잘하는 요리'였는데, 학원 강사가 아저씨에게 무슨 요리를 잘하냐고 물었다. 그러자 그 아저씨의 대답.

　"나는 밥 안 해요."
　"그럼 누가 해요?"
　"집사람이오."
　"부인이 없으면요?"

"사먹어요."

"사먹을 수 없는 상황도 있잖아요?"

"그럼 안 먹어요."

"왜 해먹지 않죠?"

"한국 남자는 밥 안 해먹어요."

강사는 믿을 수 없다는 듯, 눈을 동그랗게 뜨고 다른 학생들의 얼굴을 번갈아 쳐다본다. 중국 여자, 그것도 '모범장부(模範丈夫)'에 길든 도시의 젊은 중국 여자들에게는 한국 남자의 '대남주의'는 듣도 보도 못한 일이라서 더욱 그럴 거다. 만약 지금 학교의 회화 선생이 그 아저씨가 하는 얘기를 직접 들었다면 어떤 반응을 보였을까 자못 궁금하다.

한국에서라면 누구도 이 아저씨를 이상하게 보지도, 비난의 대상이 되지도 않았을 것이다. 그런데, 여기서는 이런 일들이 비정상이고, 있을 수 없는 일이라고 한다. 이런 차이가 단순한 문화 차이일까. 어떤 특정한 문화에서만 충돌한다면 분명 그럴 테지만 어느 문화에서나 그렇다면 우리가 잘못된 것이 아닐까. 문화 차이가 두드러진 서구권은 접어두고 우리와 비슷한 문화를 가진, 어떤 때는 남성 중심 문화의 본고장이라고 생각되는 중국에서의 경험만 가감없이 얘기해보겠다.

한마디로 한국 남자들은 중국 여자들에게 인기가 없다. 태어나면서부터 남녀가 평등하다고 굳게 믿는 중국 여자들에게 사회나 가정에서 불평등한 역할 분담은 도저히 참을 수 없는 일이기 때문이다. 그래서 중국 여자—한국 남자 커플의 결혼 성공률은 거의 없다는 것이 정설이다. 불순한 의도를 가진 접근이라면 모를까.

중국 동포 남자들도 인기가 없기는 마찬가지다. 중국 동포 여자들은 중국 동포 남자들과 결혼하고 싶어하지 않는다. 이유는 집에서는 폭력적이고 가부장적이며, 나가서는 설설 기는 꼴이 보기 싫다는 거다. 실제로 옌벤 등에는 노총각만 우글거리는 동네가 얼마든지 있다. 많은 여자들이 도시로 나가 한족 남자와 결혼하거나 한국으로 위장 결혼해서 떠난다.

그래서 짝을 찾지 못한 중국 동포 남자들은 궁여지책으로 탈북한 여성을 우리 돈으로 3백만 원에 사서 결혼한다. 북한 여성은 탈북자라는 신분적 약점을 갖고 있기도 해서지만, 그보다 북한 가정도 남녀평등의 수준이 아주 낮기 때문에 이런 남자들의 행동을 참고 살수 있어서란다. 북한 남자들은 가정 내에서 지독히 가부장적이고 비협조적이라 똑같이 일을 하고 와도 여자 혼자서만 집안일을 한다니, 이건 체제의 문제가 아니라 유전자의 문제가 아닐까라는 생각까지 든다.

세계 여행 중 투르크메니스탄에서 만난 고려인 할머니도 같은 얘기를 했다. 귀가 떨어져 나가도록 추운 날에 좌판 장사를 나온 사람들은 모두 여자들뿐이었다. 남자들은 모두 어디 갔냐고 했더니, "남정네가 이런 허드렛일 어찌 하겠음?" 한다. 그럼 집에서 살림을 하냐니까 무슨 도깨비 같은 소리를 하느냐는 듯 깜짝 놀란다.

나는 이런 소리를 들을 때마다 안타깝다는 생각에 앞서 두려운 마음이 든다. 세상은 디지털 시대로 변했는데 한민족 남자들은 아직도 수렵 시대 어딘가를 헤매고 있는 것은 아닐까 해서다. 그때는 역할 분배가 그랬을 테니까.

동아프리카 여행 때 예전에 수렵 생활을 하던 부족 마을에 며칠 묵은 적이 있다. 거기는 정말 이상했다. 모든 일을 여자들이 하고 남자들은 하루 종일 나무 그늘에 앉아서 차를 마시고 있었다. 한 UN 기구의 조사에 따르면 아프리카 어느 지역에서는 여자는 하루에 15시간, 남자는 1시간 15분의 일을 한다고 하던데, 이곳이 바로 거긴가 싶었다. 그 1시간도 밥 먹고 화장실 가는 시간까지 다 일로 쳐주어서 그러는 것이 아닌가 할 정도로 심했다. 여자들이 가축을 돌보고, 밭농사를 짓고, 아이를 낳고 키우고, 물도 떠온다. 심지어 집도 여자가 짓는다. 집 짓는 것은 힘세다고 늘 우쭐대는 남자가 해야 할 일 아니냐고 했더니, 남자들이 정색을 하면서 이렇게 대답했다.

"남자가 어떻게 집을 지어요?"

"그러면 도대체 무슨 일을 하는 거죠?"

"아주 중요한 일을 하지. 사람이 죽으면 시체를 옮기지."

그것도 중요한 일이지만, 그건 일이라고 보기에는 너무 가끔 있는 일 아니냐고 하니까 한참 생각하더니 대꾸한다.

"그것보다 더 중요한 일도 해. 부족 간에 전쟁이 나면 나가서 싸우거든."

내가 전쟁이 자주 나느냐니까 자기가 태어나서 한 번도 나지 않았단다.

물론 나는 여성 운동가도 사회 개혁가도 인류학자도 아니다. 그래서 이 사람들의 생각이나 행동이 옳다 그르다 말하고 싶지 않다. 다만 한 가지 분명한 건 이들이 변화의 파도를 타지 못하여 제 자리를 잃고 나무 밑에서 맨송맨송 시간만 허비하면서 여자들의 노동력에 빌붙어 인간 기생충처럼 산다는 사실이다. 수렵 생활을 할 때는 남자들이 뭔가를 잡아오고 여자들이 그것으로 살림을 하면 그것이 합리적인 노동의 분배였다. 그런데 그들의 사냥터가 국립 공원으로 지정되어 일을 할 수 없는 전혀 다른 시대가 왔으니, 이제는 자기가 할 일이 무엇인가를 찾아보아야 한다.

우리나라 남자들이 "남자가 어떻게 집안일을 해요?"라고 하는 것과 이 아프리카 남자들이 "남자가 어떻게 집을 지어요?" 하는 것은 본질적으로 같은 말이라고 생각한다. 달라진 시대에 맞게 역할 구도를 다시 짜야 하는데도 그렇지 못하다는 본질 말이다. 요는 시대의 파도와 함께 가느냐, 거슬러 가느냐다. 그것이 바로 배우자로서의 경쟁력이자 국가 경쟁력이기도 하다.

솔직히 말하면 나는 다른 나라 여자들이 한국 남자들 욕하는 거 듣기 싫다. 우리나라 여자들이 다른 나라에 가서 우리나라 남자들 욕하고 다니는 것도 꼴보기 싫다. 그럼에도 불구하고 이런 껄끄러운 이야기를 굳이 하는 것은 한국 남자들이 국내에서나 외국에서나 멋진 남자로 대접받기를 바라서다. 내 아버지도, 내 동생도, 내 친구도 한국 남자이기 때문이다.

그리운 우리 엄마

엄마.

오늘은 엄마가 우리 곁을 떠난 지 꼭 1년이 되는 날이에요. 벌써 그렇게 되었네요.

그동안 평안하셨나요? 30년 만에 만난 아버지가 엄마 얼굴 금방 알아보시던가요? 오랜만에 만난 두 분 많은 얘기 나누고 계신가요?

엄마, 돌아가시기 전 몇 달째 누워 계셨지만 끝까지 편안한 모습 보여주셔서 고마워요. 맨날 돌아다니는 내가 임종을 지킬 수 있게 기다려주셔서 고마워요. 마지막 가는 길, "비야." 하고 따뜻하게 불러주셔서 정말 고마워요.

부모님이 돌아가시면 자식들이 왜 그렇게 슬피 우는지 이유를 알았어요. 그건 부모님과의 이별이 슬퍼서가 아니라 자기가 잘못했던 일들이 자꾸 생각나서죠. 나도 그랬어요. 사람들은 호상이라고 하지만 나는 자꾸 눈물이 났어요. 나는 정말 엄마한테 미안한 게 많아요.

날이 가면 갈수록 자꾸 미안한 생각만 나요. 사람은 왜 이렇게 조금씩 늦게 철이 드는 걸까요.

화장이 끝나고 뼈를 납골함에 넣을 때 보았어요. 손가락만한 대못. 몇 년 전 다리 수술 때 넣은 못이었어요. 아니, 그건 내가 엄마 가슴에 박은 대못이에요. 나는 엄마가 자꾸 다리가 아프다고 하는 걸 엄살이라고만 생각했었는데 그렇게 큰 못이 박혀 있었으니 얼마나 아팠을까. 엄마, 다리 아프다 그럴 때 모른 척해서 미안해. 정말 몰랐어.

그리고 오지 여행하면서 전화 자주 하지 않은 것도 미안해요. 그때는 국제 전화값 비싼 것만 생각하고 엄마가 내 소식 기다릴 거라는 건 염두에 두지 않았어요. 매일 마음 졸이면서 기다렸지요? 위험한 데만 골라 다니는 아이가 잘 다니는지, 아프지는 않은지, 험한 일은 당하지 않는지 얼마나 궁금했겠어요? 두 달이 넘도록 전화 안 한 적도 많았죠. 이제야 알겠어요. 왜 내가 전화만 하면 엄마가 "니 어디고?"라고 물으며 말을 잇지 못하셨는지. 그게 안도의 눈물이라는 것도 모르고 나는 번번이 짜증을 부렸죠. "엄마, 이 전화가 얼마나 비싼 건데. 울려면 빨리 다른 사람 바꿔." 겨우 20달러 남짓이었는데, 겨우 그 돈을 아끼느라 엄마 간을 그렇게 졸이게 해서 정말 미안해.

그리고 엄마, 나 고등학교 다닐 때 엄마 미워하면서 못되게 군 것도 용서해주세요. 나는 엄마가 우리한테 관심이 없는 줄 알았어. 자식 일보다 중요하고 급한 일이 어디 있냐고 생각했었어. 그래서 대들고 가슴 아프게 하고 오랫동안 말도 안 하면서 엄마 속상하게 했지. 그때는 헤아리지 못했어요. 갑자기 아버지를 잃은 엄마가 얼마나 허전해할까, 얼마나 갈피를 잡지 못하고 있을까를. 엄마에게도 엄마의 인생이 있다는 거 미처 몰랐어요. 며칠씩 나와 화해하려고 애쓰는 거 뻔히 알면서, 우산을 핑계로 학교까지 찾아온 엄마에게 "엄마랑 말하기 싫어."라고 한 말, 그거 진심 아니었어요. 그날 돌아가시면서 많이 우셨죠? 미안해요. 정말 미안해. 지금 말해도 소용없지만.

오늘이 엄마 기일인데도 나는 여기 베이징에 있어요. 외국에 사느라 첫 번째 기일도 식구들과 같이 지내지 못했답니다. 그 대신 엄마 생각 많이 하고 있어요. 사실 나, 평소에도 엄마 생각 많이 했어요. 그렇다는 말을 쑥스러워서 못 했을 뿐이에요. '그동안 정말 보고 싶었어'라고 말하면 엄마가 얼마나 좋아할지 뻔히 알면서도 왜 그렇게 그 말을 아꼈는지.

오늘 하루 종일, 엄마 장례식 때 성당 교우들이 부르던 성가가 귀에 맴돌아요.

주여, 이 영혼에게 안식을 주소서.
영원한 안식 주시어 잠들게 하소서.
세상의 온갖 수고 생각해주소서.
세상의 온갖 수고 생각해주소서.

하느님이 엄마가 한 그동안의 수고를 정말 헤아려주셨나 봐요. 장례식을 마치고 며칠 있다가 엄마의 외며느리가 꿈을 꾸었대요. 엄마가 파란 하늘 속 하얀 구름 위에서 환한 웃음을 짓고 있었대요. 아주 편안한 얼굴이셨대요. 그동안 애썼다, 참 고맙다라고 말씀하신 거죠? 몸은 다른 세상에 있지만 늘 너희들과 함께 있겠다고 하신 거죠?

엄마, 나도 엄마가 늘 곁에 있다는 생각이 들어요. 엄마가 돌아가실 때까지 하고 있던 성모상 금목걸이, 지금은 내가 하고 다녀요. 마지막까지 쓰시던 밥상은 내 기도상으로 만들었어요. 그리고 엄마, 아버지 결혼 20주년 기념으로 찍은 흑백 사진도 창턱에 놓아두고 매일 봐요. 두 분이 얼마나 잘 어울리는지 몰라요. 지적이고 미인인 엄마와 정의로운 아버지, 내가 두 분의 딸이라는 게 너무나 자랑스러워요. 아시죠? 두 분은 언제나 내 마음의 고향이라는 거. 나는 바람의 딸이기 훨씬 이전에 엄마, 아버지의 딸이니까요.

엄마. 천방지축, 사고뭉치, 고집쟁이 저 때문에 마음 고생 많으셨죠? 이제 걱정 놓으시고 편안히 지내세요. 엉뚱한 일은 할지언정 허튼 짓은 하지 않겠다고 약속할게요. 그리고 앞으로 저의 맹활약을 기대해주세요. 엄마가 하늘나라에서 마음껏 뻐길 수 있도록 해드릴게요. 엄마가 내게 영원한 '빽'인 것처럼 엄마한테 나도 그랬으면 좋겠어요. 이런 말, 엄마 얼굴 보며 할 수 있었더라면 참 좋았을 텐데……

엄마가 몹시 그리운 날에
셋째 딸 올림

겨울

지난 3월 16일 베이징에 온 다음날부터 학원이나 학교를 다녔으니
열 달 동안 꼬박 수업을 들은 셈이다.
세상에 무엇인가를 매일 하는 것처럼 무섭고 힘센 것이 없다.
중국어도 그렇다.
처음 왔을 때는 예약했던 하숙방에 다른 사람을 들여놓아도
말 한 마디 못했는데 지금은 호텔을 상대로
약속했던 위성 방송이 나오지 않는다고 손해 배상까지 청구하게 되었으니
그야말로 괄목상대, 상전벽해의 발전을 했다.
그렇게 보면 외국어 공부를 하는 데 열 달이 짧은 시간이 아니다.

중국의 놀라운 사진술, 진짜 장만위 같다니까요!

피 튀기는 HSK 시험 준비 현장.

루나, 왕상과 함께 춘제를 지내며.

왕상은 술고래.

베이징에서 겨울나기

오늘 아침 반가운 첫눈이 왔다. 며칠 전부터 화난 사람처럼 잔뜩 찌푸려 있어 이제나 저제나 했다. 오전 내내 가는 눈발이 날리며 낭만적인 분위기를 자아내더니 오후부터는 기온이 뚝 떨어졌다. 자전거 타고 볼일 보러 다니다가 얼어죽을 뻔했다. 두꺼운 스웨터 사이로 파고드는 칼바람이라니. 내놓은 얼굴은 물론이고 몇 겹으로 싸맨 가슴까지 얼얼하다.

지금 베이징은 월동 준비로 분주하다. 큰 건물이 있는 뒷골목에는 예외 없이 난방용 석탄이 산처럼 쌓여 있다. 평소에는 보기 싫더니 오늘은 까만 석탄이 하얀 눈과 아주 예쁘게 어울린다. '설중송탄(雪中送炭)'이라는 고사성어가 떠오른다. 눈 올 때 석탄을 보낸다는 이 말은 어려울 때 도움을 주라는 뜻이라지. 학교 앞 좌판에 장갑이나 털모자, 귀마개를 놓고 파는 아줌마들의 손길도 분주하다. 배추와 파를 잔뜩 실은 자전거 수레도 흔하게 본다. 여기 사람들도 초겨울에 배추를 한꺼번에 많이 사서 땅 속에 묻어놓고 겨우 내내 먹는단다.

베이징의 겨울밤은 일찍 시작된다. 5시만 넘어도 어둑어둑한 것이 신기하다. 12월이 되면 아침 8시에도 어스름하고 오후 4시부터 깜깜해지기 시작한단다. 이건 위도 때문일 거다. 서울은 37도이고 여기는 신의주와 같은 40도의 북방이라 겨울밤이 긴 것이다. 고참 한국 유학생들에 따르면 겨울에는 바람이 많이 불고 무진장 춥다고 한다. 그 무진장이 어느 정도일지는 모르겠지만 체감 온도가 한국의 2배라는 것이 정설이다. 이러니 추위를 별로 타지 않는 나 역시 월동 준비를 단단히 하지 않을 수 없다.

요 며칠째 기온이 영하인데 숙소도 학교도 스팀 넣어줄 생각을 하지 않는다. 교무실에 가서 물어보니 국가가 정해준 날인 11월 4일이 되어야 일제히 난방을 할 수 있다고 한다. 선심을 쓰는 듯한 얼굴로 덧붙이는 정보.

"이 빌딩은 청화대 부속 병원과 같은 선이기 때문에 다른 곳보다 며칠 빨라요."

아니, 그럼 병원에도 여태 스팀이 안 들어왔다는 말이야? 청화대와 병원은 나라에서 하는 공공 건물이라 그렇다고 쳐도 내 숙소는 개인이 운영하는 거라면서 왜 난방을 안 하는 거야. 저녁에 추위를 달래느라 뜨거운 물을 하도 마셨더니, 밤중에 자다가 자꾸 화장실에 가야 해서 귀찮아 죽겠다.

하여간 베이징에서 겨울나기 살림 중 최우선으로 장만해야 하는 것이 전기담요다. 한국 사람은 등허리가 따뜻해야 잠을 잘 잘 수 있는 법. 온돌이 없으니 꿩 대신 닭이다. 왕샹과 루나는 질색 팔색을 한다. 자다가 불 나면 어떡하냐고. 여기 전기담요는 질이 좋지 않아

불이 자주 난단다. 8위안(1,200원)짜리 담요가 오죽할까. 전선 값도 안 나오겠다. 지난 주 학교 기숙사에서는 전기담요에 불이 붙어 미국 학생이 등에 큰 화상을 입은 후 전기담요 사용 금지 조치가 내려졌다. 나는 그래도 40위안(6,000원)짜리, 고장나면 애프터서비스가 되는 고급(?)으로 장만했다.

가습기도 필수적이다. 워낙 습기라고는 없는 베이징 공기지만 한 겨울 스팀이 나올 때는 방 안 벽의 페인트가 떨어져나갈 정도여서 자연 상태에서도 콧속이 마르고 눈알이 뻑뻑해진다. 그래서 며칠 전 거금을 주고 가습기를 급히 장만했다. 시험 삼아 틀어보았는데 수증기 때문에 창문에 뽀얗게 습기가 끼어 방 안을 아늑하게 하는 효과까지 있어 금상첨화다.

엉덩이를 덮는 방풍 점퍼도 꼭 필요하다. 특히 자전거로 바람을 가르고 다니는 사람들에게는 필수품 중 필수품이다. 한국에서 가볍고 따뜻한 점퍼를 두 개나 가지고 왔는데 방풍이 안 되는 모직이어서 무용지물이 되었다. 무릎까지 오는 건 따뜻하긴 하지만 자전거를 타려면 여간 불편한 게 아니다.

방풍복과 더불어 꼭 있어야 하는 것이 내복이다. 웬 내복! 초등학교 다닐 때 빨간색 신앙촌 내복을 입어보고는 정말 수십 년 만에 처음 입는다. 중국 친구들은 10월부터 입고 다니며 나더러 뼈에 바람 들어간다고 볼 때마다 잔소리를 해서 못 이기는 척 한 벌 샀다. 요즘 텔레비전만 틀면 '남극인', '북극성', '삼총(三銃)' 등 내복 선전이 요란하다. 나도 입어보니 조금 둔하긴 하지만 따뜻하긴 정말 따뜻하다. 내복을 입으면 실내 온도를 몇 도 낮출 수 있다는 얘기가 괜한 말이 아니다.

이렇게 겨우살이 준비가 얼추 되었지만 사실은 중요한 문제 하나를 해결하지 못하고 있다. 안전하게 자전거 타기다. 특히 오늘처럼 눈 오는 날은 길이 미끄러워 사고가 많이 난다. 큰길에서는 자전거와 자동차가 엉키게 마련인데 출근길에는 서로 한치의 양보도 없다. 신기한 건 대부분의 경우 자전거가 자동차를 물리친다는 거다. 물론 대형 버스가 막무가내로 밀고 들어오면 방법이 없지만, 자전거 서너 대가 먼저 길을 건너려고 하면 웬만한 자동차는 슬슬 뒤로 피한다. 바로 이 순간 지체 없이 다른 자전거들과 물결을 이루어 합류하는 것이 관건이다. 그런데 나는 번번이 그 물결을 제대로 타지 못해 수도 없이 부닥치고 넘어져 멍이 가실 날이 없었다. 자전거 왕국의 국민인 중국 사람들에게도 쉽지 않은데 베이징 생활 겨우 10개월차인 내가 이러는 것은 오히려 당연한 일일 거다. 지난 주 일요일에는 드디어 대형 사고를 쳤다.

기찻길 건널목에서 생긴 사고다. 사고 다발 지역이라 늘 조심하는 길인데, 그날은 앞에 가던 자전거가 갑자기 서는 바람에 내 자전거 앞바퀴가 철로 틈에 끼고 말았다. 다음 순간 자전거가 오른쪽으로 엎어지면서 몸이 튕겨나가 턱이 깨지고 오른쪽 발목을 심하게 접질렸다. 바로 뒤에 오던 택시가 급브레이크를 밟으면서 쓰러진 자전거를 받았기에 망정이지, 내가 왼쪽으로 쓰러졌다면 아마 그 자리에서 인간 빈대떡이 되고 말았을 거다.

다행히 턱이건 발목이건 뼈나 인대에는 문제가 없다지만 제대로 걸을 수가 없어 일주일이 지난 지금도 몹시 불편하다. 턱 끝에 난 긁힌 상처는 꼭 수염처럼 생겨서 보는 사람마다 한마디씩 한다. 사고 직후 뜨거운 수건 찜질을 해준 루나가 티베트 밀방 고약을 붙여주면서 생난리를 부린다.

"이제부터 언니 자전거 못 탈 줄 알아요. 내가 어디다 감춰버릴 거
니까."

자기가 조심하라고 몇 번을 말했느냐, 이렇게 일주일거리로 다쳐
서 오는데 불안해서 살 수가 없다, 아무리 말해도 소용없으니 아예
자전거를 없애버리겠단다. 그러면서 겨우내 버스나 택시를 타고 다
니라며 사뭇 명령조다. 사실 학교까지는 버스로 몇 정거장 안 되지
만 기다리고 걷느라 1시간 이상 걸려 시간 낭비가 많다. 택시는 편
하긴 하나 비용이 만만치 않다. 왕복 25위안 정도로 한국 돈으로는
3,700원 정도지만 여기 물가로는 무진장 비싼 거다. 내가 즐겨 먹는
꼬마만두가 열 개에 2위안 50마오(400원)이니, 하루 차비로 만두
100개 값을 쓰는 셈이다.

몸을 아낄 것인가, 돈을 아낄 것인가. 이것이 문제로다!

칭기즈칸도 먹던 요리, 훠궈

여러 가지 시험이 줄줄이라 시간을 아껴보겠다고 지난 주 내내 한국 식당에서 끼니마다 꼬리곰탕, 된장찌개, 잡채밥, 떡만두국 등을 시켜 먹었다. 김치랑 몇 가지 밑반찬이 같이 오는데 화학 조미료를 과다하게 넣은 것만 빼고는 한국에서 먹던 맛과 거의 비슷하다. 간간이 중국 음식도 먹고는 싶은데, 중국 식당은 전혀 배달을 하지 않는다. 동네 사람들 얘기로는 한국 사람들이 오기 전에는 음식 배달이란 말을 들어보지도 못했단다.

아니, '북경반점'이라는 중국집은 배달해준다. 한국식 중국집이기 때문이다. 이 집에서는 한국에서 먹던 그 자장면을 판다. 울면과 짬뽕, 야끼만두도 있다. 맛뿐 아니라 단무지와 양파에 춘장이 곁들여 나오는 것도 한국식이다. 중국식 '자장면(炸醬麵)'은 이름에서 알 수 있듯이 된장(醬)을 기름에 볶아(炸) 차가운 국수(麵) 위에 올린 것으로 우리의 국민 음식 자장면과는 크게 차이가 난다. 중국 친구들은 한국식 자장면이 뭐가 그렇게 특별해서 몇 배나 비싸게 주고 먹느냐지만 이미 그 맛이 입에 배었으니 어쩌겠는가. 중국에 와서도 '중국집 자장면'이 그리운 걸.

시켜 먹는 한국 음식에 질릴 때가 되면 나는 또 별 수 없이 왕샹과 루나네 집에 간다. 양쪽 다 타향밥이기는 하지만 하나는 사먹는 밥이요, 다른 하나는 집밥이라 뭐가 달라도 다르다. 혼자 먹지 않고 친구들과 웃고 떠들면서 먹는 것이 제일 다르겠지만.

겨울에 들어서면서 우리가 모였다 하면 해먹는 것은 '훠궈'라는 일품 요리다. 큰 냄비에 물을 끓여서 거기에 얇게 썬 고기며 각종 야채들을 데쳐 먹는, 겨울의 별미이다. 일본식 샤브샤브 비슷한데, 어쨌든 훠궈는 본래 유목 생활을 하던 북방 민족의 먹거리였다. 칭기즈 칸 때도 군인들이 투구에 물을 끓여 양고기를 데쳐 먹었다는 기록이 남아 있는데, 어쩐 일인지 훠궈는 한국에서는 쓰촨 요리로 더 알려져 있다.

우리나라에서도 얼마든지 해먹을 수 있는 계절의 별미이자 영양식이라 잠깐 소개한다.

〈훠궈 만드는 법〉
• 준비물
 국물용 : 파, 생강, 소금, 다시마, 마늘, 마른 고추.
 건더기 : 1) 양고기나 소고기를 되도록 얇게 썬 것. 햄도 괜찮다.
　　　　　2) 배추, 양배추, 쑥갓, 버섯, 감자편 등 각종 야채들.
　　　　　3) 두부, 당면 등.
 소스 : 다음에 나오는 조리법 참조.

• 조리법

조리법이라고 하기도 쑥스러울 정도로 간단하다. 우선 커다란 냄비에 물을 채우고 국물용 재료를 넣고 펄펄 끓여 국물을 우린다. 끓는 물에 준비한 고기와 야채를 기호에 맞게 데쳐서 꺼내면 끝이다. 데친 것을 소스에 찍어 먹는데 훠궈의 성패는 바로 이 소스에 있다. 집집마다 만드는 법이 조금씩 다른데, 오늘은 내가 먹어본 것 중에서 제일 맛있었던 소스 베스트 3을 소개한다.

1) 4인분 기준으로 고추장 세 큰술, 사과 큰 것 한 개 간 것, 설탕 조금, 마늘 4분의 1통 다진 것에 식초를 넉넉히 넣어 매콤달콤하게 만든다.

2) 무 간 것에 겨자와 간장을 넣어 간을 맞춘다.

3) 깨와 간장, 다진 마늘에 고추기름과 향채(香菜)라는 중국 향료를 섞는다(향채는 서울 연희동이나 북창동 중국 음식 재료상, 인천 선린동 차이나타운 등에서 살 수 있다).

또 겨울에 많이 먹는 음식 중에 배추를 빼놓을 수 없다. 우리처럼 김장은 하지 않지만 몇 년 전만 해도 겨울에 먹는 채소는 배추밖에 없었단다. 그래서인지 겨울 내내 배추 반찬을 해먹는다. 제일 많이 해먹는 것은 '탕수 배추볶음'인데, 단 1분이면 만들 수 있는 패스트푸드다. 우선 프라이팬에 기름을 넣어 달군 다음에 어슷어슷 썬 배추를 볶다가 소금, 쌀식초, 설탕 약간을 넣으면 그만이다. 흰밥에 얹어 먹어도 좋고 만두피에 속 대신 넣어 먹어도 맛있다.

이왕 말 나온 김에 후식까지 만들어보자. 이건 요즘 베이징 젊은이들 간에 선풍적인 인기를 끌고 있는 퓨전 음료수다. 내가 '콜생'이라고 이름지어주었는데, 만드는 법은 콜라 1.5리터에 생강 큰 것 한 개를 잘게 썰어서 한 번 넘치도록 펄펄 끓인 후 잣과 대추를 띄워서 마신다. 간이 수정과라고나 할까. 달착지근하면서도 생강 냄새가 향긋하다.

이렇게 쉬운 요리는 알아두면 뼈가 되고 살이 된다. 매일 먹는 음식에서 변화가 필요할 때, 친구들을 집에 초대해서 좀 색다른 걸 만들어주고 싶을 때, 아니면 냉장고에 있는 각종 야채를 한 큐에 처치하고 싶을 때 훠궈를 해먹으면 얼마나 폼나고 생색도 나는지 모른다. 어떻게 만들어도 나름대로의 맛이 나므로 망칠 확률이 0퍼센트여서 안전하기까지 하다. 게다가 이게 칭기즈 칸도 먹었던 음식 아니더냐.

고구마를 팔던 아이

추운 겨울에 다른 나라를 여행할 때면 불쑥불쑥 생각나는 한국 겨울 맛이 있다. 알맞게 익은 김장김치, 간이 기차역의 가락국수, 따뜻한 호빵, 김이 모락모락 나는 오뎅 국물, 고소한 붕어빵 그리고 군밤과 군고구마. 특히 군고구마는 군용 드럼통을 잘라 만든 통에서 금방 꺼내 종이 봉투에 넣어주는 그 따뜻한 온기와 구수한 향기가 겨울 맛의 대명사라 할 만하다.

여기 베이징에서도 그 군고구마 맛을 볼 수 있다. 어렸을 때 보던 '도라무통'을 잘라 만든 통에 장작을 지펴 굽는 원단 군고구마 말이다. 학원 앞, 버스 정거장 앞, 시장 골목 등 돌아가는 모퉁이마다 고구마 굽는 냄새가 진동을 한다. 큰 것 한 개에 2위안 정도인데 속이 샛노란 것이 입 안에서 살살 녹는다.

우리 숙소 앞에도 군고구마 장사가 있다. 눈동자가 맑고 웃을 때 가지런한 이가 예쁜 꼬마 아가씨다. 열세 살이라는데 키가 작고 더

벅머리를 해서 첫눈에는 사내 아이인 줄 알았다. 겨울 내내 수업을 마치고 돌아오는 길에 군고구마를 사면서 친해졌다.

"니 쟈오 썬머 밍즈?(네 이름 뭐니?)"

"리홍화(이홍화예요)."

"니더 라오쟈 짜이 날?(집이 어디니?)"

"안후이성이오."

"엄마, 아빠는?"

"고향에 계세요. 나는 고향 아저씨 집에서 같이 살아요."

"돈은 많이 벌리니?"

"그럭저럭요. 하루에 20위안(3,000원) 정도."

"겨우 20위안?"

"어떨 때는 그것도 못 벌어요. 여기 호텔 보안(保安 : 경비)들이 공짜로 막 가져가거든요."

"뭐라고? 어느 놈이 그런다는 거야?"

"가져가는 게 나아요. 저 사람들이 쫓아내면 장사를 할 수 없으니까요."

아니, 날 보면 그렇게 문도 잘 열어주고 인사도 잘 하는 호텔 경비들이 벼룩의 간을 빼먹고 있단 말인가. 제 몸보다 더 큰 고구마 수레를 끌고 와 장사하는 어린아이의 고구마를 마음대로 뺏어먹다니 진짜 나쁜 놈들이다. 얼핏 본 홍화의 손은 손등이 터져 피가 나 있다. 볼도 트기 직전이다. 그날은 고구마를 커다란 것으로 세 개나 샀다. 분명 다 먹지도 못하겠지만.

홍화는 큰길가에서 장사하는 것도 아니다. 눈을 씻고 열심히 찾아야 보이는 구석에서 고구마를 판다. 이런 곳에 숨어 있으면 나나 고구마 냄새를 맡고 너를 찾지, 누가 사겠냐고 하니까 경찰들에게 걸리면 고구마 통 뺏기고 잡혀간다며 무서워서 한길로는 못 나간단다.

"너 학교는 다녔니?"

"소학교 3학년까지요."

"동생은?"

"두 명 있어요. 동생들 공부할 돈, 내가 꼭 부쳐줄 거예요."

"고구마 팔아서?"

"여름 되면 야채나 과일 팔 거예요. 더 많이 남는대요."

그날도 고구마를 3개나 샀다. 어제 산 것도 고스란히 남아 있는데. 그리고 집에 가는 길 내내 마음이 답답했다. 저렇게 세상 물정 모르고 예쁘장한 여자 아이가 낯선 도시에서 혼자 산다는 것이 얼마나 위험한 일인가. 내년 여름이면 처녀티가 날 텐데 말이다. 숲길을 걸어 들어오다가 갑자기 윈난성 리장에서 '벚꽃마을'이라는 한국 식당을 하는 김명애와 그 남편 모신이 생각났다. 이 친구들이 하는 식당에 취직을 시켜주면 배낭족에게 영어도 배우고 명애한테 요리도 배우고, 무엇보다도 이 마음씨 고운 부부와 같이 살면 안전할 거라는 생각이 들었다. 월급도 500위안은 줄 것 아닌가. 내가 특별히 부탁하면 잘 돌봐줄 거다. 마침 모신이 한국 방문 수속을 하러 베이징에 와 있었다.

다음날 모신을 만나 얘기했더니, 누구 부탁인데 거절하겠냐며 홍화 부모만 허락하면 그렇게 하겠단다. 신이 나서 그 길로 홍화에게 쫓아가 얘기했다.

"너 식당에서 영어랑 요리도 배우지 않을래? 아주 좋은 한국 아줌마한테."

홍화가 깜짝 놀라며 눈을 동그랗게 뜬다. 그런데 자초지종을 듣는 얼굴이 흐려지더니, 마침내는 고개를 떨군다. 멋도 모르고 나는 이 아이가 윈난성 가는 차비를 걱정하는 줄 알았다. 거의 800위안이 들기 때문이다.

"비에 딴신(걱정하지 마). 윈난성까지 가는 차비는 내가 줄게."

"그게 아니라요……."

우물쭈물 하는 말을 종합 분석해보니, 같이 산다는 그 고향 아저씨는 거의 앵벌이 보스 같은 사람이었다. 말끝마다 그 아저씨에게 돈을 내지 않으면 안 보내줄 거라느니, 식당에서 월급을 받아도 고향으로는 한푼도 못 부치게 할 거라느니 하는 것이다. 그러면서 나한테 너무너무 미안하고 고맙단다.

"한궈 아이, 타이 간시에 닌(한국 아줌마, 정말 고마워요)."

"하여간 그 아저씨라는 사람한테 말이나 해봐, 알았지?"

돌아서는 나에게 급하게 고구마를 싸주며 하는 말.

"칭 닌 나바(제발 이거 받아주세요). 저는 고구마밖에 줄 게 없네요."

그날 이후 나는 홍화를 영영 볼 수가 없었다. 중국 친구에게 말하니 내가 시킨 대로 그 고향 아저씨한테 이야기했다가 심한 매를 맞는 등 경을 쳤을지도 모른다고 했다. 시골에서 팔려온 아이 같다면서 다른 곳으로 팔려갔을 수도 있다고 했다. 그 말을 듣자 나는 이 아이가 오히려 경찰에게 고구마 통을 빼앗겨 보이지 않는 것이었으면 좋겠다는 생각이 들었다.

나의 선의가 그러지 않아도 힘든 이 친구의 인생을 더 힘들게 만든 것은 아닌지. 이제 겨울마다 사먹는 군고구마가 달지만은 않을 것 같다.

무쇠돌이 한비야, 감기에 항복

'나는 어디 아프지도 않나.'

철없을 때는 튼튼한 것도 불만이었다. 중·고등학교 때는 몸이 약해서 얼굴이 창백하고 눈이 퀭한 아이를 부러워한 적도 있다. 조회 서다 쓰러지고 800미터 달리다가 업혀가는 아이는 꼭 그렇게 생겼더랬다. 돌이켜보면 나는 언제 한번 제대로 아파본 적이 없는 것 같다. 이건 사람이 아니라 무쇳덩어리다. 감기조차 언제 마지막으로 걸렸는지 까마득하다. 코감기라도 걸려 코맹맹이 소리가 나면 좀 근사해 보일 텐데. 사람이 원을 세우면 언젠가는 이루어진다던가, 뒤늦게 베이징에서 감기의 본때를 톡톡히 보게 되었다.

시작은 가벼운 몸살이었다. 하루 종일 으슬으슬 춥고 어깨에 힘이 없다 했는데 바로 그날 어찌나 땀을 뻘뻘 흘리고 잤는지 잠옷이 축축하게 젖을 정도였다. 사우나에 가도 땀이 나지 않는 불한당(不汗黨)이 이러는 건 뭔가 삐걱한다는 소리다. 일어나려고 하니 몸이 천

근만근. 좋아하는 듣기 수업이 있는 날인데도 도저히 학교에 갈 수가 없었다. 하루 내내 힘 없이 누워 있다가, 오후 3시쯤 좀 괜찮아진 것 같아서 HSK 시험 준비 학원에 갔는데 그게 무리였나 보다. 많은 학생들과 공기 탁한 교실에서 2시간 수업을 들은 죄로 당장 몸살감기가 기침감기로 변해버렸다.

그날 새벽에 드디어 기침이 시작되었다. 한번 시작하면 찬물을 마셔도 뜨거운 물을 마셔도 사탕을 물고 있어도 진정이 안 되고 가슴이 찌릿찌릿하도록, 목이 따끔따끔하도록, 얼굴이 벌겋게 달아오르도록 기침을 해야 끝이 난다. 1시간 이상 계속되는 내 기침소리에 옆방 아이들도 괴롭겠지만, 당사자인 나야말로 괴롭기 짝이 없다.

학교에서도 다른 친구들에게 미안하다. 수업하다 갑자기 목구멍이 간질간질해지면 아예 교실을 나와버린다. 최소한 20분은 가기 때문이다. 복도를 지날 때 기침이 시작되면 다른 반 학생들 수업에도 방해가 되고. 아무래도 안 되겠다. 민폐 그만 끼치고 약을 먹어야겠다. 되도록 약을 먹지 않는다는 평소의 원칙을 깨고 하교 길에 약방에 들러 감기에 잘 든다는 약을 세 가지나 사왔다.

문제는 세 종류의 약이 각각 먹는 시간과 방법이 달라서 번거롭기 짝이 없다는 거다. 하나는 청폐환(淸肺丸), 고약처럼 생긴 500원짜리 동전만한 환약인데 하루 세 번 먹는다. 꿀을 섞었는지 달달하고 맛있다. 또 하나는 봉지에 든 과립형으로 하루에 네 번 먹어야 한단다. 뜨거운 물에 타먹어야 하는데, 잘 넘어가지 않아 먹기 싫기도 하고 환약 먹는 사이 사이에 먹으려면 여간 신경이 쓰이는 것이 아니다. 그냥 세 번만 먹을까 보다. 나머지 하나는 쌉쌀하면서도 단맛이 나는 시럽형이다. 설명서에는 하루 세 번, 식후 찻숟가락으로 하나씩 먹으라지만, 기침 멈추는 데 그만이라고 해서 시도때도 없이 밥 숟가락으로 푹푹 퍼먹었다.

이렇게 세 가지 약만 먹어도 배가 부른데, 대추생강차까지 곁들였다. 중국 사람들의 민간 요법이라고 루나가 배 두 개, 생강 두 쪽, 잘 익은 대추 한 움큼을 넣어 15분 정도 펄펄 끓인 다음 약한 불로 졸여 왔다. 그 정성이 갸륵해서 물 대신 열심히 마신다.

이런 노력에도 불구하고 기침은 좀처럼 수그러들지 않았다. 기침 소리가 시끄러워서 어디를 나갈 수가 없다. 이번 일요일은 하루 종일 어언문화대 도서관에서 공부할 계획이었는데. 왕상이 그 맡기 어려운 자리를 책임지고 맡아준다고 했는데. 특히 100명도 넘는 아이들이 모여 있는 학원 교실에만 들어가면 끊임없이 기침이 나와 정말 민망하다. 집중해서 들어야 하는 청취력 테스트를 할 때면 더 그렇다. 기침감기 일주일 만에 볼이 쏙 들어가고 바지가 헐렁하다. 포도 다이어트, 한방 다이어트, 반창고 다이어트는 해보지 않아 모르겠지만 기침 다이어트는 이렇게 효과가 확실하다.

견디다 못해 김인근 씨를 찾아갔다가 왜 이제 왔냐고 야단을 실컷 맞고 처방전을 받아왔다. 이제 한약은 보기만 해도 몸서리쳐지지만 다른 도리가 없다. 무조건 세게 지어달랬더니 들은 척도 안 하고 며칠 간 경과를 보자고 한다.

그런데 간밤에 피를 토하고 말았다. 처음에는 뭔지 몰랐다. 발작적인 기침을 한 20분 정도 했는데, 휴지에 뱉은 침이 검은색이었다. 일순간 이상한 생각이 들어 불을 켰다. 세상에, 바닥에 널려 있는 휴지마다 시뻘건 피다. 너무 기침을 심하게 해서 기도의 실핏줄이 터진 것이다. 내가 누구한테 원한 맺힌 것도 없건만 한밤중에 자다 말고 왜 피를 토하는가 말이다.

　깜짝 놀라서 뜨거운 물을 마시고 목에 얼음주머니를 올려놓았다. 밤새도록 끙끙 앓는 소리를 내면서 누워 있자니 저절로 목이 메며 콧등이 시큰해진다. 처음에는 흐느끼다가 말 줄 알았는데 조금 있자니 나도 모르게 눈물이 뚝 떨어진다. 그래서 성질대로 그냥 큰 소리 내서 엉엉 울었다. 뚝뚝 떨어지는 굵은 눈물을 닦지도 않고 엄마, 엄마, 다 큰 여자가 엄마를 부르면서 울었다.

시험이 좋은 이유

학생한테 세상에서 제일 무서운 것은 뭘까? 당연히 시험이다. 한 과 넘어갈 때마다 보는 쪽지 시험부터 중간고사, 기말고사, 국가고 사에 이르기까지, 그 많고도 많은 시험. 지난 일요일은 나를 포함한 수많은 유학생들에게 특별히 무서운 날이었다. HSK라는 국가고사 를 보는 날이었기 때문이다.

HSK는 중국어가 모국어가 아닌 외국인, 화교 및 중국 국내의 소 수 민족들의 중국어 수준을 평가하기 위한 국가 표준 시험이다. 중 국에서 대학원에 진학하려는 외국 학생들은 반드시 6급 이상의 성 적을 얻어야 하고, 7급 이상 취득하지 않으면 대학 졸업을 할 수 없 는 중요한 시험이다. 또한 취직할 때 중국어 실력의 객관적인 평가 기준이 되기도 한다. 그래서 유학생들은 짧게는 몇 달, 길게는 1년 남짓 이 시험 준비를 고시 공부하듯 열심히 한다.

나도 이 시험을 보았다. 사실 난 이 시험을 볼 하등의 이유가 없다. 대학을 졸업할 것도, 대학원에 진학할 것도, 취직할 것도 아니니까. 그런데 왜 시험을 쳤는가. 이유는 단 한 가지. 시험 보는 것을 아주 좋아하기 때문이다.

시험 보는 것이 좋다니. 듣기에 따라서는 정상이 아닌 사람으로 보일지도 모르겠다. 잠을 제대로 못 자는 것은 기본이고, 시험을 보는 그날까지 공부하고 있어도 하지 않고 있어도 불안하기만 한, 그 스트레스 지수 100퍼센트인 상태가 즐겁다니 말이다. 주체할 수 없도록 불타는 경쟁심을 가진 유전자를 타고난 것도 아니건만.

도대체 나는 왜 시험이 좋은가. 우선은 시험을 통해 내 실력을 객관적으로 평가할 수 있어서다. 지금 어학 연수도 그렇다. 중국 사람들이 '중국말 참 잘한다' 하는 게 어디까지 진실인지 궁금하다. 특히 외국어는 말뿐 아니라 문법과 읽기, 듣기, 쓰기를 골고루 해야 제대로 하는 것인데 나는 과연 각 부분에서 어느 수준에 와 있을까 알고 싶다.

그리고 시험 공부를 하면서 그동안 배운 내용을 한 번 총정리할 수 있다는 것이 좋다. 이번에도 그동안 조각 상태로 있던 중국어 실력을 한곳에 모아 큰 그림꼴로 만들어보았다. 물론 듬성듬성 뚫린 곳이 많은 그림이지만, 적어도 어디가 엉성한지 아는 것만으로도 큰 도움이 된다. 공부하다가 그동안 알쏭달쏭했던 문법이나 한자의 용법들을 확실히 알게 되면 내 입에서는 저절로 "심봤다!"는 말이 나왔다. 시험 공부는 현재 실력을 한 단계 올려놓는 확실한 방법이니, 학생으로서 어찌 좋아하지 않겠는가.

또 시험은 몇 월 며칠이라는 정해진 날짜가 있어서 좋다. 끝을 알고 하는 고생이라는 말이다. 어떤 일이든지 뚜렷한 목표가 있으면 알 수 없는 힘이 솟는 법이다. 끝을 알 수 없는 고생이 힘든 것이지, 언제 끝날지 알고 하는 고생은 고생이 아니다. 이번 시험을 준비하면서도 마지막 한 달 반은 버릇대로 악착을 부렸다.

HSK가 학교 수업과는 무관한 것이므로 오전 중에는 학교에 가고 오후에는 학원에 갔다가 새벽 2시 정도까지 공부를 했다. 다행히 몸이 주인이 비상 사태에 돌입했다는 걸 알았는지 아침 6시 반 자명종이 울리면 벌떡벌떡 잘도 일어나주었다. 거울에 비친 피곤한 얼굴을 보면 내가 나한테 "아이, 착해!"라는 말이 저절로 나올 정도로.

학원에서 100명도 넘는 학생들과 자리 다툼을 하는 것도 만만치 않았다. 30분씩 일찍 가도 내게 돌아오는 자리는 칠판 바로 코밑 아니면 강당같이 큰 교실의 맨 끝자리. 여차하면 교실에 못 들어가고 문 밖에 간이 책상을 놓고 수업을 들어야 하는 '창 밖의 여자'가 되기 십상이다. 어느 때는 '내가 무슨 영화를 보겠다고 이런 생고생을 하나' 하는 생각도 들지만, 이 학원 강사는 HSK 전문 쪽집게 강사라는 소문이니 이렇게라도 들을 수 있어 천만다행이지 여기며 불편을 감수했다.

시험이 다가올수록 공부가 최우선 순위가 되는 것은 당연하다. 약속이란 약속은 몽땅 시험 뒤로 미뤘다. 보통 때라면 거절하기 힘든 원고 청탁이나 모임도 시험 핑계를 대면 아주 잘 통하니 신기하다. 인터넷도 이메일만 확인하고 한국 신문 등 보고 싶은 것은 꾹 참았다. 한국에서 친구가 보내준 책들도 제목 보면 읽고 싶어질까 봐 거꾸로 꽂아두었다. 오는 잠을 쫓느라 몇 주 만에 커피 한 병을 다 먹었으니 그동안 내 혈관을 타고 돈 것은 붉은 피가 아니라 고동색 커피였을지도 모르겠다. 카페인이 제 기능을 십분 발휘한 덕분에 마지막 일주일은 이틀에 한 번씩만 자고도 견딜 수 있었다.

그런데 솔직히 말하면 시험 준비하는 동안 몸은 고달팠지만 마음은 정말로 편안하고 좋았다. 목표를 향해 있는 힘을 한곳에 쏟아붓는 달콤한 괴로움이란 바로 이런 것이 아닐까. 호랑이가 한줌거리도 되지 않는 토끼를 잡을 때에도 모든 근육을 쓰며 있는 힘을 다하듯, 하는 일에 자기가 가진 마지막 힘까지 쓸 때 느끼는 이 뻐근한 자기만족감! 단 한 번이라도 이 기분을 느껴본 사람이라면 그 마력에서 헤어날 수 없을 정도로 짜릿하다.

엄밀히 말하면 이번 시험은 이렇게까지 할 필요가 없는 일이다. 안 봐도 그만인 시험이니까. 그러나 이번 시험 준비는 내 스스로 정한 인생의 원칙에 관한 일이었다. 일 자체가 중요하거나 하찮은 것과는 상관없이, 일단 해보기로 결심한 일에는 내가 가진 어떤 것도 아끼지 않겠다는 원칙 말이다.

물론 이렇게 한다고 내가 시험에 만점을 맞는 것도 아니고 전국 1등을 하는 것도 아니다. 남들도 다 따는 중급 7급 정도를 바라보고 있지만 이것이 내가 가진 힘의 전부였다고 나 자신에게 당당하게 말할 수 있을 테니 아쉬움도, 후회도 없다. 오히려 이번에도 작은 일에 인생의 원칙을 실천했다는 생각에 뿌듯하다.

그러나 뭐니뭐니 해도 내가 시험을 좋아하는 가장 큰 이유는 바로 시험 끝나는 날의 해방감 때문이다. 이번 시험이 끝나고도 그랬다. 일단 같이 시험 본 친구들과 왁자지껄 떠들면서 맛있는 점심을 배터지게 먹고 근처 한국식 사우나에 가서 묵은 때를 이태리타월로 싹싹 벗겨냈다.

집에 돌아와서는 사방팔방 어질러놓은 방을 말끔하게 정리했다.

애지중지 모아두었던 전년도 모의고사 시험지, 공부 잘하는 친구 문법 공책 복사한 것 등도 미련 없이 몽땅 버렸다. 그리고 침대에 세상에서 제일 편한 자세로 누워 그동안 뒤집어 꽂아두었던 책 가운데 구효서 산문집《인생은 지나간다》를 읽다가 스르르 잠이 들었다. 저녁밥도 거르고 불도 켜놓은 채 초저녁부터 다음날 아침까지 무려 15시간을 세상 모르고 자고 나니 날아갈 듯이 상쾌하고 개운하다. 마치 긴 겨울이 지나고 새 봄이 온 것 같다.

물론 이 행복감과 해방감은 공짜가 아니다. 시험 준비 기간이 길면 길수록, 스트레스를 많이 받으면 받을수록, 들인 공이 크면 클수록 기쁨은 커진다. 기실 행복이란 그 행복을 얻기 위해 치른 고통의 양과 비례하는 것이니까. 내가 시험을 좋아하는 진짜 이유도 바로 이것이다. 치른 고통만큼 얻어지는 행복감. 바로 이 맛이다!

너무도 반가운 내 친구 데레사

'有朋自遠方來 不亦樂乎(먼 곳에서 친구가 찾아오니 그 또한 즐겁지 아니하랴).'

《논어》학이편 첫 문장에 있는 말이다. 먼 곳에서 친구가 오는데 어찌 즐겁기만 할까. 나는 그저께부터 잠까지 설쳤다. 강원도 정선에서 어린이집을 하고 있는 수녀 친구가 오기로 했기 때문이다. 격무에 시달리는 우리 김혜경 데레사를 어떻게든 며칠 쉬게 해주고 싶어서 막 꼬셨다. 비행기 값도 대주고, 좋은 구경도 시켜주고, 맛있는 것도 많이 사줄 테니 오라고. 나 있을 때 아니면 네가 언제 베이징 구경을 하겠냐고. 세상은 네가 잠깐 없어도 돌아가는 거라고. 네가 보고 싶어 죽을 지경이니 사람 살리는 셈치고 제발 와달라고.

봄부터 온다온다 하더니 한겨울에야 두꺼운 코트를 입고 나타났다. 낯선 베이징 거리를 두리번거리는 수녀님이 귀엽기만 하다. 주변에 보이는 간판을 읽으며 재미있어한다. 한자가 통하는 게 신기한가 보다. 내가 택시 기사나 가게 사람들하고 중국말로 얘기하니 아주 존경스러운 눈빛을 보낸다.

"비야, 너 공부 열심히 했구나."

중국말 한마디도 못하는 사람은 내 중국어가 유창한 줄로 깜박 속는다.

베이징에서 안 보고 가면 섭섭한 유명 관광지를 이틀에 걸쳐 한 바퀴 획 돌고 우리는 본격적인 '특별한 여행'을 시작했다. 우선 '치파오'라는 중국 전통 복장을 입고 기념 사진을 찍기로 했다. 중국은 이런 기념 사진술이 발달해서 사진관에서 옷도 빌려주고 화장도 해주고 머리도 만져준다. 피리나 부채, 꽃 같은 소품을 가지고 나름대로 연출해서 찍는다. 조명도 그럴 듯하고 나중에 필름 수정까지 해주기 때문에 '원판 불변의 법칙'을 벗어나 영화배우처럼 나온다. 나도 찍어보았는데 〈화양연화〉의 장만위(張曼玉)처럼 나왔다(진짜다!).

맨날 꼭꼭 싸매는 까만 옷만 입고 다니는 데레사가 옆선이 허벅지까지 터지고 몸매가 그대로 드러나는 빨간 치파오를 입고 아주 '불경스럽게' 웃는다. 이런저런 포즈로 사진을 찍으며 즐거워하는 모습이 아예 어린아이다. 아이들이랑 10년쯤 살면 저렇게 되나.

다음에는 시끌벅적한 재래 시장으로 갔다. 번잡한 곳에서 어깨를 부딪치며 채소전, 고기전, 건과물전을 둘러보았다. 이 친구는 한국에 있는 건 있는 것대로, 없는 건 없는 것대로 "어머, 어머!"를 연발한다. 시장 안팎의 먹거리가 더 신기한 모양이다. 간이 국수 가게에서 선 채로 국수 한 그릇을 먹고, 중국식 빈대떡과 대나무 잎으로 싼 찹쌀떡도 먹으면서 바람이 쌀쌀한 시장 바닥을 누볐다. 오늘은 수녀가 아니라 그냥 관광객이다.

다음은 김인근 씨를 찾았다. 그동안 애쓰느라 기가 쇠했을 것 같아서 보약을 지어주기로 했다. 예전 같으면 "보약 먹을 사람은 바로 너다."라고 했을 텐데 이번에는 어쩐 일로 순순히 따라나선다. 김인근 씨 얘기가 조금 지쳐 있는 상태일 뿐 건강에는 큰 이상이 없다고 하면서 약방문을 써주었다. 거기에 최상급 녹용을 넣어서 보약 한 첩을 지었다. 정신적으로는 부단히 도를 닦는 성직자지만 몸은 가을로 접어들고 있는 평범한 사십대 중반의 여자일 뿐이다.

그날 저녁 마지막 코스는 경락 마사지 집이었다. 한의학을 전공한 침구사가 경락을 눌러 기와 혈의 소통을 원활하게 하는 것으로 그저 근육이나 푸는 마사지가 아니라 물리 치료 차원이다. 1시간 정도 여자 침구사가 힘껏 압점을 누르며 지압을 하는데 시원하기는커녕 비명이 저절로 나올 만큼 아프다. 바로 그런 자리가 모두 문제 있는 부위란다. 혜경이는 곰 아니랄까 봐 잘도 참는다.

25년도 넘은 친구 김혜경 데레사는 내 친구이자 우리 집 수양딸이다. 우리 엄마는 이 친구가 수녀원에 들어가자마자 이름 대신 '수녀님'이라고 부르며 자랑스러워하셨다. 엄마가 이 세상에서 용돈 주는 사람이 딱 세 사람이었는데 큰조카 형석이, 막내 조카 재혁이 그리고 이 친구다. 엄마 돌아가시는 날, 혜경이가 아니었으면 정말 큰일 날 뻔했다. 그날 밤 혜경이가 도저히 그럴 수 없는 상황에서 우리 집에 와서는 밤샘 묵주 기도를 하고 있었다. 새벽녘에 엄마 숨소리가 심상치 않다고 자고 있는 우리들을 깨웠으니 망정이지 그렇지 않았으면 임종도 못할 뻔했다. 엄마가 이럴 줄 미리 아시고 이 친구를 그리 예뻐하셨나.

한 사람이 다른 사람에게 이렇게 많은 역할을 할 수 있다는 것이 늘 놀랍다. 혜경이는 내게 소중한 친구이자, 자매이자, 성직자이자, 인생 상담원이자 스승이다. 무엇보다도 인생 길을 같이 가는 아주 따뜻하고 든든한 동반자이다. 아무 거리낌 없이, 망설임이나 부끄러움 없이 어떤 얘기도 나눌 수 있는 세상에 둘도 없는 사람이다. 특히 원칙을 지키며 불이익을 당할 것인가, 세상과 타협해 이익을 볼 것인가 흔들릴 때 나는 반드시 이 친구를 찾는다. 나에게 혜경이는 함석헌 선생의 시에 나오는 바로 '그 사람'이기 때문이다.

그 사람을 가졌는가
—함석헌

만리 길 나서는 날
처자를 내맡기며
맘놓고 갈 만한 사람
그 사람을 그대는 가졌는가.

온 세상 다 나를 버려
마음이 외로울 때에도
저 맘이야 하고 믿어지는
그 사람을 그대는 가졌는가.

탔던 배 꺼지는 시간
구명대 서로 사양하며
너만은 제발 살아다오 할

그 사람을 그대는 가졌는가.

불의의 사형장에서
다 죽여도 너희 세상 빛을 위해
저만은 살려두거라 일러줄
그 사람을 그대는 가졌는가.

잊지 못할 이 세상을 놓고 떠나려 할 때
저 하나 있으니 하며
빙긋이 웃고 눈을 감을
그 사람을 그대는 가졌는가.

온 세상의 찬성보다도
가만히 머리 흔들 그 한 얼굴 생각에
알뜰한 유혹을 물리치게 되는
그 사람을 그대는 가졌는가.

고마워, 혜경아.

왕샹 사장 만들기 작전

"썬머러?(무슨 일 있니?)"

요 며칠 왕샹의 얼굴이 매우 심각해 보였다. 나에게 뭔가 할 말이 있어 보이기도 하고.

"메이여우(아무 일 없어요)."

"썬머 메이여우. 게이워 수어바(뭐가 아무 일도 없다는 거야. 나한테 말해봐)."

그랬더니 아주 어렵게 말을 꺼내놓는다. 지금 자판기 사장이 사업을 그만두려고 하는데 왕샹이 인수한다면 아주 싼값에 자판기를 모두 넘기겠다고 했다는 거다.

"어머, 잘 되었네. 그럼 네가 사장 되는 거야? 왕 사장! 야, 멋있다! 그런데, 뭐가 걱정이야?"

"그 자판기 인수할 돈이 없으니까 걱정이죠."

"어? 아, 그렇지. 사업을 하려면 돈이 있어야지. 얼마나 필요한데?"

"우선 당장 2,000달러 정도."

"2,000달러라……."

그날 저녁 곰곰이 생각해보았다. 지금 내게는 한국에서 가져온 돈이 남아 있다. 그 돈이 통장에서 잠자고 있는 것보다 이 친구 경제 자립의 기반을 만들어주는 일이 훨씬 낫겠다. 그래, 내가 창업 자금을 빌려줘야지. 왕샹을 사장님으로 만들어야지. 그러면 도서관 갈 때마다 공짜 커피도 얻어 마시고 얼마나 좋아. 왕샹은 돈을 모으면 전문학교에 가고 싶다고 했는데 그것도 좀더 일찍 할 수 있을 테고. 고향집 새로 짓겠다는 꿈도 이룰 수 있을 거고. 야, 왕샹 출세했다. 수리공에서 사장이 되다니.

그런데 딱 한 가지가 마음에 걸린다. 만에 하나 왕샹이 돈을 갚지 못했을 때 우리의 순수한 관계에 금이 갈지도 모른다는 점이다. 그 돈, 받지 않아도 그만이지만 지금까지 좋게 이어온 관계가 그까짓 돈 몇백만 원 때문에 껄끄러워지거나 망가지는 일은 견딜 수 없다. 일부러 안 갚을 리는 없지만 사람 일이란 또 모르는 거니까. 만일 못 갚게 되었을 때 이 친구는 얼마나 마음의 부담이 되고 내 얼굴 보기가 민망할까?

그래도 다시 생각해보니 그 '萬一', 글자 그대로 만에 하나라는 불투명한 가능성 때문에 9,999라는 현재의 확실한 기회를 놓치게 하고 싶지는 않았다.

다음날 왕샹에게 전화를 걸었다.

"니 샹 당 라오반바?(너 사장 되고 싶지?)"

"땅란(당연하죠)."

"나머, 시엔자이 카이스 니스 왕라오반(그럼 지금부터 넌 왕 사장님이야)."

"네?"

"말귀를 못 알아듣기는. 내가 돈을 빌려준다는 뜻이지."

"쩐더마?(정말이에요?)"

당장이라도 전화 속에서 튀어나올 것처럼 기뻐하는 목소리.

"한 가지 조건이 있어."

"뭔데요?"

"이제부터 나한테는 무조건 커피 공짜로 주기."

"으음."

"뭐가 으음이야?"

"재료값은 받아야 하는데……. 반값으로 깎아줄게요."

이 녀석, 사장이 된다니까 갑자기 이렇게 계산이 밝아진다.

왕상은 내가 한국에서 대단히 유명한 사람이라고 생각한다. 이 친구를 만나러 어언문화대 도서관에 갈 때마다 한국 학생 한두 명이 날 알아보고 반가워하는 걸 보았기 때문이다. 처음에는 무척 놀라면서 무슨 일인가 하더니 요즘에는 자기가 한술 더 뜬다. 한국 사람이 많이 다니는 학교 부근이나 우다오커우 거리를 같이 걸을 때 날 아는 척하는 사람이 없으면,

"아니, 언니를 알아보는 사람이 이렇게 없다니, 정말 무식한 아이들이네요."

한번은 학교 근처 책방에 갔는데 한 한국 학생이 왕상을 보더니 아주 반가워하며 "혹시 한비야 씨랑 친하다는 그 중국인 아니에요?" 라고 물어서 기겁을 했단다. 내가 몇 달 전에 〈우먼센스〉에 기고를 하면서 이 친구 얘기와 더불어 같이 찍은 사진을 보냈었다. 그 기사 덕분인지 도서관에서도 사람들이 심심치 않게 왕상을 알아보더란

다. 내가 장난으로 너 그렇게 유명해진 기분이 어떠냐니까, 그 뻐기는 듯한 웃음을 지으며 이렇게 말한다.

"이징 시관러(벌써 습관이 된 걸요)."

이런 왕상을 한국에 꼭 한번 초청하고 싶다. 한 번도 타본 적이 없다는 비행기도 태워주고 싶고, 사귀었던 한국 친구들도 다시 만나게 해주고 싶다. 아름다운 경치도 두루 보여주고 싶고, 술 귀신인 이 친구에게 한국 술도 골고루 맛보이고 싶다. 그동안 같이 공부하면서 나한테 중국어 못한다고 구박한 거, 한국에 오면 고스란히 갚아줘야지. 대형 책방 저자 사인회나 내 팬클럽 정기 모임하는 날 데리고 가면 기절하겠지? 재미있겠다.

중국 부잣집 관람기

8,888위안!

지난 크리스마스 때 어느 특급 호텔에서 하루 숙박비 포함 크리스마스 파티 값이 무려 8,888위안이라는 광고를 보고 눈을 의심했다. 888위안이라도 눈이 튀어나올 정도인데, 8,888위안이라니. 우리 돈으로 133만 원. 대학을 졸업하고 5년 정도 일한 사람의 한 달 평균 보수가 우리 돈 30만 원 정도라는데 네 달치 월급을 하룻밤 노는 데 쓴다는 말이다. 도대체 어떤 사람이 이런 파티에 가나 했는데, 바로 그렇게 다른 세계에 사는 사람을 만날 기회가 있었다. 내가 어느 자리에서 그렇게 잘사는 집 구경이나 해봤으면 좋겠다고 했더니, 같이 있던 한국인 무역상이 중국인 사업 파트너를 소개해주겠단다.

영지버섯이나 인삼 등 약초 가공업을 하는 서른 살의 쟝즈밍은 야원춘이라는 고급 아파트 단지에서 부인과 초등학교 2학년인 딸 란과 살고 있었다. 이곳은 한국 주재원 등 외국 사람들이 많이 살고 있는데, 한 달 월세가 3백만 원 이상이라 중국인들은 찾아보기 힘든 곳이다. 역시, 남편은 허름한 차림으로 부인은 멋쟁이 차림으로 나를 맞아주었다. 내가 한국 과자와 세제를 전해주며 비누거품 일듯 돈 많이 벌라는 뜻이라고 했더니 몹시 좋아한다. 있는 사람이 더 밝힌다.

집 안은 롤러 블레이드가 필요할 만큼 넓었다. 돌아보니 응접 세트며 대형 냉장고며 초대형 텔레비전, 차를 끓여 내온 고급 찻잔까지 한눈에도 '돈티'가 줄줄 흐른다.

"하이, 나이스 투 미추(안녕하세요. 만나서 반가워요)."

란이 또박또박 영어로 인사를 한다. 발음이 아주 좋다고 했더니 1년에 3만 위안이나 하는 소위 '귀족 학교'에 다닌다는데(일반 학교의 수업료는 몇백 위안이다), 미국인에게 일주일에 두 번 영어 회화를 배운단다. 부인인 메이화는 수줍어하는 란에게 영어로 얘기하라고 부추기며 나에게는 자꾸만 애 실력이 어떠냐고 칭찬을 유도한다.

"위브빈 투 코리아(우리도 한국에 다녀왔어요)."

아이가 말한다.

아빠는 한 해에도 몇 번 가는데 올해 처음으로 아빠를 따라 전 가족이 일주일 간 놀고 왔단다. 어디가 제일 좋았냐니까 아이는 롯데월드가 재미있었고, 부인은 제주도 바닷가, 그리고 남편은 묵었던 워커힐의 빠찡꼬가 좋았단다. 그 말이 나오자마자 부인이 하는 말.

"저녁 한나절에 2만 5천 위안(4백만 원 정도)을 잃고 와서 나랑 대판 싸웠는데도 한국에 갈 때마다 자꾸 거길 가서 큰일이에요."

"자기가 백화점에서 한나절 동안 5백만 원어치 물건 사들인 건 어떻구."

"어머, 빠찡꼬 돈은 영원히 없어지는 돈이잖아. 내가 산 물건은 지금도 잘 쓰고 있고."

하여간 이 집은 썼다 하면 돈 단위가 몇백만 원이다. 이 부부는 일찍이 대만과 찻잎 무역을 해서 큰돈을 벌게 되었고, 지금은 한국 무역이 아주 짭짤하단다. 삼십대 중반의 수십억대 부자가 돈 좀 있다고 거들먹거리지 않아 일단 보기 좋다.

"아저씨도 10년 전에는 이렇게 부자가 될 줄 모르셨죠?"

내가 물으니,

"아이고, 내가 무슨 부자예요. 그저 근근이 먹고사는 정도지."

이미 사정을 알고 있는 나에게도 엄살을 떤다. 중국 경제가 앞으로 어떻게 될 것 같냐고 하니까 다른 분야는 잘 모르겠지만 중국이 2008년 올림픽을 유치하면 자기는 공장 규모를 세 배 이상 늘릴 계획이란다. 그러면 돈 좀 제대로 벌 것 같다고 말하는 얼굴에는 자신감이 가득 차 있다.

한참 이 얘기 저 얘기 하다가 저녁은 자기가 한턱 내겠으니 나가서 먹잔다. 이 집 대형 승용차를 타고 시내에 있는 한국 식당 '서라벌'로 갔다. 나는 처음 와보는데 이 집 식구들은 여기에 자주 오는지 종업원들이 아는 체를 한다. 슬쩍 메뉴판을 보니 음식 가격이 내가 사는 유학생 촌에 비해 최소 다섯 배 이상 비싸다. 그날 저녁은 갈비로 포식을 했는데 장즈밍은 중국 사람이 하는 식으로 갈비를 너무나 많이 시켜서 반도 더 남았다. 이런 데 오면 한국 사람들도 먹는 진행 속도를 잘 살펴서 남지 않도록 시키는데……. 그날 음식값이 수월찮게 나왔을 거다.

부인은 저녁을 먹으면서 베이징에 있는 동안 란이 영어 가정 교사를 해주면 안 되겠냐고 묻는다. 내가 시간이 없다고 하니까 아이가 처음 만난 사람에게, 저렇게 말을 많이 하는 것은 본 적이 없다며 돈은 섭섭치 않게 쳐주겠으니 그렇게 해달란다. 도대체 얼마를 주려고 저렇게 자신 있게 말하나.

식사가 끝나고 식당 앞에서 쟝즈밍이 잡아주는 택시를 타고 보니 내부가 큼직하고 깔끔하다. 기본 요금 다음부터 2위안씩 팍팍 올라가는 고급 택시였다. 이 택시의 요금은 보통 택시의 두 배라서 다른 때 같으면 중간에 싼 택시로 갈아타고 왔겠지만 그날은 쟝즈밍이 택시 기사에게 미리 요금을 주었기 때문에 그럴 필요가 없었다. 베이징에 온 후 처음으로 까만 대형 택시를 타고 편안하게 집까지 왔다.

돈이 많으면 좋긴 좋구나.

설날 인사도 돈 타령

"워먼 쩐머 꾸어니엔너?(우리 설을 어떻게 지낼까요?)"

설날 보름 전부터 왕샹이 안달이다.

"취 뤼싱바?(여행 갈까?)"

내가 제의했다.

"뤼싱? 쩐 뿌싱(여행이라고요? 말도 안 돼요)."

어떻게 그렇게 사정을 모르냐는 듯 혀를 찬다.

"타 수어더 뚜이. 부능 마이 피야오(왕샹 말이 맞아요. 표를 구할 수 없어요)."

루나가 말한다. 그래, 맞다. 몇억이 한꺼번에 이동하는 때에 어딜 놀러 나선다는 건가. 기차표는 원칙적으로는 3일 전부터 팔지만, 그 표를 사려면 몇 날 며칠 역전에서 먹고 자고 하면서 줄을 서 있어야 한다. 버스든 승용차든 달구지든 바퀴 달린 것들은 총출동해서 고향으로, 고향 앞으로 간다.

3년 전 춘제 직전에 티베트 라싸로 가는 버스를 탔었는데, 그 버스 안에는 헤이룽장성에서, 베이징에서, 쓰촨성에서 일주일 이상씩 기차와 버스를 갈아타며 고향으로 가는 장족 사람들로 가득 차 있었다. 손에 손에는 각종 선물 보따리를 들고 가슴엔 가득 사랑을 담고. 참 신기했다. 왜 고향으로 가는 사람들은 저 힘든 길을 가면서도 저렇게 지쳐 보이질 않는 걸까. 내가 집으로 돌아갈 때도 저런 얼굴일까 생각했었다.

하여간 우리는 이번 춘제는 집에서 조용히, 그러나 요란하게 보내기로 하고 다양한 프로그램을 짰다. 일단 파티 비용으로 각각 300위 안씩 내서 그럴듯한 춘제 음식을 장만하기로 했다. 이번 춘제 계획에는 루나네 집에 세든 북경사범대학 학생 루시아까지 동참해 우리 인원은 모두 넷이 되었다.

루나와 왕샹은 지난 가을부터 한 집에 살고 있다. 왕샹은 이곳이 천리타향이라서 외롭고, 루나도 거의 혼자 사는 셈이니 둘이 한 집에 살면 서로 좋겠다 생각했는데 마침 루나네 방이 하나 비게 되어 거기에 왕샹을 들게 했다. 그 전에 만난 적은 없지만 서로의 얘기를 하도 들어서 이미 훤히 꿰고 있던 터였다. 둘이 같이 있으니 내가 너무 편하다. 두 번 전화할 것을 한 번만 하면 되니까.

"얼스쌴하오 샹우 라이바(23일 오전에 와요)."

시골 출신이자 나이가 가장 어린 왕샹이 명절을 제일 기다린다.

"타이 자오저너(너무 이르잖아). 춘제는 24일부터 시작인데."

내가 말했더니 당장 소리 높여 이렇게 대꾸한다.

"메이여우(아니에요). 준비할 게 많잖아요."

우리끼리 지내는 춘제인데도 정말 준비할 게 많았다. 나와 루시아가 집을 안팎으로 깨끗하게 치우는 동안 루나와 왕샹은 시장을 봐왔다. 장바구니에는 야채, 고기 등과 함께 커다란 생선이 눈을 부라리고 있었다. 춘제 때는 반드시 생선을 먹는데, 물고기의 '위(魚)'와 돈이 들어온다는 '여유'의 '餘'가 발음이 같기 때문이란다. 그래서 붉은색의 연하장에는 반드시 황금잉어가 한 마리 그려져 있다. 사과와 귤도 춘제 때 빠질 수 없는 과일인데, 이것 역시 사과의 '핑구어(苹果)'라는 발음이 '평안(平安)'의 '핑'과 같고, 귤의 '쥐즈(桔子)'는 '운이 좋다'라는 '지리(吉利)'의 '지'와 발음이 비슷하기 때문이란다.

중국에서는 설날에 아이들에게 '홍파오(紅包)'라는 빨간 봉투에 돈을 넣어준다길래 세뱃돈 대신 붉은 팬티 한 세트씩을 선물로 준비했다. 루나는 붉은색의 커다란 복(福)자를 구해와서 대문에 거꾸로 붙여놓는다. 이렇게 복을 거꾸로(倒, 따오) 걸어놓으면 '오다'라는 '따오(到)'와 음이 같아서 '복이 온다'는 뜻이 된다고 한다.

중국에서는 춘제 전날 '니엔예판'이라는 섣달 그믐 음식을 먹는 풍습이 있다. 우리도 오후 내내 생선 요리를 포함한 8가지 음식을 만들었다. 왜 8가지냐. 이유는 이미 알고 있겠지. 축제에는 붉은 포도주가 제격인 것 같아 저녁을 먹으면서 와인을 한 잔씩 곁들였다. 서로 덕담을 하면서.

"썬티지엔캉(건강하세요). 완쓰루이(모든 일이 뜻대로 되시길)."

이 친구들이 저녁을 먹으면서 자꾸만 "콰이 이디얼(좀 빨리 해요)." 하며 재촉을 해서 왜 그런가 했더니, 설 전날 저녁 8시부터 자정이 넘도록 하는 설날 특집쇼 때문이다. 중앙텔레비전이 만드는 호화 버라이어티 쇼로 각 분야의 유명한 사람들이 모두 출연한다. 중국 전역에 동시 방송되는 이 프로그램은 중국 인민의 열렬한 사랑을 받으며 설 전날 풍속으로 자리잡고 있다.

올해도 다채롭기 짝이 없었다. 내가 아는 중국 연예인들, 〈화양연화〉의 장만위, 〈집으로 가는 길〉, 〈와호장룡〉의 장쯔이, 아시아의 진주 코코 리 등이 총출동했다. 재미있는 것은 '따산(大山)'의 찌르는 듯한 인기였다. 중국 여자와 결혼한 캐나다 사람인데 만담을 할 수 있을 정도로 중국말을 완벽하게 구사한다. 텔레비전에 출연한 다른 외국인들의 중국어 구사력도 너무나 좋아서 기가 죽을 지경이다.

두 명은 침대에 누워서, 두 명은 방에 앉아서 열심히 보다가 텔레비전에서 신년 카운트다운이 시작되니 모두 합창을 한다.

"우, 쓰, 싼, 얼, 이. 신니엔 콰일러(5, 4, 3, 2, 1. 새해 복 많이 받으세요)."

"신니엔 콰일러, 언니."

"신니엔 콰일러. 루나, 왕샹."

우리들도 서로 껴안으며 새해의 복을 빌었다. 바깥에서 들리는 요란한 폭죽소리가 아주 멋진 배경 음악이 되었다. 슈욱 꽈앙, 슈욱 꽈앙 터지는 건 로케트탄 같은 폭죽이고, 타다닥 타다닥 터지는 건 바닥을 튀어다니면서 터지는 까불이 폭죽이고, 팍 팍 파파박 탁탁탁탁하고 이어지는 것은 줄줄이 사탕처럼 이어지는 연발탄이다.

베이징에는 법적으로 폭죽을 터뜨리지 못하게 되어 있는데도 사람들은 벌금 낼 각오를 하고 폭죽을 쏜다. 왕샹은 폭죽소리 없는 춘제는 상상도 할 수 없다고 한다. 정부의 규제 때문에 반의 반의 반으로 줄어든 춘제 폭죽소리가 이 정도라면 그 전에는 정말 대단했겠다.

춘제에 잘못하면 배 터져 죽기 십상이다. 자정이 넘으니 왕샹이 이제는 만두를 해먹을 차례라며 부추와 돼지고기로 만든 만두 속과

만두피를 가져온다. 배불러서 어떻게 먹냐니까 춘제 첫날이니 조금이라도 반드시 먹어야 한단다. 한 조각도 먹지 못할 것 같았는데 금방 빚은 만두라 그런지 삶아 내오니 정말 맛있다. 어느 틈에 두 접시를 후닥닥 비웠더니 앉아 있기도 힘들다. 잠자기는 틀린 것 같아 빌려온 중국 코믹영화 비디오를 보기로 했다. 여기는 비디오 CD 빌리는 데 겨우 1위안(150원)이다. 물론 해적판이겠지만 싸서 정말 좋다. 네 개를 빌려서 밤새도록 보았다. 공부를 그렇게 열심히 했으면 뭐가 돼도 되었겠다.

24일, 오늘이 바로 음력 1월 1일 설날이다. 한국인의 명절이기도 하다. 큰언니 노릇을 하느라 아이들에게 아침 식사로 떡국을 끓여주고 준비한 설날 선물을 주었다. 그러고는 각자 가진 옷 중에서 제일 멋있는 옷을 입고 기념 사진을 찍기로 했다. 나는 한국에서 가져간 생활한복을 입고, 루나는 며칠 전에 준비한 개량 중국옷을 입고, 왕샹과 루시아도 나름대로 옷을 차려입고 이런 포즈 저런 포즈로 한바탕 사진을 찍었다. 그리고 또 먹고 영화 보고 포커 게임해서 손목 맞기하면서 시간가는 줄 모르고 놀았다. 날이 어두워지자 또 시작되는 폭죽 놀이. 왕샹 말로는 시골에서는 정월 보름까지 저 소리가 계속된단다.

"우리 묘회(廟會)에 갈까?"
셋째날, 집에만 있기 지루해진 내가 제의했다.
"런 잉가이 타이 두어(분명히 사람이 많을 텐데요)."
왕샹이 난색을 표한다. 중국 아이면서 사람 많은 곳에 가는 걸 아주 싫어한다.

"그래야 명절 기분이 나지. 우리 갔다오자. 어때?"

묘회는 원래 명절 때 절 근처에 서는 대규모 시장이었는데, 지금은 명절 대목 때 일시적으로 열리는 살거리, 볼거리, 먹거리 광장이다. 베이징 근처에서 사람이 제일 많이 몰린다는 곳으로 갔다. 그 절 안은 불이 붙은 듯 온통 붉은색이다. 붉은 등, 붉은 나비, 붉은 옷을 입은 남녀노소 사람들. 붉은색이 중국의 상징색이라는 걸 춘제 때 비로소 실감하겠다.

다닥다닥 붙어 있는 임시 가게에서는 온갖 물건들을 판다. 어린이 장난감, 책, 옷, 연과 붉은 등, 목걸이나 장식품 등 없는 게 없다. 그뿐인가. 고리 던지기, 꽃가마 타고 한 바퀴 돌기, 카드 게임, 사자 가면을 쓰고 추는 사자춤, 심지어는 뱀쇼까지 볼거리와 놀거리가 다양하다. 중국 사람들이 모인 자리이니 먹을 것이 빠질 수 없지. 양쪽으로 늘어선 간이 식당에는 남방의 상하이 과자부터 북방의 만두, 서역의 양꼬치와 동쪽의 오징어 튀김까지 각양각색의 음식을 판다. 사람이 어찌나 많은지 힘 하나 들이지 않고 그저 사람에게 이리저리 밀려다니다 보이는 가게에서 구경도 하고 물건도 산다. 오늘은 아무리 사람이 많아도 모두들 즐거운 표정이다. '꾸어니엔(설쇠고 있는 중)'이기 때문이다.

왕샹 말로는 시골에서는 춘제 기간 중에 결혼식도 많다고 한다. 정초부터 누가 결혼을 하느냐고 했더니 여기서는 춘제나 중추제(仲秋節) 등 고향 사람들이 많이 돌아왔을 때 사람들 모인 김에 겸사겸사 결혼식을 치른단다. 이름하여 '쑤앙시(雙喜)', 한국말로는 겹경사다. 하여간 춘제 자체만으로도 요란하기 짝이 없는데 결혼식까지 겹치는 날은 그야말로 온 동네가 들썩들썩할 정도로 신나고 재미있단다. 이런 춘제 분위기는 대부분 음력 1월 15일 대보름까지 계속되지만 우리는 약식으로 4박 5일로 마감을 했다. 더 놀고 가지, 벌써 가냐며 잡던 왕샹이 양손을 모아 흔들면서 한마디한다.

"꽁시파차이, 니엔니엔두어위(돈 많이 벌고, 늘 여유롭게 사세요)."

원단 중국식 설날 인사였다. 밖에는 소리 없이 서설이 내리고 있었다.

북에 번쩍, 남에 번쩍

한겨울에 동토의 땅 하얼빈으로 떠났다.

가열된 기계에 냉각수가 필요하듯이 과열된 머리도 냉각이 필요하다. 그동안 공부하느라 뜨거워진 머리를 좀더 확실히 식히기 위해서 냉각수가 아니라 냉각 얼음을 이용하기로 했다. 그래서 떠난 곳이 꽁꽁 언 땅, 빙등제가 한창인 하얼빈이다. 떠나기 전에 헤이룽장성 기온이 영하 30도라느니, 쑹화강에서 부는 바람까지 합세해서 체감 온도가 영하 35도라느니 추위에 대해 겁주는 말을 많이 들어 바짝 긴장을 했다. 하지만 내 가슴을 더 태운 건 기차를 타러 가는 길의 교통 체증이었다. 기차를 놓치면 어쩌나 속을 졸였는데, 출발 1분 전에 가까스로 탈 수 있었다.

하루를 잘 자고 다음날 아침 하얼빈역에 내려 중년의 중국 남자 네 명, 미국 국적의 화교 여학생 두 명을 포함한 일행과 만났다. 나와 루나를 합쳐 여덟 명. 나는 즉석에서 우리 팀 이름을 '베이징 빠거런(北京 8個人)'이라고 지었다. 화교 학생은 1년간 어학 연수를 마치고 졸업 여행을 하는 중이었고 중년 남자들은 농업기술청 소속으로 이번 여행은 일 잘했다고 회사에서 보내주는 위로 여행이란다. 알고 보니 모두 박사급이다.

이들은 농담도 잘하고 문자도 잘 쓰는 유쾌하면서도 유식한 사람들이었는데, 가족에 대한 사랑이 아주 지극했다. 4박 5일 여행 내내 매일 아내에게 전화해서 상황 보고를 하고, 말끝마다 아이들 교육과 장래 이야기다. 내가 농담 삼아 공처가 아니냐고 물었더니 모두들 웃으면서 고개를 끄덕인다. 그런데 왜 같이 여행을 오지 않았냐니까 물론 그러고 싶었지만 부인들이 모두 일을 해서 그럴 수가 없었단다. 내가 정말로 가정 내에서 남편과 여자가 평등하다고 생각하냐니까 당장 "차부두어(거의 그렇지요)."라는 말이 나온다. 직접 육아며, 요리, 청소 등 집안일을 해보니 결코 만만하게 볼 수 있는 일이 아닐 뿐더러 남자랑 똑같이 사회 생활을 하는 여자가 혼자서는 도저히 해낼 수 없을 만큼 일이 많다는 것을 잘 알기 때문이란다.

그래서일까? 중국 여성의 지위는 상상 밖이다. 우리가 이상적으로 생각하는, 가정과 사회에서의 남녀평등이 여기서는 실천되고 있다고 보면 된다. 사람들은 공산주의의 영향으로 남녀평등의 틀을 잡았다고 생각하지만 꼭 그렇지만도 않은 것 같았다. 왜냐하면 같은 공산주의라도 북한 여성의 지위는 중국과 전혀 딴판이고, 또 공산주의와 맞서 싸우던 타이완의 여성 지위는 중국 대륙과 마찬가지로 높다니 말이다.

유학생끼리 하는 말로는 중국에 음기가 성해 여자가 드세기 때문이라는데, 맞는 말인지도 모르겠다. 중국에 온 남자 유학생들은 점점 마르고, 여자들은 물만 먹어도 살이 찐다. 2~3킬로그램은 보통이고 최고 10킬로그램까지 찐 아이도 보았다. 이번 올림픽 때도 금메달리스트는 거의 여자다. 중국 땅이 특별히 여성에게 호의적이거나 음성양쇠(陰盛陽衰)하지 않고서야 이럴 수가 있나 하는 생각이 든다.

하여간 며칠씩 같이 다니면서도 이 아저씨들이 성과 관련된 쓸데없는 농담이나 불쾌한 행동을 하는 것을 보지 못했다. 이 아저씨들이 점잖아서라기보다는 중국에서는 그런 일이 통하지 않기 때문이다. 들은 얘긴데 한 한국 아저씨가 기차 안에서 옆자리에 앉은 중국 여학생에게 지나가는 소리로 "엉덩이가 커서 애 잘 낳겠군."이라고 했다가 그 자리에서 따귀를 맞았단다. 그 아저씨, 얼마나 놀랐겠는가. 한국에서는 흔히 하는 농담인데 뺨까지 맞을 줄은 꿈에도 몰랐을 거다.

예상대로 하얼빈은 무진장 추웠다. 잠깐만 귀를 내놔도 귀가 떨어져 나갈 지경이고, 모직 머플러를 두르면 입김이 서려 귀밑이며 머리끝에 고드름이 달린다. 길거리에서 아이스크림을 그냥 내놓고 파는 것도 눈에 띈다. 길 가는 사람들은 모두 털모자를 쓰고 다닌다.

시내에 있는 러시아 정교회 성당이나 러시아풍 건물 구경도 재미있었고 오랜만에 타본 스키도 즐거웠지만, 뭐니뭐니 해도 이 여행의 하이라이트는 수천 평 규모의 국제 빙등제였다. 그 안에는 모든 것이 있다. 피라미드, 포탈라 궁, 개선문, 대성당, 얼음성이 있다. 얼음산도 있고 동물원도 있다. 폭포도, 동굴도, 꽃밭도, 탱크도 있다. 어떻게 해놓았는지 동서남북 사방에 둥근 인공 보름달도 떴다. 그야말로 얼음으로 없는 것 빼놓고 다 만들어놓았다. 전국에서 그리고 전 세계에서 온 관광객들이 중국적인 것과 세계적인 것이 잘 섞여 있는 얼음 놀이동산을 만끽하고 있었다. 베이징 빠거런도 저녁 한나절 나이와 국적과 추위를 잊고 신나게 놀았다.

중국이 정말 크긴 크다. 일주일 전 하얼빈은 꽁꽁 얼어붙은 한겨울이었는데 여기 항저우는 분홍색 매화꽃이 한창이다. 하얼빈에 다녀온 지 얼마 되지도 않았는데, 또 열흘 동안 상하이, 항저우, 쑤저우를 다녀왔다. 공식적인 공부가 끝났다고 아주 놀자판이다. 그러나 아무리 생각해도 노는 것이 남는 것이다. '노세 노세 중국서 노세. (한국) 돌아가면 못 노나니.'

지난 봄, 내가 중국에 있는 동안 한 번 더 오마 하시던 소설가 박완서 선생님과 이경자 언니가 또 중국으로 행차하셨다. 양양에서 공수해왔다는 꼬릿꼬릿한 냄새나는 반만 말린 오징어 한 축을 트렁크에 넣어가지고. 정말 대단한 체력이자 에너지덩어리들이다. 나야 말할 수 없이 반갑지. 그러지 않아도 그 유명한 상하이와 강남 갔던 제비의 그 강남이 어떻게 생겼나 꼭 보려고 했었는데. 이번에는 세 자매 현악 3중주단 안 트리오의 어머니인 이영주 선생님도 같이 오셨다. 박 선생님과는 20년지기란다.

쑤저우는 그저 그랬지만 항저우는 정말 아름다웠다. 자전거를 타고 시후(西湖) 호수를 한 바퀴 돌아보고는 부러운 마음을 감출 수가 없었다. 어쩌면 이렇게 호수 주변을 깨끗하고 단정하게 가꾸어놓았을까. 그 유명한 관광지에 잡상인 한 명 없고 요란한 간판도 없고 시끄러운 음악소리도 없다. 그 대신 제대로 된 찻집이 있고 멋있게 늘어진 수양버들이 있고 호수 안에는 나룻배가 있고 그리고 그 호수를 밝게 비추는 보름달이 있었다.

배를 타고 호수 가운데로 나가 달맞이를 하였다. 요 며칠 날씨가 좋지 않았는데 그날은 아주 탐스러운 둥근 달, 정월 대보름달이 떠올랐다. 돌아보니 주위는 깜깜해지고 호수 전체가 연한 초록색으로 변했다. 저 멀리 소동파가 쌓았다는 제방을 따라 은은한 초록색 가로등이 켜져 있다. 항저우의 별명이 초록색 땅이라는 녹주(綠州)라더니. 저녁을 거하게 먹고 술도 조금 과하게 마시고는, 숙소로 바로 돌아가는 것이 아까워서 호수를 끼고 걷기 시작했다. 조금만 더, 조금만 더 하다가 2시간이나 걸었다. 폭포처럼 쏟아지는 달빛을 듬뿍 받으며.

박완서 선생님은 예상 밖으로 '몸고생 여행'을 재미있어하신다. 상하이에서 항저우로 갈 때 아주 후진 완행열차를 탔는데 설상가상으로 앉고 보니 기차가 뒤로 가는 것이었다. 나는 멀미가 나시지나 않을까 좀 걱정이 되었는데 본인은 신기해하며 즐거워하셨다. 2시간 거리여서 다행이다. 기차역 근처의 식당에서도, 이리 밀리고 저리 밀리는 도떼기시장 같은 간이 식당에서도 어찌나 맛있게 잘 드시는지. "비야 씨 아니면 이런 경험 언제 해봐." 하시는 것도 맞는 말이지만 선생님은 내 보기에 오지 여행가 체질이다.

"상하이에서는 내가 비야 씨 오지 여행시켜줄게."

박 선생님이 아주 장난꾸러기처럼 말씀하셔서 무슨 얘기인가 했는데, 유서 깊은 특급 호텔 '화평반점'의 특실을 잡아놓으셨다. 어떻게 알았을까, 이분들에게는 3등 열차나 싸구려 식당이 '오지'이지만 내게는 특급 호텔이 오지 중의 오지라는 것을. 밤에는 재즈바에서 칵테일을 마시며 유명한 재즈 밴드에게 신청곡까지 청해 들었다.

예상대로 아주 특별한 '오지 여행'이었다.

만만한 중국인은 정말 없더라

"중국에는 정말 화장실에 문이 없어요?"

한국 사람들이 중국에 대해 가장 흔하게 하는 질문일 거다.

답은 이렇다. 중국 화장실에도 문이 있다. 물론 변두리나 시골에는 없는 곳도 있겠지만 적어도 베이징 시내는 확실하다. 어떻게 아느냐 하면 베이징시가 2008년 하계 올림픽 유치를 위해 최근 시내의 모든 공중 화장실을 문 달린 수세식으로 단장했다는 뉴스를 귀가 따갑게 들었기 때문이다.

그런데 이 질문을 받을 때마다 정말 궁금하다. 왜 이런 사소한(?) 것이 알고 싶을까. 우리와 국경을 맞대고 있는 이웃, 그것도 무궁무진한 가능성을 갖고 있는 덩치 큰 옆 나라에 관해 제일 궁금한 것이 고작 이런 걸까? 알지 못하면 묻기도 어렵다더니, 혹시 우리가 중국에 대해 너무나 모르기 때문에 영양가 있는 질문을 못하는 것은 아닐까?

국교 수립 전후로 중국을 오가던 사람들에게는 이런 것이 신기하게 보였을 거다. 해외 풍물 기행만으로 보자면 문 없는 화장실은 재미있는 이야기니까. 그러나 그로부터 10년이 지난 지금까지 중국에 관한 책마다 이 이야기가 빠지지 않는 것을 보면 신기하기도 하고 쓸쓸하기도 하다. 아직도 우리에게 중국은 그저 풍물 기행의 대상일 뿐인가. 절대 아니다. 중국의 화장실에 문이 없다는 얘기가 그냥 신기하구나 정도로 웃고 넘어갈 수 없는 때가 왔다는 뜻이다.

한 발 더 나아가 '그래? 그럼 당장 중국 현지에 대규모 화장실 문 공장을 만들어서 팔아야겠다'는 사업적인 아이디어를 생각해낸다든지, '그것 참. 칸막이 없는 화장실에서 스스럼없이 이야기를 나누는 중국인들은 과연 어떤 사람들이지? 그들을 우리는 어떻게 대해야 하는가?' 하는 문화적 이해와 그 대책이 나와야 할 시점이다. 이렇게 하는 것이 우리나라를 위해서 그리고 우리의 이웃인 중국을 위해서도 바람직한 일이 아닐까.

"중국에 가면 무엇을 얻을 수 있나요?"

이것 역시 많이 받는 질문이다. 물론 어학 연수를 하러 왔으니 중국어를 공부한 것이 가장 큰 소득이겠지만, 다른 수확들도 그에 못지 않게 짭짤하다. 그 가운데 하나가 중국의 일상생활 속에서 우리 문화의 이해를 더 넓힌 일이다.

내가 다녔던 청화대학의 아침은 몹시 시끄럽게 시작된다. 그 넓은 교정에서 나무가 있는 곳이면 어디나 학생들이 매미처럼 나무 밑에 붙어서 큰 소리로 책을 읽는다. 누가 옆에 지나가도 전혀 상관하지 않고 목청이 터져라 공부하는 광경이 무척 이채롭다. 영어 등 외국어는 물론 역사 연도나 수학 공식도 큰 소리를 내며 공부한다. 그래서인지 중국에서는 '공부하다'가 '책을 읽다(讀書)'와 같은 말이다.

이것은 옛날 우리 선비들이 공부한다는 것을 '글을 읽는다'라고 했던 것과 통한다. 이것도 모르고 처음 중국에 왔을 때 학원 선생님이 중국에 공부하러 왔냐고 물은 것을 책 읽으러 왔냐고 묻는 것으로 알아듣고, 어느 한가한 사람이 책 읽으러 중국까지 오겠냐고 대답했다. 그 선생님은 내 동문서답에 얼마나 황당했을까? 나 역시 밤낮없이 '중국법'을 따라 매미족이 되어 중국어 공부를 했는데 아주 효과가 좋았다.

책상머리 공부라는 것도 그렇다. 우리가 흔히 책상물림으로 배웠다고 말하는 것이 그저 스승 가까이에서 배운다는 말을 빗댄 것이려니 생각했었다. 그런데 그게 아니었다. 지난 봄 중의원에 갔을 때, 북경중의약대학 석좌 교수인 한의사의 진료 책상에는 여러 명의 학생들이 빙 둘러앉아 있었다. 그 한의사는 환자들의 병세와 약방문을 왜 이렇게 썼는가 등을 학생들에게 자세히 설명했고, 학생들은 아주 진지하게 그 말을 빠짐없이 받아 적었다. 스승의 지식과 경험이 후학들에게 그야말로 '책상물림'되는 현장이었다.

또 있다. 폐백상에 놓이는 대추. 아들 딸 많이 낳으라고 신랑의 부모님이 신부에게 던져주는 것이 왜 밤과 대추인가 늘 궁금했었다. 밤과 대추에는 특별히 다산의 의미가 없는데 말이다. 그런데 어느 날 중국어 단어를 배우다가 무릎을 쳤다. 바로 이거였구나. 대추의 중국 발음은 '자오즈', 글자는 다르지만 '자오(早 : 빨리)', '즈(子 : 자식)'라는 발음이 같았다. 혹시나 해서 학교 선생님에게 물어보니 아니나 다를까 그것 때문에 대추가 하루 빨리 아이를 낳으라는 뜻으로 쓰인 거란다.

중국에서 공부를 하면서 이렇게 우리 문화의 원형을 하나 둘 발견해가는 것이 참으로 즐겁다. 그런 과정에서 우리 문화에 대해, 그리고 중국 문화에 대해 애정과 관심이 저절로 높아졌으니 이건 정말 어학 연수 중에 얻은 대단히 큰 보너스였다. 이런 말을 하면 어떤 이들은 중국 문화의 영향을 받은 게 뭐 그리 자랑스러운 일이라고 떠벌리는가 못마땅해할지도 모른다.

그러나 천만에. 문화는 흐르는 법이다. 우리가 중국의 영향을 받았다는 것이, 그 문화의 흔적이 이곳저곳에 남아 있다는 것이 도대체 뭐가 부끄러운 일인가. 부끄러운 것은 오히려 자기 문화의 뿌리도 모른 채, 이국에서 들어온 껍데기에 이리저리 휘둘리는 것이다. 문화가 어차피 흐르는 것이라면 중국에서 들어온 문화가 우리 안에서 어떻게 자기화되었는지 그 과정을 제대로 알아야 한다. 그리고 그 수용과 변화 발전을 자랑스러워해야 한다. 그리스와 로마의 영광을 딛고 일어선 서구인들이 자기 문화의 원류를 부정하거나 부끄러워하는 것을 단 한 번이라도 본 적이 있는가!

"중국에 있으면서 무엇을 느꼈니?"

가까운 친구들은 이렇게 많이 묻는다. 참으로 막연한 질문이지만 이 말 한마디만은 자신 있게 할 수 있다.

"만만한 중국인은 단 한 명도 없다는 걸 절실히 느꼈어."

경제적인 잣대 하나만으로 그 나라의 모든 것을 평가하고 가능성을 재는 사람들에게 지금의 중국은 참 만만하게 느껴질 것이다. 아직까지는 중국에서 한국 사람이 뻐기고 폼재면서 살 수 있다. 그러나 중국인들의 단단한 자존심을 보면, 그리고 자기 문화에 대한 높은 자긍심을 보면 부럽기도 하고 부끄럽기도 했다.

지난번 항저우에서도 그랬다. 시인 소동파가 행정 관리로 있었을 때 쌓았다는 제방과 넓고 깨끗한 호수는 참으로 아름다웠다. 그러나 시후 호수가 아름다운 진짜 이유는 다름아니라 호수와 조용하고 깨끗한 그 주변, 그리고 거기서 배어나오는 소박한 품위 때문이었다.

호숫가를 한 바퀴 돌면서 나는 갑자기 얼굴이 화끈 달아오르는 것을 느꼈다. 여기가 만약 한국이었다면 어땠을까? 호숫가를 중심으로 매운탕집이며 러브호텔이며 노래방들이 즐비했겠지. 거리는 잡상인들로 득실거리고, 호수 안에는 국적을 알 수 없는 음악이 크게 흘러나오는 놀이배들이 떠다녔겠지. 물론 이곳의 정결함이 유지되는 데는 쓰레기를 버리거나 주변 경관을 해쳤을 때 부과되는 중한 벌금이 한 역할을 했을 것이다. 그러나 그것 역시 항저우를 관리하는 책임자들의 의지이며 행정력이고, 그런 것들은 모두 자기 문화를 자랑스럽고 소중하게 생각하는 자긍심에서 나오는 것이리라.

지금 당장 세계 지도를 펴보라. 그리고 동북아시아 쪽을 보라. 우리나라가 어디 있는가. 그 옆에 있는 큰 나라는 어디인가. 아직도 그 나라에 화장실 문이 없는 것이 궁금한가?

한비야식 외국어 학습법

2001년 1월 18일, 청화대 한어중심 수료증을 받는 것으로 나의 공식적인 어학 연수 일정이 모두 끝났다. 지난 3월 16일 베이징에 온 다음날부터 학원이나 학교를 다녔으니 열 달 동안 꼬박 수업을 들은 셈이다. 세상에 무엇인가를 매일 하는 것처럼 무섭고 힘센 것이 없다. 중국어도 그렇다. 처음 왔을 때는, 예약했던 하숙방에 다른 사람을 들여놓아도 말 한마디 못했는데 지금은 호텔을 상대로 약속했던 위성 방송이 나오지 않는다고 손해 배상까지 청구하게 되었으니 그야말로 괄목상대(刮目相對), 상전벽해(桑田碧海)의 발전을 했다. 그렇게 보면 외국어 공부를 하는 데 열 달이 짧은 시간이 아니다.

그렇다고 중국어가 만만하다는 얘기는 절대로 아니다. 솔직히 말해 중국어가 여태껏 배운 외국어 중에서 학습 속도가 제일 느리다. 한자도 그렇고 고급으로 갈수록 고사성어나 고전 등에서 인용한 문구들을 적절히 쓰는 것도 어렵다. 글쓰기는 더 그렇다. 세련된 문장까지는 바라지 않는다. 그저 중학생 수준 정도로, 전달하려는 뜻이 명확한 글을 쓰는 것도 힘들다. 텔레비전 드라마를 자막 없이 보면 상상력을 총동원하느라 완전히 새로운 소설 한 편이 탄생한다. 이런 형편이니 라디오를 알아듣는다는 것은 요원한 일이다. 그러나 하나도 조바심이 나지 않는다. 느리지만 제 길로 들어선 것이 확실하기 때문이다.

어떻게 그렇게 확신하느냐고? 이번 중국어에도 다른 외국어를 공부할 때 쓰던 기본 원칙들이 순서대로 적용되고 있기 때문이다. 외국어마다 특징과 그에 따른 학습법이 있음에도 불구하고 어느 경우든 적용할 수 있는 원칙과 단계별 순서가 있다니, 솔깃하지 않은가?

나는 물론 외국어 교육자도, 언어학 전공자도 아니다. 내가 할 수 있는 외국어가 모두 모국어 수준으로 유창한 것도 아니다. 그러나 이제부터 말하는 것은 내가 네 가지 외국어를 배우는 과정에서 부딪치고 고민하며 터득한 '직접 해보니 이렇더라'라는 체험적 학습법이다. 그러니 이것이 모든 사람에게 적용되는 해법이나 정답은 아니다. 비결이나 지름길은 더더구나 아니다. 그렇지만 외국어를 꼭 배워야 하는데 엄두가 나지 않는 사람, 혹은 지금 열심히는 하고 있지만 안개 속을 헤매는 사람, 이미 여러 번 포기해본 적이 있는 사람들에게는 좋은 참고가 될 것이다. 초급, 중급, 고급 단계로 나누어 얘기해보겠다.

초급 단계에서는 발음을 확실히 잡은 후(발음은 기초 중의 기초라서 더 말하지 않겠다), 엄선된 교재를 첫 장부터 끝장까지 통째로 달달 외우는 것이 무엇보다도 중요하다. 이때 명심해야 할 것은 세 가지.

첫째, 한 가지 교재만 가지고 한다. 이미 고른 교재를 믿지 못해 이 책 저 책 기웃거리면 반드시 실패한다. 고를 때는 신중하게 고르지만 고르고 나면 그 책을 굴뚝같이 믿어야 한다. 둘째, 교재를 외울 때는 반드시 원어민이 녹음한 카세트 테이프를 들으면서 외워야 한다. 나 역시 이 단계에서는 테이프가 늘어질 정도로 듣는다. 셋째, 들을 때나 내용을 외울 때는 반드시 입을 크게 벌리고 큰 소리를 내면서 한다.

나는 한때 종로에 있는 고려외국어학원의 영어 회화 선생이었다. 처음 폐강될 지경에 놓인 반을 맡았는데 몇 달 후에는 일주일 전에 등록 마감이 될 정도로 인기가 있었다. 비결은 따로 없다. 학생들에게 내가 직접 만든 초급 교재인 '모델 센텐스 500'을 서당식으로 외우게 했다. 이렇게 초급 교재 한 권을 통째로 외우고 나면 자신감이 생기게 된다. 그 외국어에 대한 자신감은 물론 뭔가를 '끝까지 해냈구나'라는 자기 끈기에 대한 자신감이 생기는 것도 대단히 중요하다. 그러고 나면 저절로 다음 단계가 기대되고 시도할 엄두가 난다.

초기 단계의 실력 향상은 그야말로 일취월장이다. 가파른 계단식이라는 말이다. 계단을 오르면서도 내가 이렇게 빨리 느는구나 느껴질 정도다. 그 가속도를 최대한 이용하자. 초기에 바짝 하자는 말이다. 반면 초급 교재 한 권을 하다 중간에 그만두면 다시 처음부터 해야 한다는 것을 명심해야 한다(그런 사람 많이 보지 않았는가). 가파른 계단의 반대편은 가파른 미끄럼틀이라는 것을 잊지 말자. 한번 쭉 미끄러지고 나면 그만이다. 중요한 말은 반복해야 하는 법. 다시 한 번 말하겠다. 초급 단계에서는 선택한 교재를 믿고 그 책을 처음부터 끝까지 한 번 끝내는 것이 가장 중요하다.

중급 단계는 그 언어에 자신을 최대한 노출시키는 것이 관건이다 (이때가 현지 어학 연수가 가장 필요하고 효과적인 시기이다). 이 단계에서는 그 언어로 된 방송 듣기, 신문 보기, 그리고 사전 찾기가 중요하다. 신문이나 방송은 외국어 공부에 직접적인 수단이 될 뿐 아니라 그 사회와 문화를 엿볼 수 있는 도구로도 사용된다는 데 의의가 있다. 소위 '말'이 아니라 '대화'가 통하게 되는 단계이다.

내 경우 방송은 일기예보, 국제 뉴스, 토론, 대담 프로그램, 연속극, 코미디 순으로 들리는 것 같다. 어쨌든 텔레비전은 결정적인 학습 도구다. 그래서 중급 단계에서는 음악 대신 텔레비전을 틀어놓고 산다. 중국에서도 아침부터 저녁까지 늘 켜놓았는데, 어느 순간 텔레비전을 끄고 싶어질 때가 있다. 텔레비전 소리가 단순한 배경 음악이 아니라 내용이 귀에 들어와서 공부나 책읽기를 방해했기 때문이다. 그런 순간은 정말 기분 좋다.

신문도 그에 못지않게 좋은 학습 교재다. 나는 공부를 위해 외국어 신문을 봐야겠다고 생각하면 우선 1시간을 할애한다. 처음에는 헤드라인을 대강 훑어본 후, 국제 뉴스나 한국 소식 등 내용을 이미 알고 있는 기사 순으로 그 시간 안에 볼 수 있는 만큼만 본다. 이렇게 매일 읽다 보면 1시간에 볼 수 있는 기사의 양이 점점 늘어가는 것을 느낄 것이다. 처음에 일정한 시간을 정해놓지 않으면 자칫 지루해져서 흥미를 잃게 된다는 것이 내 경험이다. 명심하자. 흥미를 잃으면 끝장이다.

사전은 되도록 한국말로 해설된 것은 피하고 영어면 영영, 일어면 일일 사전을 고른다. 단어도 많이 모르는데 어떻게 그런 사전을 쓰느냐고 하겠지만 그런 사전에서 설명하는 어휘는 초급 단어들로 아주 쉽다. 어려울 거라고 미리 겁먹지 말고 한번 해보라. 못 미더우면 서점에 가서 한번 그런 사전을 들춰보라. 이 정도라면 해볼 만하지 않은가.

그러나 중급 단계에서는 실력이 초급처럼 하루하루 늘어가는 것을 느낄 수 없다. 열심히는 하는데 그 전처럼 쑥쑥 늘지 않아 조바심이 난다. 나만 그러는 게 아니라 이때가 바로 그럴 때다. 나는 이 시기를 '항아리 단계'라고 부른다. 불투명한 항아리에 물을 채우는 것처럼 실력이 쌓여가는 것을 볼 수는 없지만, 그래서 아주 갑갑하지만, 어느 날 물 한 바가지를 넣었을 때 마침내 항아리가 넘치듯 이 단계에서는 '어느 순간' 늘었구나 하고 느끼게 된다. 그런 다음에는 좀더 크고 깊은 항아리에 물을 붓기 시작한다. 이 항아리는 밑이 빠졌나 또 의심하면서. 많은 사람들이 여기서 지루해지고 지쳐서 그만두고 마는데 바로 이 언덕만 넘어가면 아주 멋진 경치와 탄탄대로가 펼쳐진다는 사실을 잊지 말자. 내 중국어도 바로 이 고개를 열심히 넘어가고 있는 중이다.

우리 모두, 짜요우(힘냅시다)!

고급 단계의 목표는 물론 자유로이 말과 글을 구사하는 것이지만 발음을 원어민과 똑같이 해야 하는 것은 아니다. 내가 본 바로 한국 사람들은 어떤 외국어라도 자음에는 큰 문제가 없지만, 성인인 경우 아무리 연습해도 되지 않는 모음이 있다. 이 단계에서는 의사 소통에 문제가 없는데도 그 안 되는 발음에 시간과 노력을 들이는 것은 시간 낭비다. 고급 단계에서 더 중요한 것은 내용을 풍부하게, 논리를 정연하게 만드는 일이다.

이 단계에서는 단어나 표현력, 발음의 문제가 아니라 그 문화나 역사 등에 대한 전반적인 이해가 관건이다. 이때는 그 언어로 쓰인 책이나 잡지를 많이 읽기를 권한다. 글쓰기도 게을리하지 말아야 한다. 글쓰기 연습이야말로 외국어 습득의 가장 꼭대기 단계이다. 이 고급 단계를 나는 '보석 세공 단계'라고 부른다. 자기가 여태껏 애써 배운 것을 갈고 닦을수록 아름답고 품위 있게 빛나는 단계라는 말이다. 갈고 닦지 않으면? 찬란한 보석이 될 수 있는 원석이 그저 돌덩이나 유리덩어리로 남는다. 너무나 아깝지 않은가. 여기까지 어떻게 왔는데.

그러나 외국어를 잘하기 위해서는 지금까지 말한 기능적인 학습법보다 훨씬 중요한 선행 조건이 있다. 흔히 생각하는 것처럼 외국어에 대한 타고난 재능이나 뛰어난 언어 환경이 아니다. 내 주위에는 두 가지 언어는 물론 서너 가지 언어를 자유자재로 구사하는 사람이 많다. 이들을 잘 살펴보면 언어에 천부적인 자질이 있는 사람은 극소수이다. 그 외국어를 모국어로 쓰는 나라에서 살았던 것도 아니다. 이런 사람들의 공통점은 다른 데 있다. 내가 관찰한 바로는 이렇다.

우선 이들은 아주 사교적이다. 사람 사귀기를 좋아하고 호기심이 많다. 자연히 말이 많고 물어보는 것도 많다. 언어 학습의 최상책은 역시 많이 듣고 말하는 거다. 둘째, 이들은 낯이 두껍다. 틀리게 말해도 별로 부끄러워하지 않고 당당하다. 외국어를 배우고 있는 사람이 말하다가 틀리는 건 너무나 당연한 일이라고 생각한다. 셋째, 그 언어를 좋아한다. 그 언어에 주눅들거나 끌려다니기는커녕 아주 재미있게 논다. 그리고 기회가 있을 때마다 자기가 배우는 언어가 얼마나 아름다운지, 얼마나 실용적인지 스스로 상기시킨다. 만나는 사람마다 그 외국어를 배우라고 권하기까지 한다.

그러나 무엇보다도 중요한 공통점은 이들의 모국어 실력이 뛰어나다는 거다. '모국어를 잘해야 외국어를 잘한다'라는 소문은 사실이었다. 모국어 어휘력과 구사력, 표현력 등이 좋은 사람은 외국어도 잘하게 되어 있다. 한국말도 제대로 못하면서 외국어만 잘하려고 덤비는 것은 어불성설이란 말이다. 그러니 외국어를 잘하고 싶은 사람은 우리말 책을 많이 읽고 우리말로 글도 많이 써야 한다. 그래야 화제도 풍부해지고, 말도 조리 있게 하고, 생각도 깊어진다.

이 점은 외국어를 잘 배우고 싶은 사람에게 매우 고무적인 일이다. 왜냐하면 앞서 말한 첫째, 둘째는 사람의 성격에 관한 일이라 하루아침에 그렇게 할 수가 없기 때문이다. 외향적이고 사교적인 사람이라면 모르되 원래 말이 없고 부끄럼도 많이 타는 사람에게 외국어를 배우는 동안 철면피가 돼라는 주문은 너무 가혹하다. 그러나 이런 사람들도 '나는 글렀구나' 생각하지 마시길. 세 번째 그리고 마지막 공통점은 누구라도 얼마든지 할 수 있는 일이니까. 자기가 배우고 있는 언어를 좋아하고, 한국말로 열심히 읽고 쓰는 일이 외국어 잘하는 법이라니 놀랍고도 신기하지 않은가. 나 역시 마지막 공통점인 모국어 실력 향상을 위해 열심히 정진하는 중이다.

내일은 어떤 말을 할지 모르지만 이것이 오늘까지 내가 큰 효과를 본 외국어 공부법이자 이 책의 독자만을 위해 최초로 공개하는 '한비야식 외국어 학습법'이다.

마음의 소리에 귀 기울이기

눈썹도 빼놓고 가야 하는 여행길의 배낭에도 내가 꼭 챙겨 넣는 것이 있다. 가족과 가까운 친구들의 사진이다. 조그만 사진첩에 넣고 다니면서 힘들고 지칠 때마다 꺼내본다. 이미 수백 번도 더 본 이 사진들은 늘 알 수 없는 힘을 가져다준다. 언제 어디서나 무조건 나를 지지해주는 내 든든한 '빽'이자 에너지 창고다. 재작년부터 이 사진첩에 새 식구가 생겼다. 요크셔 테리어 강아지 차돌이다.

이 녀석만 생각하면 저절로 웃음이 나고 장난치고 싶어 발끝이 간질간질하다. 한 번 나가면 짧게는 몇 달, 길게는 1년 넘게 오지 않는 나를 잊어버릴 만도 한데 집에 가면 단번에 알아본다. 깡총거리며 반기는 것은 기본이고 반대쪽으로 전속력으로 달려갔다가 그 반동을 이용해 내 품으로 돌격하기도 한다. 앉아 있으면 머리까지 기어올라와 뺨을 핥거나 귀를 깨물거나 자기 얼굴을 비벼대는데, 이렇게 온몸으로 표현하는 반가움이 최소한 이틀은 계속된다. 이러니 정들지 않을 수가 있겠는가.

초기에 나는 강아지에게 최선의 가정 교육을 시키겠다는 일념으로 《요크셔 테리어 바로 키우기》라는 책을 열심히 참고했는데, 차돌이의 행동을 관찰하면서 놀라운 사실을 발견했다. 이 녀석의 행동 하나 하나가 책에 쓰인 그대로라는 점이다. 기분 좋을 때나 화가 났을 때 하는 행동, 애정의 표시, 감사의 표시 등등 하나도 틀리지 않았다. 한번은 지우개같이 작고 말랑말랑한 물건만 보면 입으로 물었다가 발로 찼다 하면서 가지고 놀다가 나중에는 이빨로 물어 두 동강 내는 것을 보았다. 저게 무슨 뜻일까 찾아보고 기겁을 했다. 원래 영국에서 쥐를 잡던 요크셔 테리어의 버릇을 수백 년이 지난 뒤, 이 먼 땅에 와서도 그대로 하고 있는 것이다.

차돌이 주위에는 같은 종류의 강아지가 없다. 글을 읽을 수도, 텔레비전을 볼 수도 없으니 이 녀석이 하는 행동은 학습에 의한 것이 아니다. 그러면 이건 무엇인가. 바로 유전자에 새겨진 정보가 아니겠는가. 피가 시키는 대로 하는 행동이 아니겠는가.

피가 부르는 대로 산다!

차돌이는 강아지니까 아무 생각도 고민도 없이 그저 피가 부르는 대로 행동하면 그만이지만 우리 인간들은 내 피가, 내 유전자가 내게 무엇을 말하고 있는가 진지하게 고민하지 않을 수 없다. 나는 누구인가, 무엇을 해야 행복을 느끼는가, 어떻게 해야 능력의 최대치를 발휘하면서 살 수 있는가.

정기적으로 글을 쓰고 있는 〈작은 이야기〉 지난 호에 내 이메일 주소가 공개되어서인지 한 달 내내 많은 편지를 받았다. 특히 고등학생과 대학생, 그리고 방금 사회 초년생이 된 독자들이 많았는데 공통적인 고민은 역시 이거였다. 자기가 무엇을 원하는지 모르겠다고, 어느 길로 가야 좋을지 모르겠다고. 그러고는 이렇게 물었다. 나는 어떻게 내 길을 찾았냐고.

이 자리를 빌어 보내준 편지들 모두 반갑게 받았고, 빠짐없이 잘 읽었다는 말을 전한다. 아울러 일일이 답하지 못한 대답을 여기에 대신할까 한다. 물론 내 생각이 정답도 아니고 누구에게나 일률적으로 적용되는 것도 아니다. 다만 나라는 사람이 40여 년 이상 깨닫고 느끼고 실천하고 있는 것을 얘기하려고 한다. 큰언니 혹은 큰누나가 동생에게 말하듯 책임감과 애정을 가지고서 말이다.

《바람의 딸, 우리 땅에 서다》에서도 말했듯이 내가 진정으로 무슨 일이 하고 싶은가를 알려면 먼저 내가 어떤 사람인가를 아는 것이 순서다. 그러려면 혼자 생각하는 시간이 많아야 한다. 친구를 새로 사귈 때 그들과 많은 시간을 보내는 것처럼 자기 자신과도 잘 사귀는 시간이 필요하다.

이런 노력 중 가장 효과적인 것은 물론 일기 쓰기다. 글로 마음을 정리하면서 내 안의 나와 쉽게 만나게 되기 때문이다. 자신에게 우표 붙인 정식 편지를 보내는 것도 내가 오랫동안 애용해온 방법이다. 혼자 여행을 떠나는 것도 아주 좋다. 자연과 만나면서 혹은 일상이 아닌 상황과 사람을 만나면서 적나라하게 드러나는 또 다른 나를 보는 것은 괴롭고도 즐거운 일이다.

그러나 이렇게 자기를 만나는 과정에서 무엇보다 중요한 것은 마음의 소리에 귀기울이는 일이다. 내 마음이 나에게 무슨 메시지를 보내고 있는지를 늘 주의 깊게 살펴야 한다. 종교가 있는 사람이라면 신의 목소리, 없는 사람은 우주의 소리라고 부르는 그것이 우리에게 늘 힌트와 메시지와 힘을 주고 있다는 사실을 잊지 말아야 한다.

대체로 남들의 충고보다는 내 마음이 이끄는 대로 살아온 내게 이번 중국행도 예외는 아니다. 나이 들어 중국어를 배워 어디다 쓰겠냐는 사람도 많고, 더 늦기 전에 시집이나 가라는 사람도 많다. 하지만 하고 싶은 일을 하는 것이 언제나 좋은 결과를 가져왔다는 사실을 나는 내 인생을 통해 잘 알고 있기에, 지금 아주 만족스럽다.

나는 마음이 시키는 대로 35살에 멀쩡한 직장을 그만두고 세계 여행을 다녔고, 이제는 난민 구호 활동에 본격적으로 뛰어들 생각이다. 이 일이 위험하다는 것도, 돈이나 사회적 지위와는 무관하다는 것도 잘 알고 있다. 막상 일을 시작하면 내가 생각했던 것과 많이 다를 수도 있다. 그러나 지금은 이 일을 하고 싶다. 하고 싶어 미칠 지경이다. 내가 잘할 수 있는 일이고 시간과 노력을 쏟아부을 가치가 있는 일이라고 내 마음이 말하고 있기 때문이다. 그러니 이 일을 하지 않고 어떻게 배길 수 있겠는가?

올해부터 본격적으로 시작할 이 난민 구호 활동이, 몇 년 혹은 몇십 년 뒤 나를 어디로 이끌지 지금으로선 알 수 없다. 세계 여행 중에 난민을 위해 일하고 싶다는 마음이 들었듯이, 이것 역시 이 길의 끝에 가봐야 알 수 있는 일이다. 그러니 지금 내가 해야 할 일은 오직 한 가지, 나의 길을 묵묵히 가는 거다.

자, 이제 당신이 진정으로 하고 싶은 일에 대해 생각해보자. 그 일이 아주 엉뚱한 것일 수도, 전혀 실현 가능성이 없을 수도, 혹은 흔히 말하는 성공과는 거리가 멀다는 이유로 제외시켜놓은 것도 있을 수 있다. 내가 도대체 뭘 하고 싶은지조차 모르는 경우도 있을 거다. 하지만 어떤 경우든 '완벽한 지도를 가져야 길을 떠날 수 있는 건 아니다'라고 말하고 싶다.

위대한 성인이나 비범한 사람들이야 가야 할 길이 시작부터 끝까지 뚜렷이 보이겠지만 우리같이 평범한 사람들은 하나의 길이 끝나고 나서야 비로소 다음 길이 보이는 거니까. 하찮은 일이라도 좋다. 원래 하려고 했던 일과 거리가 먼 것처럼 보여도 좋다. 지금 이 순간, 진정으로 마음에서 우러나는 그 일을 시작하는 거다. 그러면 그 길이 다른 길로, 그 다른 길이 다음 길로 이어져 마침내 도달하고자 하는 목적지에 다다르게 될 것이다. 나는 그렇다고 굴뚝같이 믿는다. 항상 마음의 소리에 귀기울이고 있다면 말이다.

내가 본 중국의 빛과 그림자

'새로운 베이징, 새로운 올림픽'

요즘 어디를 가나 볼 수 있는 플래카드다. 며칠 사이에 더 많아졌다고 생각했는데 아니나 다를까 2008년 올림픽 개최 후보 도시 평가단이 오늘 내일 도착할 예정이란다. 한겨울에도 그 준비로 베이징이 후끈 달아올랐다. 어제까지 멀쩡하던 건물이 하루아침에 간데없어지고 도로를 다시 포장하고 중앙선도 새로 긋고 간판을 정비하고 붉은 등을 내걸고 곳곳에 때 아닌 국화꽃까지 등장했다. 저러다가 올림픽 유치에 실패하면 어떻게 하나 걱정될 정도로 공에 공을 들인다. 그래서인지 방송과 신문에서도 연일 중국의 장밋빛 미래를 펼쳐 보인다.

이런 것이 대민 선전용이라는 것을 감안하더라도 액면 그대로 받아들이기에는 고개가 갸우뚱해지는 면이 많다. 서방 언론이나 우리 언론들이 중국의 가능성과 미래를 침소봉대하는 것은 아닌가 하는 의문이 든다. 미국이 중국을 두려워하는 척하는 것은 중국이 제대로 크기도 전에 싹을 자르기 위해서라는 말도 일리가 있다. 총리인 주룽지도 중국은 미국의 적이 아니라 동반자이다. 미국을 따라가려면 아직 멀고도 멀었는데 무슨 위협적인 존재냐라고 말하는데 말이다. 여기서 1년 살아보니 비전문가의 눈에도 중국의 미래를 어둡게 하는 많은 문제들이 보인다. 그 중에서도 당장 피부로 느낄 수 있는 것이 실업과 인구의 고령화 그리고 부정부패 문제 등이다.

실업 문제는 매우 심각하다. 중국은 소유나 경영이 아직도 사회주의적이다. 자본주의 요소를 도입했다지만 여전히 약 30만 개의 국유 기업이 존재한다. 열심히 일하지 않아도 일정 급료가 보장되는 국유 기업의 생산성이 부진한 것은 당연한 일. 중국 500대 국유 기업의 총 이윤이 미국의 유명한 자동차 회사 하나의 이윤에도 못 미친다니 믿기 어려울 지경이다. 사정이 이렇게 형편없어도 사회주의 내에서는 해고란 없기 때문에 궁여지책으로 잉여 인력에 대해서는 '샤강 (下崗)'이라는 대기 발령을 내리고 있다. 그러나 말이 좋아 대기 발령이지 이들이 복직될 가능성은 0퍼센트다. 게다가 WTO 가입 이후, 외국 기업이 몰려올 경우 경쟁력이 뒤지는 국유 기업들이 대거 도산하고 따라서 엄청난 실업자가 나올 것은 불을 보듯 뻔하다.

노령화 문제 역시 몹시 심각하다. 일반적으로 60세 이상의 노인이 총 인구의 10퍼센트를 넘으면 노령화 사회라고 하는데, 현재 중국은 노인 인구가 9.5퍼센트에 육박하고 있다. 전 세계 노인 인구의 약 4분의 1이 중국에 산다는 뜻도 된다. 엄격한 산아 제한으로 일할 수 있는 인구는 점점 줄어들고, 정부나 사회가 먹여 살려야 할 노인 인구가 많아지고 있으니 앞으로의 중국 경제 발전에 큰 부담이 아닐 수 없다.

또 하나의 걸림돌은 부패 문제다. 1998년 주룽지 총리가 취임하면서 "내 것을 포함, 1백 개의 관을 준비하라."라고 한 말은 유명하다. 죽을 각오로 부정부패와 한판 전쟁을 선포한 것이다. 내가 중국에 온 후 가장 큰 부패 사건은 4월에 있었던 전인대 전 부위원장 건이다. 지난 6년간 우리 돈으로 50억 원을 챙기고 유부녀와 놀아난 죄로 사형을 당했다. 그러나 중국의 부정부패는 그 뿌리가 너무 깊어 사형 아니라 삼족을 멸한다고 해도 도저히 근절되지 않을 것 같아 보인다. 만약 중국이 망한다면 이 문제 때문일 거다.

이런 문제의 밑바탕에는 전체주의적 사고가 있다고 생각한다. 개방 정책을 도입한 지 벌써 20여 년이 흘렀지만 그 잔재는 아직도 곳곳에 남아 있다. 일례로 중국은 매일 저녁 7시 30분이면 동일한 내용의 뉴스가 전국에 방영된다. 처음 이 사실을 모르고 텔레비전을 켰던 나는 채널마다 같은 아나운서가 나와서 텔레비전이 고장난 줄 알았다. 여론의 해방구라고 할 수 있는 인터넷에서조차 반체제 운동은 물론 유사 종교의 선교 활동까지 규제하고 있는 것이 2001년 중국의 현실이다.

파룬궁(法輪功) 문제도 그렇다. 여기서 직접 보니 이건 단순한 종교 문제가 아닌 느낌이다. 중국 정부는 공산당원 수보다 많은 1억명 이상의 회원을 거느린 종교 단체 파룬궁이 반체제 세력이 될 경우 심각한 위협이 된다고 판단했다. 그래서 이들을 엄격히 통제함으로써 잠재적인 반정부 세력에게 본때를 보이고 있는 것이다. 내게 더욱 무섭게 보인 것은 정부 주도 하에 각 학교나 지역에서 가진 반파룬궁 집회다. 마치 문화혁명 때를 연상시키는 성토 대회와 서명 운동은 보는 이를 섬뜩하게 한다. 어떻게 저렇게 똑같은 목소리일 수가 있단 말인가. 자본주의를 표방하는 중국이 체제에 위협을 받으면 당장 사회주의, 전체주의의 모습을 드러내는 좋은 사례다.

그 외에 빈부 격차, 환경 파괴 등 간과할 수 없는 문제가 산적해 있다. 그럼에도 불구하고 나 역시 중국의 미래는 밝고 긍정적이라고 생각하는 쪽이다. 사람들은 중국의 가능성을 얘기할 때 화교의 엄청난 자본력이나 거대한 인력, 서부 지역에 묻혀 있는 어마어마한 양의 지하 자원 같은 실체에 대해서만 말한다. 하지만 나는 이 같은 좋은 조건의 '구슬'을 꿰는 '실'은 바로 자신의 문화와 역사, 그리고 정체성에 대한 중국인들의 자부심이라고 믿는다. 돈 앞에서 비굴하고 약삭빠른 중국인에게 무슨 자부심이 있겠냐고 하겠지만 청화대 교수건 시골의 일자무식 촌로건 어느 중국인에게 물어보아도 자신이 중국 사람이라는, 중국이라는 거대한 문화의 중심에 있다는 자부심으로 꽉 차 있다. 돈은 되지 않을지라도 정신 속에 각인된 자기 뿌리에 대한 확신이야말로 어떤 외적 조건보다 우선한다고 생각한다. 사실 이런 자부심과 자기 혼이 깃들여 있는 '발전'이야말로 진정한 발전이 아닐까.

지금 중국 전역에서는 영차 영차 소리가 난다. 사람들의 눈은 반짝반짝하고 고개는 빳빳하다. 할 수 있다는 자신감에 넘쳐 있다. 한마디로 의기충천이다. WTO 가입과 2008년 올림픽 유치는 막 잠에서 깨어난 호랑이에게 날개를 달아줄 것이 분명하다. 중국인들은 한국과 일본을 두고 '10년 후에 보자'라는 말을 자주 한다. 다시 세계 무대의 주인공이 될 날도 시간 문제라고 공공연히 말한다. 우리는 중국의 '변화'와 '속도'보다 그들의 이런 자신감을 주의 깊게 살펴야 한다.

지금 중국은 수문을 열기 직전인 댐과 같다. 그동안 우리는 무성한 소문만 들었다. 저 위에 있는 커다란 댐에는 엄청난 양의 많은 물이 저장되어 있다고. 그러면서도 그 댐이 우리와 무슨 상관이 있겠냐며 한가로이 뱃놀이를 하고 있었다. 이제 드디어 댐에 물이 차고 넘쳐 수문을 열어야 할 때가 왔다. 엄청난 양의 물이 한꺼번에 쏟아져 내리기 직전이다. 멋모르고 뱃놀이에 취해 있던 사람들에게 수문을 통해서 터져 나오는 물기둥은 당혹스러움을 넘어 치명적이다.

말할 것도 없이 중국은 우리에게 경쟁자이자 협력자다. 아주 사소한 것까지도 서로에게 무관할 수 없는 이웃 국가이기 때문이다. 만일 물길을 제대로 파악하고 있다면 저수지 안에 담긴 물은 우리에게 더없이 요긴하게 활용될 수 있다. 그러지 못하면 우리는 타고 있던 배와 함께 몽땅 휩쓸려 내려갈 수도 있다는 점을 잊지 말아야 한다. 우리가 '중국은 아직 멀었어', '중국은 이래서 안 돼'라고 하는 동안에 저 위의 댐은 무서운 속도로 물을 채우고 있다. 우리에게 남은 시간이 그리 많아 보이지 않는다.

419 도서관을 닫으며

"꼭 선방 같아요."

그동안 내 방에 왔던 사람들은 단출한 살림살이를 보고 늘 이렇게 말했다. 여기 베이징에서도 최대한 간단하게 살았다. 옷은 계절별로 두세 벌, 컵, 그릇 등도 한두 개씩, 가방도 하나, 구두와 운동화도 각각 딱 한 켤레로 지냈다. 샤워 커튼은 기어이 사지 않았다. 내가 생각해도 지독하다. 이런 내게도 나만의 호사가 있다. 바로 책 호사다. 잠시라도 한곳에 머물게 되면 책만은 산처럼 쌓아놓고 지내는데 여기서도 그랬다. 내 방 한쪽 벽을 다 차지하고 있는 120여 권의 책은 보고만 있어도 배가 부르다.

그런데, 한국으로 돌아갈 날이 얼마 남지 않은 요즘 큰 걱정이 생겼다. 이 책들 때문이다. 욕심 같아서는 몽땅 가져가고 싶다. 어떻게 모은 책이더냐. 많은 사람들이 베이징까지 직접 배달해준 책이다. 한국에서 책 소포가 도착하기를 손꼽아 기다리던 날들, 한 권 한 권 자전거를 타고 우체국에 가서 찾아온 책들이다. 받는 그날부터 몇 날 며칠 밑줄을 처가면서 읽은 책들이다. 시험 때 도착한 책들은 제목 보면 읽고 싶어질까 봐 시험 끝날 때까지 뒤집어 꽂아놓고 참았다 본 책들이다. 읽고 난 후 그 감동을 주체할 수 없어 껴안고 자기도 한 책들이다.

그러니 어찌 한 권 한 권 정이 들지 않을 수 있을까. 몇 번씩 되풀이해 읽어가며 내 삶의 원칙을 새롭게 다졌던 《간디 자서전》, 《월든》, 《아름다운 삶, 사랑 그리고 마무리》, 《나에게는 꿈이 있습니다》는 중국에서도 한 번씩 다시 읽었다. 올 여름에 새로 나온 《스콧 니어링 자서전》도 읽고 나니 정신이 번쩍 났다. 이 책도 정기적으로 읽는 책 목록에 넣기로 했다. 최근 2~3년간 내게 아주 큰 영향을 주고 있는 이 책의 저자들은 서로 영향을 주고받는 것, 비폭력, 무소유, 자연과 더불어 살기, 진정한 자유와 대안적 삶에 대해 잔잔하게, 그러나 아주 힘있게 이야기한다.

중국에 살면서 알아야 할 중국 문화와 중국인에 관한 책도 있다. 화교의 역사와 그들의 힘을 본격 조명한 《중국인 이야기─보이지 않는 제국, 화교》, 중국의 최신 경제 문제를 다룬 《상하이 리포트》, 티베트에 관한 《오래된 미래》다. 중국 현대 소설 중에서는 위화의 《살아간다는 것》과 《허삼관 매혈기》을 아주 재미있게 읽었다. 현대 중국인들의 삶과 생각, 그리고 인간미를 엿볼 수 있어 좋았다.

음식과 마찬가지로 책에도 주식과 부식이 있다. 내가 위에서 말한 되풀이해서 읽는 책들은 물론 주식에 해당한다. '부식'을 읽을 때에도 편식을 하면 영양 불균형이 되게 마련이다. 그러나 여기서 내 입맛대로 다 갖출 수는 없는 일. 그래도 나름대로 구색을 갖추려 애썼

다. 순수 문학, 비소설, 실용서, 인문서, 베스트셀러, 동서양 불후의
명작까지. 중국어 동화책과 어린이용《홍루몽》도 있다. 이렇게 훑어
보니 이번에는 인문서를 많이 보지 못했구나. 책 표지를 쓰다듬으며
하나하나 들여다보고 있자니. 그 추억들이 고스란히 되살아나 이고
지고라도 책들을 다 가져가고 싶기만 했다.

그러나 과연 책을 가져가는 것만이 소유일까? 더 많은 사람들과
책을 나눠 읽는 게 더 큰 소유가 아닐까. 내가 사생활 침해를 감수해
가며 419 도서관을 만들어서 얼마나 좋았던가를 생각해본다.

그동안 내 숙소에 책을 빌리러 왔다가 책만 빌려가는 사람은 거의
없었다. 대부분 독서 상담에서 인생 상담으로 넘어가 공부 시간을
무한정 잡아먹었다. 책에는 관심 없고 그저 내 방을 구경하러 오는
사람도 있었다. 모처럼 늦잠 자는 일요일 아침에 전화를 해서 "오늘
도서관 여나요?" 하고 묻기도 했다.

그래도 그 일을 하면서 신나고 행복했다. 다른 오락거리도 많은
데. 시간을 쪼개 책을 읽으려고 하는 아이들이 기특하고 사랑스러웠
다. 아이들이 책 빌려주어서 고맙다고 하면 다른 도움을 준 것보다
뿌듯했고, 같은 책을 읽고 다른 시각의 의견을 들을 수 있었던 것도
좋았다. 새책이 오면 이 아이들에게 자랑하고 싶어서 입이 근질근질
했다. 그러고 보니 지난 1년간 나는 명실공히 '419 도서관장'으로
살았던 것 같다.

'그래, 책을 놓고 가자.'

그러나 막상 그렇게 하자니 마땅한 곳이 없다. 어디에 두고 가야
사람들이 많이 돌려볼 수 있을까? 혹시나 관리 소홀로 내 손때 묻은
책이 고아처럼 아무렇게나 굴러다니면 어떡하나 하는 노파심이 생

겼다. 뜻이 있는 곳에 길이 있다고. 다행히 며칠 전에 내 '아이들'을 맡길 만한 사람이 나타났다. 토요 한글학교 교사인 황훈영 씨다. 한글학교는 중국 학교에 다니는 한국 초등학생들을 위한 한국어 학교인데, 내 책을 가지고 작은 도서관을 시작했으면 좋겠다고 한다.

매주 토요 학교가 운영되는 동안 학부모들은 물론, 책 구하기 힘든 한국 유학생, 중국 동포, 나아가 한국어를 할 줄 아는 중국인들도 빌려볼 수 있는 장소를 만들고 싶단다. 그래, 훈영 씨라면 보모 역할을 잘 해줄 거다. 내가 이 책들을 어떻게 모았는지, 얼마나 예뻐하는지 옆에서 일일이 지켜보았으니까. 게다가 그 자신도 책을 3권이나 쓴 저자인 데다가 대단한 독서가이자 애서가이다.

"비야 언니, 내가 잘 맡아줄게요."

이 한마디에 마음이 턱 놓였다.

"내가 책장 사주고 갈 테니까 잘 좀 돌봐주라."

입양 가는 '아이들'을 위해 자물쇠가 달린 유리 책장도 하나 마련해주었다.

오늘 드디어 내 책들을 모두 실어보냈다. 내 방은 이제 영락없는 선방이다. 선방이면 뭔가 좋은 기로 꽉 차 있어야 하는데, 텅 빈 것처럼 허전하기만 하다. 책이 있었던 벽 쪽으로 자꾸 눈길이 간다. 그 책들, 나 떠난 후에 가져가라고 할걸 그랬나 보다.

짜이쩨엔 베이징!

'3월 15일 OZ 332편 서울행, 예약 확인되었습니다.'

짐도 다 싸고 비행기표 확인도 끝났다. 내일이면 한국으로 돌아간다. 1년간 쓰던 물건을 남 줄 건 주고 빌린 것은 돌려주고 벽에 붙었던 세계 지도까지 떼어주고 나니 방이 처음 온 날처럼 썰렁하다. 벌써 1년 전이구나, 베이징 공항에서 '환잉 닌 따오 베이징 라이(베이징에 오신 것을 환영합니다)'라고 써 있는 간판을 보며 가슴 설레던 때가. 베이징에서 보낸 봄, 여름, 가을, 겨울이 주마등처럼 스친다. 돌이켜보면 만족스러운 1년이었다.

우선 중국어 공부가 그렇다. 애초부터 1년 공부하고 통역을 하거나 박사가 되려고 한 것은 아니었다. 단지 일상 회화를 큰 불편 없이 할 수 있고, 신문, 방송을 60퍼센트 정도 알아듣고, 어린이책을 읽을 수 있는 수준을 바랐다. 이 정도 목표를 달성했다는 말이다. HSK 시험도 바라던 대로 7급을 얻었다. 하지만 무엇보다 중국어 공부의 기반과 방향을 마련했다는 점이 가장 뿌듯하다. 이제부터 부단히 갈고 닦는 일만 남았다. 앞으로 적어도 2~3년은 열심히 해야 어디 가서 중국어 한다는 소리를 할 수 있겠다.

좋은 친구들을 여럿 사귀고 정을 주고받은 것도 큰 수확이다. 요 며칠 내가 짐 싸는 것만 봐도 눈물을 글썽이는 이 친구들이 내 중국 생활을 얼마나 풍요롭게 해주었는지 모른다. 공항에는 나오지 말라고 해야지. 내가 울지 않을 자신이 없다. 다 큰 여자가 사람 많은 데서 울면 창피하잖아.

한 가지 애석한 점은 1년 있는 동안 주위에 중국 남자가 없었다는 거다. 어찌된 셈인지 애인은커녕 그동안 배운 선생님들도 모두 여자였다. 심지어 친한 여자 친구들조차 남자 친구가 없어 중국 남자들의 세계를 제대로 들여다보지 못해 참으로 아쉽다.

사실은 지난 봄 중국 남자를 사귈 좋은 기회가 있었다. 윈난성에서 베이징으로 올 때 비행기 옆자리에 앉은 남자. 중국 주요 일간지 경제부 주임, 39살의 노총각이었는데 참으로 상냥하고 지적이고 유머가 넘쳤다. 3시간 동안 내내 재미있었고 사람을 대하는 기본적인 태도가 마음에 들어 연락처까지 주었는데 정작 자꾸 연락이 오니 귀찮다는 생각이 들었다. 그래서 약속을 차일피일 미루다 어긋나게 되었다. 지금 생각하면 참 애석하다. 이 사람하고 사귀었으면 그가 속한 중국 지식인 사회를 엿볼 수 있고 중국의 여러 면모도 볼 수 있었을 텐데. 무엇보다 '베이징의 로맨스'를 만들 기회였는데. 나는 왜 이렇게 연애를 귀찮아하면서 타이밍을 잘 못 맞추는지. 바보, 멍청이.

아쉬운 점이 또 있다. 내가 접했던 사람들이 학교나 유학생 촌을 중심으로 국한되었다는 거다. 중국은 '관시(關係)'의 사회인 만큼 한국 주재원들이나 국제 기구 직원들과 어울렸어야 했다. 그랬다면 훨씬 다양한 중국을 경험했을 텐데. 한국에서 올 때 신문사나 방송사 친구들이 특파원을 소개해줄 때도 귀담아듣지 않았고, 현지에서 알음알음 알게 된 베이징 주재 국제 기구 직원들의 이런저런 파티 초대에도 공부 핑계를 대며 거의 가지 않았다. 그때는 왜 이런 일들을 그저 시간 낭비라고만 생각했었는지. 공부하러 왔으니 설치지 말고 학생답게 조용히 살자는 생각이었지만 지금 돌아보니 좀 아깝다. 그런 사람들과 교류하지 않았다고 내가 조용히 살았더냔 말이다.

그러나 그런 마음가짐 덕분에 예상치 않은 큰 수확을 얻었다. 생각이 많아지고 깊어졌다는 거다. 여행 중이나 한국에 있을 때는 여러 가지 일로 바빠 정신이 없었지만 중국에서는 오로지 공부 한 가지 일만 생각했기 때문에 생활이 단순해져서 그랬을 거다. 오랜만에 정착민이 되어 차분하게 책 볼 시간과 글 쓸 시간을 가져서이기도 할 거다.

지난 1년 동안 나 자신에게 가장 많이 던진 질문은 '앞으로 어떻게, 무엇을 하며 살 것인가'였다. 어떻게 하면 행복한 얼굴로 내가 가진 것을 남김없이 쓰고 갈 수 있을까? 아무리 곰곰이 생각해봐도 이렇게 사는 것이 제일일 것 같다. 심플하게, 따뜻하게, 그리고 하고 싶은 일을 하면서.

다른 사람도 그런지 모르겠지만 나는 나이를 먹을수록 하고 싶은 일이 점점 많아진다. 우선 올해부터 적어도 15년간 난민 등 국제 긴급구호 활동 관련 일을 하려고 한다. 될 수 있으면 최전선 혹은 재난의 현장에서 일하고 싶다. 그 후에는 현장 경험을 바탕으로 현실적이고도 효율적인 긴급구호 정책을 세우는 일을 하고 싶다. 그 다음에는 일정 기간 한국을 위해서 일하고 싶다. 대외 정책이나 국제 협상 등의 자문 역할을 할 수 있을 만큼 내 경험과 전문 지식이 깊어진다면 말이다. 좀더 나이가 들면 전 세계 학생들, 특히 어린 학생들을 상대로 강의와 저술 활동을 하고 싶다. 더불어 정치, 경제, 문화뿐만 아니라 진정으로 세상을 움직이는 사람들을 만나는 고급 인터뷰 프로그램도 만들고 싶다. 그러다 보면 벌써 칠십대 후반이 될 테고, 그때쯤에는 한국에서 멋진 전통 유스호스텔을 운영하고 싶다. 젊었을 때는 내가 돌아다니며 보았으니 이제 한국을 찾은 세계의 젊은 배낭족에게 우리 문화를 제대로 알릴 차례다.

그런 대형 프로젝트 사이 사이에 '배 타고 지구 세 바퀴 반'도 해야 하고 '세계의 재래시장과 부엌을 찾아서'라는 다큐멘터리도 만들고 싶고. 아무리 생각해도 사람의 한 생이 너무 짧다. 얼추 계산해보아도 내가 하고 싶은 것을 다 하려면 적어도 110세까지는 살아야 하는데 아쉽게도 한국 여자의 평균 수명은 79.2세란다.

많은 사람들이 내게 말한다. 하고 싶은 건 다 하고 사는 것 같다고. 천만의 말씀이다. 하고 싶은 것의 반에 반도 못하고 산다. 나 역시 하루 24시간, 1년 365일밖에 없으니 말이다. 만약 다른 사람에게 그렇게 보였다면, 그건 내가 하고 싶은 일의 긴 목록(결혼도 목록에 있다. 높은 순위는 아니지만) 중에서 맨 위에 있는 1, 2, 3번을 하고 있기 때문일 거다. 누구든지 주어진 시간과 노력과 능력과 체력을 아끼지 않는다면 상위 1, 2, 3번은 할 수 있다는 것이 내 믿음이다. 한정된 시간과 힘을 어떻게 쓸지만 잘 생각한다면 말이다.

나는 이런 문제로 고민할 때마다 한 가지 비유를 생각하곤 한다.

돌, 자갈, 모래와 항아리가 하나씩 있다. 세 가지를 한꺼번에 조금 큰 항아리 하나에 넣으려 한다. 어떻게 해야 하겠는가. 만약 모래부터 채워 넣으면 돌이 들어갈 자리가 없다. 그러나 돌부터 넣고 나중에 자갈, 모래 순으로 채우면 다 넣을 수 있다. 아니, 자갈, 모래는 다 넣지 않아도 상관없다. 중요한 것은 돌이 다 들어갔다는 거다. 하고 싶은 일도 마찬가지다. 제일 하고 싶은 일을 우선으로 하지 않으면 결국에는 모래같이 작은 일에 중요한 시간을 다 뺏기고 만다. 순서가 중요하다는 얘기다.

현재로서의 우선 순위 1번은 긴급구호 활동이다. 이런 일을 한다고 하면 마치 내가 드높은 박애 정신이나 인류애의 소유자라고 생각할지도 모른다. 나는 정말 그런 거 없다. 어렸을 때부터 봉사나 희생 정신과는 거리가 먼 사람이다. 오히려 이기적인 쪽이다. 무슨 일이든 내가 좋아야 한다. 내가 하나도 기쁘거나 행복하지 않은데 남에게 좋다는 이유로 무슨 일을 하는 법은 없다.

긴급구호도 그렇다. '괴롭고 힘들고 목숨의 위협을 느낄 만큼 두렵지만 인류 평화라는 거룩한 뜻을 위해 이 한 몸 기꺼이 바치겠다'가 절대 아니다. 이 일을 하면 내가 얼마나 행복할까를 생각한다. 벼랑 끝에 선 사람들의 손을 잡아 끌어주는 것이 나에게 얼마나 큰 보람과 기쁨을 줄까를 생각한다. 내가 행복할 것 같아서 하는 일이 너무나 다행히 다른 사람들을 위해서도 좋은 일이니 더욱 잘 되었을 뿐이다. 이 일을 하다가 죽어도 할 수 없다. 나라고 목숨이 아깝지 않을까마는 어차피 한 번 죽을 목숨이라면 하고 싶은 일을 하는 현장에서 죽고 싶다. 아니, 그게 바로 내 소원이다.

내일 나는 한국으로 돌아간다. 생각해보니 몸만 중국에서 한국으로 가는 것이 아니다. 인생의 전반부에서 후반부로 넘어가는 것이고 오지 여행가에서 긴급구호 활동가로 넘어가는 거다. 익숙한 것들과 이별해야 하는 시간이고 전혀 새로운 세계로 들어서는 시간이다. 언제부터인지 나는 낯익은 것과의 이별이 두렵지 않은 것처럼 낯선 것과의 만남 역시 두려워하지 않게 되었다.

새로 시작하는 길, 이 길도 나는 거친 약도와 나침반만 가지고 떠난다. 길을 모르면 물으면 될 것이고 길을 잃으면 헤매면 그만이다. 이 세상에 완벽한 지도란 없다. 있다 하더라도 남의 것이다. 나는 거친 약도 위에 스스로 얻은 세부 사항으로 내 지도를 만들어갈 작정이다. 중요한 것은 나의 목적지가 어디인지 늘 잊지 않는 마음이다. 한시도 눈을 떼지 않는 것이다. 그리고 그곳을 향해 오늘도 한 걸음씩 걸어가려 한다. 끝까지 가려 한다. 그래야 이 길로 이어진 다음 길이 보일 테니까.

여러분은 지금 어디를 향해서 한 발짝 한 발짝 가고 있는가. 거기가 어디든 목적지에 꼭 도착하시길 진심으로 바란다. 가는 길 행복하고 즐거우시길.

이제 베이징을 떠날 시간이다. 떠나는 마음은 아쉽지만 발걸음은 가볍다. 이것이 새로운 길로 들어서는 첫 발짝임을 잘 알기 때문이다.

짜이찌엔 펑요우(朋友), 짜이찌엔 베이징, 짜이찌엔 중궈(中國)!

"도대체 이게 어떻게 된 거야?"

보충 인터뷰를 하기 위해 베이징에 갔다가 깜짝 놀랐다. 다섯 달 만에 완전히 딴판이 된 거다. 공항부터 그랬다. '베이징에 오신 것을 환영합니다'라고 쓰여 있던 투박한 대형 간판이 아주 세련된 아크릴 간판으로 바뀌었다. 1년간 살았던 학원로의 큼직한 건물들은 간데 없고 매일 다니던 둥왕쟝의 야채 가게, 과일 가게 역시 흔적도 없이 사라졌다. 그동안 2008년 올림픽 유치 확정이라는 큰 사건이 있었다고 해도 이러다간 내가 쓴 글이 1년도 못 가 옛날 얘기가 되고 마는 것이 아닌가 걱정이 됐다.

하지만 그럴 리가 없다. 내가 한 이야기는 시간이 가면 변하는 풍물 기행이 아니라 중국에서 겪은 가깝고도 따뜻한 일들과 중국을 만나면서 깨달은 내 안의 이야기니까. 이번 책도 처음에는 전혀 쓸 생각이 없었다. 중국에는 오로지 중국어를 배우러 갔기 때문에 처음에는 공부만 열심히 했다. 그런데 봄, 여름이 지나면서 이상한 현상이 일어났다. 점점 일기 쓰는 양이 길어지는 거다. 보고 듣는 것이 쌓여 갈수록 누군가에게 이 신기하고 재미있는 이야기를 들려주고 싶어서 안달이 나기 시작했다. 여름 이후에는 매달 〈작은 이야기〉와 〈우먼센스〉 등에 정기적으로 글을 썼는데도, 조각글로는 다하지 못하는 이야기가 차고도 넘쳤다.

올 봄과 여름 두 계절 동안 나는 '바람의 딸'이 아니라 '의자의 딸'로 살았다. 말로 하면 그렇게 술술 나오는 얘기가 노트북만 열면 어디로 다 달아나버리는지. 그것 쫓아다니느라 몇 달이 걸렸다. 그동안 썼다 지운 글자가 수만 단어요, 마신 커피가 수백 잔이다. 시시하게 쓸 바에는 차라리 이쯤에서 없었던 일로 하자 굳게 마음먹은 적도 여러 번이다. 이렇게 원고와 숨바꼭질과 쟁탈전을 동시에 벌이느라, 듣자하니 더웠던 삼복 더위도 지나가고 아침 저녁 찬바람이 분다.

후기를 쓰고 있는 지금, 아주 높은 산을 올랐다가 막 내려온 기분이다. 오르락내리락하느라 진이 모두 빠졌을 거라고 생각했는데, 오히려 굉장한 에너지가 몸 속에서 꿈틀거린다.

싹 비우고 다시 시작하는 마음, 참 개운하다.

한비야의 중국견문록

첫판 1쇄 펴낸날 · 2001년 8월 24일
   57쇄 펴낸날 · 2008년 8월 28일

지 은 이 · 한비야
펴 낸 이 · 김혜경
문학교양팀 · 이재현 이진 김미정
디자인팀 · 서채홍 윤정우 전윤정 김명선 지은정
마케팅팀 · 엄현진 윤혜원 이원영 이주화 오성훈 김순상 이영은
경영지원팀 · 임옥희

인   쇄 · 백왕인쇄
제   본 · 정민제본

펴 낸 곳 · (주)도서출판 푸른숲
출판등록 · 2002년 7월 5일 제 406-2003-032호
주   소 · 경기도 파주시 교하읍 문발리 파주출판도시
             529-3번지 1층, 우편번호 413-756
전   화 · 031)955-1400(마케팅본부), 031)955-1410(편집부)
팩시밀리 · 031)955-1406(마케팅본부), 031)955-1424(편집부)
http://www.prunsoop.co.kr

ISBN 89-7184-477-9 03810

* 잘못된 책은 구입하신 서점에서 바꾸어 드립니다.
* 저작권자와의 협약에 의해 인지는 생략합니다.
* 본서의 반품 기한은 2013년 8월 31일까지입니다.